P9-APO-247

Ранчо

Москва
1998

ББК 84 (7США)
С80

Danielle Steel
THE RANCH
1997

Перевод с английского А.Ю. Кабалкина

Серийное оформление А.А. Кудрявцева

Печатается с разрешения автора
c/o Janklow & Nesbit Associates
и "Права и переводы" (Москва).

Исключительные права на публикацию книги
на русском языке принадлежат издательству АСТ.
Любое использование материала данной книги,
полностью или частично, без разрешения
правообладателя запрещается.

Стил Д.

С80 Ранчо: Роман / Пер. с англ. А.Ю. Кабалкина. – М.: ООО "Фирма "Издательство АСТ", 1998. – 464 с.

ISBN 5-237-01367-8

Мэри Стюарт Уолкер. На первый взгляд – идеально счастливая жена и мать, в действительности мучительно страдающая от одиночества, страстно жаждущая романтики и любви...

Таня Томас – суперзвезда поп-музыки, богатая и знаменитая. Казалось бы, ее путь усеян розами, но под маской блеска и успеха скрываются боль и усталость.

Эти две женщины, такие разные, приезжают отдыхать на роскошное ранчо – туда, где царит атмосфера легкости и свободы, туда, где, возможно, сбываются мечты...

© Danielle Steel, 1997
© Перевод. А.Ю. Кабалкин, 1998
© ООО "Фирма "Издательство АСТ", 1998

Виктории и Нэнси, бесценным подругам, врачующим мое сердце. С ними я смеюсь, с ними плачу, они всегда рядом со мной.

С любовью Д.С.

Глава 1

В любом другом супермаркете эта женщина, толкающая тележку по проходу между стеллажами с бесчисленными банками и разнообразными специями, выглядела бы белой вороной, попавшей сюда по недоразумению. Тщательно расчесанные каштановые волосы до плеч, огромные карие глаза, стройная фигура, ухоженные ногти с маникюром. Респектабельный облик дополнял элегантный синий костюм — раздобыть такой можно разве что в Париже. Голубые, в тон костюму туфли на высоком каблуке, синяя сумка от Шанель завершали наряд, свидетельствующий о прекрасном вкусе.

Мэри Стюарт Уолкер частенько заглядывала по дороге домой в «Гристед» на углу Мэдисон-авеню и Семьдесят седьмой улицы. Все необходимое для дома обычно добывала прислуга, но ей нравилось и самой делать покупки. Она любила готовить ужин и встречать Билла по вечерам. Они всегда обходились без кухарки, даже когда дети были еще маленькие.

Жили Уолкеры неподалеку от пересечения Семьдесят восьмой улицы и Пятой авеню вот уже пятнадцать лет. Мэри Стюарт пеклась о своем фешенебельном и уютном доме. Дети порой подтрунивали над ней, дразня за стремление к безупречности во всем — все должно выглядеть образцово: и жилище, и его обитатели, и прежде всего она сама. Даже в жаркий июньский нью-йоркский вечер, после шести часов изнурительных заседаний где-нибудь в музейном совете, губы Мэри Стюарт по-прежнему блестели свеженанесенной помадой, а из прически не выбивался ни единый волосок.

Она везла к кассе два небольших бифштекса, две упаковки картофеля для варки, немного свежей спаржи, фруктов, несколько йогуртов. Как хорошо она помнила времена, когда доверху нагружала магазинную тележку! Как ни хмурилась Мэри Стюарт, разыгрывая неодобрение, трудно было отказать дочери и сыну в лакомствах, которых они, наглядевшись по телевизору, дружно требовали. Ей доставляло удовольствие лишний раз побаловать их фруктовыми жвачками, раз это было для них так важно. К чему отказывать им в таких мелочах, заставляя поглощать здоровую, но ненавистную им пищу?

Подобно большинству ньюйоркцев их круга, они с Биллом ожидали от своих детей очень многого: самых лучших отметок в школе, впечатляющих спортивных достижений, целостности натуры. Ожидания оправдались. Алиса и Тодд стали гордостью родителей: они блистали повсюду, показывая отличные результаты в школе и вне ее и отличаясь достоинством и благородством. С раннего детства Билл как бы шутя твердил им, что ждет от них совершенства, но и на самом деле отец и мать на это рассчитывали. Алиса и Тодд громко стонали, слыша надоевшие призывы, однако знали, насколько это серьезно. Отец требовал, чтобы они старались в школе и за ее пределами изо всех сил. Абсолютный успех возможен, конечно, не всегда, но стремиться к нему необходимо. Соответствовать таким завышенным требованиям нелегко, но Билл Уолкер всегда держал планку на большой высоте, не давая детям поблажки. Мать только выглядела ярой поклонницей совершенства, отец же был таковым на самом деле: он ждал, что и они, и их мать не будут жалеть сил, стремясь к идеалу. Билл держал в напряжении не только своих детей, но и жену.

Мэри Стюарт была образцовой женой на протяжении вот уже почти двадцати двух лет. Прекрасно вела домашнее хозяйство, родила и воспитала великолепных детей, всегда отлично выглядела, радушно принимала *его* гостей и вообще делала все с большим воодушевлением. Их дом, попавший на страницы журнала «Аркитекторал дайджест», оставался милым уголком, куда всегда приятно возвращаться.

Казалось, жене все дается без малейшего напряжения, хотя невозможно себе представить, что подобных успехов можно достичь, не прилагая усилий. Просто таков раз и навсегда установленный порядок, который она как бы с легкостью поддерживала день за днем, делая приятное мужу. Уже несколько лет она устраивала благотворительные кампании, заседала в музейных комитетах, не щадила себя, помогая раненым, больным, обделенным судьбой детям. Теперь, когда ей сорок четыре и подросли ее собственные дети, она, кроме того, бесплатно трудилась в гарлемской больнице для детишек с физическими и умственными недостатками.

Мэри Стюарт заседала в советах Метрополитен-музея и Линкольновского центра сценических искусств, а также участвовала в ежегодных кампаниях по сбору средств в разные фонды, ибо ее помощи желали все. Она буквально тонула в делах, особенно теперь, когда дома ее уже не дожидались дети, а муж допоздна засиживался на работе. Билл являлся одним из руководителей международной юридической фирмы на Уолл-стрит и отвечал за все ее важнейшие дела, связанные с Германией и Англией. Он начал карьеру адвокатом и значительно продвинулся во многом благодаря репутации Мэри Стюарт как активной общественной деятельницы.

Прошедший год у них выдался *относительно* спокойным. Билл провел его большую часть за границей, особенно подолгу отсутствуя в последние месяцы, — занимался подготовкой крупного судебного процесса в Лондоне. Сама Мэри Стюарт с головой ушла в больничные хлопоты. Алиса училась на первом курсе в Сорбонне. У Мэри Стюарт появилось немного времени и для самой себя. Она много читала, а выходные проводила в больнице. Случалось, по воскресеньям позволяла себе и отдохнуть, подолгу не вставая с постели, зачитавшись романом или решив изучить от первой до последней страницы «Нью-Йорк таймс».

Выглядела Мэри Стюарт много моложе своих лет. Хотя за последний год сильно похудела, но это как будто пошло ей на пользу. Благодаря природной мягкости она завоевала всеобщую симпатию, особенно у детей, с которыми работала. Ее искренняя душевная доброта уничтожала все социальные перегородки и заставляла забыть, из какого мира спустилась эта леди в мир страданий. Она была отзывчива, даже, казалось, испытывала грусть, словно понимала подлинные муки и сама их немало пережила. Но при этом от нее вовсе не веяло тоской. В общем, жизнь Мэри Стюарт являла собой образец удачливости. Дети — умнейшие из умных, красивейшие из красавцев. Мужу неизменно сопутствует успех по всем статьям — и в материальном смысле, и в профессиональном: ведь он выигрывает один за другим известные в стране и за рубежом процессы, пользуется уважением и в деловой среде, и в кругу их знакомых.

Выходит, у Мэри Стюарт есть все, о чем мечтает каждая женщина. Но почему в ее облике сквозит какая-то странная опечаленность? Внешне она почти не проявляется, скорее угадывается интуитивно. Как ни странно, ей хотелось посочувствовать: она казалась одинокой. Невероятно — такая женщина, как Мэри Стюарт, с ее красотой, другими достоинствами, не может мучиться от одиночества! Нет никаких оснований так думать. Однако стоит к ней как следует приглядеться, как мимолетное ощущение перерастает в уверенность. За элегантной внешностью скрыты невидимые миру слезы.

— Как поживаете, миссис Уолкер? — Кассир приветливо улыбнулся. Он симпатизировал этой покупательнице, не только очень красивой, но и неизменно вежливой, никогда не забывавшей расспросить его о семье, жене, здоровье матери, пока старушка была жива. Раньше она наведывалась в магазин с детьми, теперь они уехали, и леди приходит одна и всегда развлекает его беседой. Не симпатизировать этой женщине попросту невозможно.

— Спасибо, Чарли, неплохо. — Улыбка делала ее еще моложе. Наверное, она мало изменилась с тех пор, как по выходным, приходя за покупками в джинсах, выглядела в точности так, как ее дочка сейчас. — Ну и жара сегодня! — пожаловалась она, хотя ее вид менее всего говорил о том, что леди испытывает неудобство от сюрпризов погоды.

Она всегда выглядит одинаково хорошо. Зимой одевается изящно, хотя остальных холод заставляет кутаться, обуваться в неуклюжие сапоги, чтобы преодолевать сугробы и не промочить ноги, обматываться шарфами, уродовать себя наушниками. Летом, когда другие изнемогают от нещадного зноя, она, как всегда, невозмутима. Казалось, даже не знает, что такое испарина и одышка, и относится к редкой породе людей, у которых никогда ничего не валится из рук и которые в любой ситуации ведут себя одинаково ровно. Зато он нередко видел ее, веселящуюся со своими детьми. Дочка просто куколка, да и сынок славный малый. Такая уж это семья. Но, по мнению Чарли, муж такой женщины мог бы быть менее сдержанным... С другой стороны, разве угадаешь, что делает людей счастливыми? Словом, загляденье, а не семья!

Он предположил, что мистер Уолкер вернулся из очередной поездки: недаром она купила две порции картошки и мяса.

— Передали, что завтра будет еще жарче, — предупредил он, укладывая ее покупки в пакет и заметив, как миссис Уолкер покосилась на «Энквайер» и неодобрительно нахмурилась.

На первой странице красовалась знаменитая певица Таня Томас. Надпись гласила: «ТАНЕ ПРЕДСТОИТ НОВЫЙ РАЗВОД. БРАК ТРЕЩИТ ПО ШВАМ ИЗ-ЗА ЕЕ СВЯЗИ С ИНСТРУКТОРОМ». Здесь же были напечатаны ужасные фотографии самой певицы, а также снимок, изображающий мускулистого инструктора в майке, еще один — ее теперешний муж, спасающийся от журналистов и закрывающий от камер лицо у входа в ночной клуб.

Чарли тоже взглянул на них и пожал плечами:

— На то и Голливуд! Они там все спят с кем попало. Непонятно, зачем им вообще жениться?.. — Сам он прожил со своей женой тридцать девять лет, и голливудские причуды казались ему из ряда вон выходящими.

— Не надо верить всему, что пишут, — строго молвила Мэри Стюарт. В ее ласковых карих глазах читалось беспокойство.

Он в ответ улыбнулся:

— Больно вы ко всем добры, миссис Уолкер! Уверяю вас, они там совсем не такие, как мы.

Уж он-то знал эту породу! Некоторые киношные знаменитости являлись его многолетними клиентами и вечно приходили с новыми спутниками или спутницами. С ними не соскучишься! Между этой публикой и Мэри Стюарт Уолкер нет ничего общего. Он не сомневался, что ей вообще невдомек, о чем он толкует.

— А вы, Чарли, все равно не верьте, — повторила она, причем необычным для нее твердым тоном, после чего забрала покупки и простилась до завтра.

От супермаркета до дома, где они жили, рукой подать. Был уже седьмой час, но духота все еще не спадала. Билл, видимо, вернется домой в свое обычное время, примерно в семь, и поужинает в половине восьмого или в восемь, как сам пожелает. Сейчас она поставит картофель в духовку, примет душ и переоденется — ведь Мэри Стюарт только выглядела бодрой. На самом деле женщина смертельно устала от жары и бесконечных совещаний. Музей готовил осеннюю грандиозную кампанию по сбору средств на благотворительные цели. В сентябре планировалось дать большой бал, где Мэри Стюарт предлагалась роль хозяйки. Пока что ей удавалось отказываться от этого предложения и ограничиваться советами. Ей не хотелось заниматься балом, к тому же в последнее время больница для детей-инвалидов и приют для обездоленной гарлемской детворы отнимали у нее много времени.

Привратник поприветствовал ее у входа, взял у нее пакет и передал лифтеру. Поблагодарив, она молча доехала до своей квартиры, занимающей весь этаж. Дом был старый, величественный и очень красивый. На Пятой авеню она знала всего несколько ему под стать. Из окон их квартиры открывался великолепный вид, особенно зимой, когда Центральный парк засыпан снегом и высокие дома с противоположной стороны парка выступают особенно контрастно на фоне неба. Летом тоже красиво: все вокруг покрыто буйной зеленью и с их четырнадцатого этажа выглядит очень мило и беззаботно. Сюда не доносится уличный шум, здесь нет пыли и можно предаться беззаботности после хлопотного дня. В этом году весна выдалась поздней, и только недавно все распустилось, положив конец затянувшейся промозглой зиме.

Мэри Стюарт поблагодарила лифтера за помощь, заперла за ним дверь, затем вошла в просторную белоснежную кухню, которую очень любила. Если не считать трех французских гравюр в рамках на стенах, кухня была белоснежной: белые стены, белый пол, белые столы. Пять лет назад именно дизайн ее кухни привлек репортеров из «Аркитекторал дайджест». На одной из фотографий, помещенных в журнале, фигурировала сама Мэри Стюарт. Она сидела на кухонном табурете в белых джинсах и белом ангорском джемпере.

Уолкеры пользовались теперь помощью приходящей прислуги, поэтому вечером квартира встречала хозяйку тишиной. Мэри Стюарт вынула из пакета покупки, включила духовку и надолго застыла у окна, выходящего в парк. Недалеко от дома находилась детская площадка. Глядя на нее, она вспомнила, сколько времени провела там, когда дети были меньше, как мерзла зимой, качала их на качелях, наблюдала за их играми с приятелями. Как же давно это было! Казалось, минуло тысячелетие. Но ведь еще недавно дети жили дома, каждый вечер за ужином рассказывали родителям, перебивая друг друга, о своих делах, планах, проблемах... Как ей сейчас не хватает этого! Даже самый отчаянный спор между Алисой и Тоддом стал бы для нее отрадой — настолько Мэри Стюарт устала от тишины в доме. Она с нетерпением ждала осени, когда Алиса должна вернуться из Парижа и продолжить учебу в Йеле. Тогда дочь будет хотя бы иногда заглядывать домой на уик-энд.

Мэри Стюарт покинула кухню и перешла в свой маленький кабинет. Здесь был установлен автоответчик. Стоило ей нажать кнопку, как раздался голос Алисы. Мэри Стюарт улыбнулась.

«Привет, мам! Жаль, что я тебя не застала. Просто хотела сообщить, что жива, и узнать, как твои дела. Здесь десять часов, я бегу с друзьями в кафе. Меня долго не будет, так что не звони. В выходные я обязательно перезвоню. Увидимся через несколько недель. Пока». Потом, спохватившись, дочь добавила: «Ой! Я тебя люблю».

После этого раздался щелчок — Алиса повесила трубку. Автоответчик зафиксировал время звонка. Мэри Стюарт посмотрела на часы и покачала головой: жаль, что ее не оказалось дома. Когда Алиса позвонила, в Нью-Йорке было четыре. С тех пор прошло два с половиной часа. Мэри Стюарт собиралась к дочери в Париж через три недели, чтобы провести вместе с ней каникулы на юге Франции, а потом в Италии. Она планировала пробыть в Европе две недели — Алиса намеревалась вернуться домой в конце августа, за несколько дней до начала занятий в университете. Дочери не хотелось покидать Европу, и она предупредила, что после учебы вернется в Париж. Пока что Мэри Стюарт не думала об этом — за год, проведенный без Алисы, она извелась от одиночества.

«Мэри Стюарт! — Этот голос принадлежал мужу. — Сегодня я не поспею домой к ужину. До семи у меня совещание, потом — ужин с клиентами, как я только что узнал. Увидимся в десять-одиннадцать. Извини».

Щелчок. Билл, как водится, лаконичен, ограничился самой необходимой информацией. Она привыкла — его всегда дожидаются клиенты и он терпеть не может автоответчиков. По его утверждениям, он органически не способен с ними общаться и никогда не оставит ей на автоответчике сообщения личного свойства. Иногда жена подшучивала над ним по этому поводу. Раньше таких поводов было гораздо больше, но теперь все в прошлом.

Последний год оказался для них нелегким. Столько неожиданностей, разочарований, даже ударов... Внешне, впрочем, все оставалось по-прежнему. Мэри Стюарт поражалась: как она вообще продолжает жить?! С разбитым вдребезги сердцем варит кофе, покупает простыни, перестилает постели, присутствует на совещаниях. Каждое утро она вставала, умывалась, одевалась, вечером ложилась спать. Когда часть ее существа уже умерла. В былые времена она не понимала, как другие люди переносят подобные удары судьбы. Даже восхищалась их стойкостью, от души им сочувствуя. Что ж, теперь ей ясно: человек просто продолжает жить. Сердце его бьется по-прежнему, он передвигает ноги, произносит слова, дышит. Но внутри у него — пустота.

«Здравствуйте! — Еще один мужской голос. — Звонит Тони Джонс. Ваш видеомагнитофон отремонтирован. Можете забрать его в любое время. Спасибо и до свидания».

Далее последовали сообщения о заседаниях совета и изменении сроков их проведения, о бале в музее — касательно ее участия в подготовительном процессе, от руководительницы группы добровольных помощниц в гарлемском приюте.

Сделав несколько пометок в блокноте, Мэри Стюарт вспомнила, что надо выключить духовку. Билл не придет ужинать... Опять!.. *Слишком* упорно он работает. Что ж, таков его метод выжить. Она тоже старалась забыться, погружаясь в водоворот собраний и заседаний комитетов.

Мэри Стюарт выключила духовку и решила сварить себе яйца, но не сейчас, потом. Из кухни она направилась к себе. Стены ее спальни бледно-желтые, с золотым оттенком, украшены старыми гравюрами и акварелями, на одной висит старинный вышитый ковер, купленный ею в Англии. В углу — красивый мраморный камин, на каминной полке фотографии детей в серебряных рамках. По обеим сторонам камина — удобные, мягкие кресла: они с Биллом любили посидеть здесь вечером или в выходной с книжкой или газетой. Супруги уже год как не выезжают из города по выходным. Прошлым летом они продали свой дом в Коннектикуте, который стал им не нужен, — дети больше с ними не жили, а Билл постоянно в разъездах.

— В нашей жизни наступил период сужения, — пошутила как-то Мэри Стюарт в разговоре с подругой. — Дети с нами не живут, Билла вечно нет дома, вот мы и уменьшаемся в масштабах. Даже квартира нам теперь великовата. — Впрочем, продать квартиру не хватило бы духу. Как-никак здесь выросли ее дети.

Войдя в спальню, она невольно подняла глаза на фотографии, как всегда, буквально впившись в них взором. Для нее очень важно по-прежнему видеть здесь детей — в четыре, в пять, в десять, в пятнадцать лет, собаку, которую им завели, когда они были совсем еще малышами, — огромного и дружелюбного бурого лабрадора по кличке Мусс. До чего же замечательно смотреть на них и вспоминать!..

Как часто в мыслях она возвращалась в прошлое, когда так легко разрешались любые проблемы. Или почти любые. На нее глянула веселая мордашка Тодда. Она увидела его мальчуганом, гоняющимся за собакой, вспомнила очень отчетливо его падение в бассейн, когда ему было всего три года, как бесстрашно нырнула за ним прямо в одежде. *Тогда* она его спасла. Он и Алиса всегда могли надеяться на свою мать. А вот рождественская фотография: они стоят втроем обнявшись, хохочут и дурачатся. Бедняга фотограф умаялся, умоляя их хоть немного побыть серьезными, чтобы он смог сфотографировать...

Тодд вечно распевал дурацкие песенки, вызывавшие у Алисы веселый хохот; даже она и Билл не могли удержаться от смеха. Как хорошо было дурачиться! С ними вообще всегда было хорошо...

Мэри Стюарт отвернулась от фотографий, испытывая нестерпимую муку и в то же время необъяснимое удовлетворение. Эти родные лица на снимках одновременно терзали ей сердце и утоляли ее печаль. Почувствовав комок в горле, Мэри Стюарт поспешила в ванную, где, умыв лицо, сурово посмотрела на себя в зеркало.

«Прекрати!» Она покорно кивнула. Главное — не давать волю чувствам, забыться. А забывшись, она оказывалась в какой-то незнакомой пустынной местности. Здесь ей было тоскливо и невыносимо одиноко. Ей казалось, что и Билл блуждает по той же пустыне, стараясь вырваться из собственного ада. Вот уже более года она пытается его там разыскать, но пока безуспешно...

Она задумалась — не поужинать ли? — но решила, что неголодна. Сняв костюм, натянула розовую тенниску и джинсы. Потом вернулась в свой миниатюрный кабинет, уселась за письменный стол и стала просматривать бумаги. Часы показывали семь, но на улице было еще светло. Ей вдруг захотелось позвонить Биллу. Теперь у них осталось крайне мало тем для разговора, разве что его работа да ее совещания, однако она упорно продолжала ему названивать. Лучше так, чем полное уныние. Как ни тяжко им было последний год, Мэри Стюарт все же не опускала рук, не желая признавать себя побежденной. В выстроенной ею жизненной схеме вообще не было места поражению. Прожив вместе столько лет, они слишком многим друг другу обязаны. Дурная погода — еще не повод покидать судно. Мэри Стюарт скорее пошла бы на дно вместе с кораблем, терпящим бедствие.

Она набрала номер и терпеливо ждала, пока секретарь не взяла трубку. Нет, мистера Уолкера нет на месте. Он все еще на совещании. Она обязательно передаст ему о звонке миссис Уолкер.

— Спасибо. — Мэри Стюарт повесила трубку и повернулась в кресле, снова залюбовавшись видом из окна.

Чуть приподнявшись, она могла бы увидеть влюбленные парочки, наслаждающиеся в парке теплым июньским закатом. Но сейчас такие сцены не для нее. На ее долю осталась одна боль. Боль и воспоминания обо всем том, что они некогда делили с Биллом. Возможно, это еще возродится. Возможно... Но как быть, если нет? Об этом не хотелось даже думать. Упрекнув себя за слабость, она вернулась к бумагам, просидев над ними целый час. Пока солнце клонилось к закату, она составляла список кандидатур в комитет и предложения рабочей группе, с которой впервые встретилась днем. Когда Мэри Стюарт наконец оторвалась от писанины, за окном было уже совсем темно. Бархатная ночь поглотила город и ее саму. В квартире было так тихо, так пусто, что ей захотелось хоть кого-то окликнуть, до кого-то дотронуться. Увы, рядом ни души! Она закрыла глаза и откинулась в кресле. Неожиданно раздался телефонный звонок.

— Алло! — Ее голос прозвучал удивленно и очень звонко, волосы растрепались по плечам. Любой, кто ее сейчас мог разглядеть в наступившей темноте, залюбовался бы ею.

— Мэри Стюарт?

От одного звука этого тягучего голоса она улыбнулась. Голос был ей знаком вот уже двадцать шесть лет. Несколько месяцев она его не слышала, но сейчас, когда Мэри Стюарт так нуждалась в его обладательнице, та вспомнила о ней, словно для интуиции Тани Томас не существовало колоссального расстояния. Старая дружба создает порой связи, неподвластные рассудку.

— Это ты? А я было приняла тебя за Алису, — продолжал голос в трубке с явно техасским выговором.

— Нет, это я. Она еще в Париже. — Мэри Стюарт радостно улыбнулась. Поразительно, насколько верно Таня всегда чувствует, что пришла пора ей появиться. Так бывало уже не раз. Что бы они друг без друга делали? Мэри Стюарт вспомнила о фотографиях в газете, попавшейся ей на глаза в «Гристед», и нахмурилась: — Как твои дела? Я сегодня про тебя читала.

— Недурно, правда? Особенно если учесть, что мой теперешний инструктор — женщина. Парня, попавшего на обложку, я уволила еще в прошлом году. Сегодня он мне звонил и угрожал судом: его жена, видите ли, в ярости! Ничего, пусть знает, что такое журналисты. — Сама Таня уже давно знакома с работой репортеров во всех ее проявлениях. — Теперь отвечаю на твой вопрос. Хорошо! Вроде бы хорошо...

Проникновенно урчащий тембр ее голоса буквально сводил с ума мужчин. Мэри Стюарт улыбнулась. Звонок подруги словно принес ей дуновение свежего ветерка в душной комнате.

Они вместе учились в колледже в Беркли двадцать шесть лет назад. То были беззаботные годы, да и сами они были тогда безумно молоды. Четыре закадычные подруги: Мэри Стюарт, Таня, Элеонор и Зоя. Первые два года они жили в общежитии, затем вместе сняли домик. Четыре года были неразлучны, как сестры. Незадолго до выпуска умерла Элли, и с тех пор все изменилось.

После колледжа подруги разом повзрослели, и каждая зажила собственной жизнью. Таня всего через два дня после выпуска выскочила замуж. Избранником стал друг детства из ее родного городка на востоке Техаса. Молодоженов обвенчали в церкви. Брак продержался два года. Танина карьера спустя год после выпуска стартовала, как ракета, и разнесла всю ее прежнюю жизнь, в том числе и замужество, в клочья. Бобби Джо крепился еще год, но в конце концов не выдержал, почувствовав, что сел не в свои сани. Его с самого начала подавляли образованность и талант жены, а уж сладить со звездой он и подавно не сумел. Очень старался, но не смог. Больше всего ему хотелось жить в Техасе и продолжать отцовское дело — строительные подряды, тем более что дела шли недурно. Ему вовсе не были нужны вся эта журнальная шумиха, агенты, концерты, визжащие поклонники, даже многомиллионные контракты. Таня же без всего этого не мыслила своей жизни. Она любила Бобби, но не желала отказываться от карьеры, о которой так мечтала. Во вторую годовщину свадьбы они разошлись, а к Рождеству оформили развод. Он не сразу оправился от потрясения, но в конце концов снова женился, и теперь у него шестеро детей. Таня пару раз виделась с ним и рассказывала, что он располнел, полысел, но остался так же мил. Мэри Стюарт видела, что подруга понимает, *какую* цену заплатила за фантастический успех. Прошло двадцать лет, а она по-прежнему в национальных рейтингах значилась певицей номер один.

Таня и Мэри Стюарт остались добрыми подругами. Мэри Стюарт тоже вышла замуж вскоре после выпуска. Зато Зоя вместо замужества поступила на медицинский факультет университета. Она всегда отличалась бунтарским нравом, подруги шутили, что Зоя опоздала с поступлением в Беркли лет на десять. Она являлась у них цементирующим началом, во всем требовала ясности и справедливости, всегда вступалась за пострадавшего... Это она нашла Элли мертвой, проливала по ней самые горькие слезы, но при этом у нее хватило сил оповестить о случившемся родных несчастной.

Какой ужас они тогда пережили! Элли, чудесная, нежная девушка, идеалистка и мечтательница, была более всего близка именно с Мэри Стюарт. Когда они учились на первом курсе, ее родители погибли в автокатастрофе, семью ей заменили подруги. Иногда у Мэри Стюарт появлялись сомнения, что Элли сумеет справиться с трудностями самостоятельной жизни — до того она казалась хрупкой, даже невесомой, нереальной. В отличие от остальных, ставивших себе в жизни определенные цели, строивших вполне выполнимые планы, она только тем и занималась, что мечтала. Бедная девушка не дожила трех недель до выпуска. Таня была готова отложить по случаю траура свою свадьбу, но подруги убедили ее, что Элли этого не одобрила бы. Позже Таня призналась: Бобби Джо убил бы ее, если бы она попыталась потянуть еще. На Таниной свадьбе Мэри Стюарт была первой среди подружек невесты.

Таня обязательно присутствовала бы на свадьбе Мэри Стюарт, но приехать ей помешал первый концерт в Японии. Зоя же не могла пропустить занятия на факультете. Свадьба Мэри Стюарт состоялась в родительском доме в Гринвиче.

О втором замужестве Тани Мэри Стюарт узнала из теленовостей. Двадцатидевятилетняя поп-звезда вышла замуж за своего менеджера. «Скромная» церемония бракосочетания в Лас-Вегасе освещалась журналистами и фоторепортерами. За новобрачными следовали вертолеты, бригады телерепортеров и все корреспонденты, каких только удалось собрать в радиусе тысячи миль от Лас-Вегаса.

Новый Танин муж Мэри Стюарт не понравился. Подруга утверждала, что на сей раз желает завести детей, что они с мужем купят дом в Санта-Барбаре или Пасадене и начнут *жить по-настоящему*. Намерения ее были вполне серьезны, но муж их не разделял, зациклившись совсем на другом: на карьере жены и ее деньгах. Он делал все возможное, заставляя ее их зарабатывать. Таня признавала, что с профессиональной точки зрения муж ей очень помог. Полностью изменил ее имидж, программы, устраивал для нее выступления по всему миру, добывая выгодные контракты, превратил ее из суперзвезды в живую легенду. Перед ней стали открываться любые двери, каждое ее желание моментально выполнялось. За пять лет их брака вышли три ее платиновых диска и пять золотых; ей доставались самые престижные премии и прочие музыкальные награды, о которых можно только мечтать. В конце концов, покидая ее, он унес с собой нажитое состояние. Но и будущее певицы было обеспечено: мать ее жила в хьюстонском особняке стоимостью пять миллионов долларов, а сестре и зятю она купила участок с домом по соседству с особняком Армстронга.

Сама она владела одним из очаровательнейших домиков в Бель-Эр и десятимиллионной виллой в Малибу, на которой никогда не появлялась. На этой покупке настоял муж. Деньги и слава у нее были, а вот детей она так и не завела. После развода Таня начала сниматься в кино. В первый же год она сыграла две роли, во второй выиграла награду Американской академии киноискусства. В тридцать пять лет Таня Томас достигла всего, о чем, по мнению большинства, она могла мечтать. Но она была лишена счастья с Бобби Джо, любви, детей, внимания и поддержки близкого человека.

Через шесть лет Таня в третий раз вышла замуж — за торговца недвижимостью из Лос-Анджелеса, постоянно появлявшегося на людях в обществе не менее полудюжины захудалых актрисок, но теперь находившегося под сильным впечатлением от Тани Томас. Мэри Стюарт была вынуждена признать, что Тони Голдмэн — достойный человек и питает к подруге серьезные чувства. Друзей Тани — а их к тому времени набралось немало — очень волновало: сохранит он голову на плечах или тронется рассудком в лучах Таниной славы.

За три года у Мэри Стюарт сложилось впечатление, что дела у них идут неплохо. Ей, следившей за Таниной карьерой на протяжении двадцати лет и остававшейся ее близкой подругой, лучше остальных известно, что журнальные *разоблачения* не стоят выеденного яйца.

Мэри Стюарт знала, что главным в жизни Тани стали трое детей Голдмэна от прошлого брака. К дню свадьбы мальчикам исполнилось девять и четырнадцать лет, девочке — одиннадцать. Таня души в них не чаяла. Сыновья были от нее без ума, дочка и подавно отказывалась верить, что женой ее папы стала сама Таня Томас. Она без устали хвасталась своим везением перед подружками и даже пыталась подражать Тане внешностью и одеждой. Правда, одиннадцатилетнему ребенку это плохо удавалось, и Тане пришлось водить падчерицу по магазинам и одевать, чтобы успокоить. Она отлично ладила с детьми мужа, но твердила, что хочет родить сама. К моменту замужества с Тони ей стукнул сорок один год, и ее мучили сомнения. Тони не слишком желал еще детей, она и не настаивала больше. В ее жизни и без того хватало забот.

За первые два года их брака она провела один за другим два концертных тура, но не давали покоя журналы, с которыми Таня затеяла два судебных разбирательства. В такой обстановке трудно сохранить рассудок, но она продолжала дарить любовь детям Тони. Муж даже признавался, что в ее лице они получили лучшую мать, чем его первая жена. Впрочем, Мэри Стюарт насторожило одно обстоятельство. При всей расположенности к ней Тони Таня занимается своими делами одна. Самостоятельно нанимает менеджеров и адвокатов, устраивает концертные туры, сама разбирается с угрозами покушения, сама переживает все тревоги и невзгоды. Тони тем временем занимался своим бизнесом и играл с приятелями в гольф в Палм-Спрингсе.

Жизнь Тани его волновала меньше, чем надеялась Мэри Стюарт. Ей лучше других известно, как нелегко живется подруге, как ей бывает одиноко, как напряженно она трудится и как жестоки порой требования неистовых поклонников, какую боль причиняют предательства. Как ни странно, Таня редко жаловалась на жизнь, чем вызывала у Мэри Стюарт еще большее восхищение. Правда, миссис Уолкер раздражала самоуверенность Тони перед телекамерой, когда они шествуют за очередным «Оскаром» или «Грэмми». Казалось, в радостные моменты он тут как тут, а в трудные до него не докричишься. Об этом Мэри Стюарт вспомнила и сейчас, когда Таня упомянула жену инструктора, вздумавшую угрожать ей судом.

— Тони тоже не в восторге, — тихо проговорила Таня. Мэри Стюарт встревожил ее тон. В нем угадывались тревога и одиночество. Слишком долго ей приходилось вести одни и те же бои, а бесконечная война изматывает силы. — Всякий раз, когда газеты или журналы клевещут, будто я завела любовника, он начинает нервничать, говорит, что я компрометирую его перед друзьями. Что ж, его можно понять.

Она обреченно вздохнула. Здесь подруга совершенно бессильна: унять клеветников нет никакой возможности. Пресса обожала ее травить. Продажные репортеришки отказывались верить, что Таня — обычная женщина, предпочитающая шампанскому заурядный «Доктор Пеппер», — ведь такая информация не способствует повышению тиража их желтых листков.

Таня долгие годы оставалась блондинкой с роскошными волосами, огромными синими глазами, потрясающей фигурой и с помощью косметики сохраняла облик юной грешницы. В настоящий момент она представлялась тридцатишестилетней, ей удалось *зарыть* где-то восемь лет, но Мэри Стюарт, ее ровесница, не винила подругу — такова жизнь на виду.

— Мне самой не слишком нравится, когда про меня болтают, будто я меняю любовников. Да и те, кого мне сулят в ухажеры, такие чудные, что я махнула бы на все это рукой, если бы не Тони. И дети. — Клевета ставила в трудное положение всех, но борьба за свою репутацию заведомо обречена на поражение. — Такое впечатление, что компьютерный перечень возможных кавалеров давно исчерпан, вот они и называют кого попало.

Таня положила ноги на кофейный столик и прикрыла глаза, представляя себе Мэри Стюарт. Подруги не болтали уже несколько месяцев. Из их компании они сохранили самые тесные связи. Мэри Стюарт много лет назад потеряла след Зои, да и Таня почти тоже. Она и Зоя перезванивались раз в год, а то и в два, посылали друг другу рождественские открытки. Таня знала, что Зоя работает врачом-терапевтом в Сан-Франциско. Так и не вышла замуж, не родила детей. Она целиком ушла в работу и даже в свободное время вела прием в бесплатной клинике для неимущих пациентов. Именно такая жизнь влекла ее с ранней молодости. Таня не виделась с ней вот уже пять лет, то есть с последнего своего концерта в Сан-Франциско.

— А ты как? — поинтересовалась вдруг Таня у Мэри Стюарт. — Как тебе живется? — Вопрос был задан проникновенным тоном, но Мэри Стюарт была наготове.

— Все в порядке. Занимаюсь прежними делами: благотворительные комитеты, собрания, помощь гарлемскому приюту. Сегодня провела весь день в Метрополитен-музее — обсуждали большое мероприятие, запланированное на сентябрь. — Голос ее звучал ровно, тон хладнокровен. Но Таня достаточно хорошо знала подругу, и Мэри Стюарт не питала на сей счет никаких иллюзий — она многих могла ввести в заблуждение, порой даже Билла, но Таню — никогда.

— Я не об этом. — Последовала длительная пауза: обе не знали, что сказать. Таня ждала ответа Мэри Стюарт. — Я о том, как *тебе* живется. По правде.

Мэри Стюарт вздохнула и посмотрела в окно. На улице уже совсем стемнело. Она была одна в квартире. Так в одиночестве она провела уже больше года.

— Все в порядке. — Ее голос дрожал, но чтобы распознать эту дрожь, надо было обладать тончайшим слухом и чутьем. Год назад, встретившись с Мэри Стюарт в ужасный дождливый день, Таня увидела женщину, готовую поставить крест на собственной жизни. — Помаленьку привыкаю.

Сколько же всего переменилось! Гораздо больше, чем она ожидала.

— А Билл?

— Он тоже ничего. Наверное. Я его почти не вижу.

— Звучит не слишком бодро. — Повисла новая продолжительная пауза. Впрочем, рассудила Таня, они давно к этому привыкли. — Как Алиса?

— Надеюсь, хорошо. Ей очень нравится в Париже. Через несколько недель я полечу к ней. Мы вместе немного отдохнем в Европе. У Билла крупный процесс в Лондоне, он проведет там все лето. Вот я и решила съездить к дочери.

Эта тема придала голосу Мэри Стюарт больше бодрости. Таня улыбнулась. Мало к кому она относилась так хорошо, как к Алисе Уолкер.

— Ты будешь с ним? — спросила Таня со своим тягучим южным акцентом.

Мэри Стюарт помялась, потом быстро ответила:

— Нет. Во время таких процессов он бывает слишком занят, чтобы обращать на меня внимание. К тому же здесь у меня масса дел.

Масса дел... Она знала все правильные слова — язык прикрытия, язык отчаяния: «Обязательно надо как-нибудь встретиться... Нет, все просто отлично... Дела идут великолепно... Билл сейчас просто утонул в работе... Он в отъезде... У меня совещание... Надо составить список комитета... Еду в центр... Еду обратно... В Европу, к дочери...» Тактика игры в прятки, умение произносить нужные слова, потребность в одиночестве, в молчании. Так она забивалась в угол, чтобы молча горевать, не привлекая к себе внимания и не напрашиваясь на жалость. Так она отталкивала от себя всех, чтобы не объяснять, как худо обстоят дела.

— Не очень-то у тебя ладно, Мэри Стюарт. — Таня вцепилась в нее мертвой хваткой. Упорство — главная ее черта. Она не поленится перевернуть все камни до одного, чтобы отыскать истину во всем. Одержимое стремление к правде — общее свойство ее и Зои. Впрочем, Таня всегда шла к ней обходным путем и, найдя искомое, сразу смягчалась. — Почему ты не говоришь мне правды, Стью?

— Я говорю тебе правду, Тан, — стояла на своем Мэри Стюарт.

Стью, Тан, Танни... Как далеко в прошлом остались эти дружеские имена! Там же остались все обещания, надежды. Там было начало. Настоящее больше всего походило на конец: все паруса обвисли, руки опускаются, вместо того чтобы сжиматься в кулаки. Мэри Стюарт ненавидела свою теперешнюю жизнь.

— У нас все в порядке, честное слово.

— Ты говоришь неправду, но я тебя не виню. Ты вправе.

В этом и состояла разница между Зоей и Таней. Зоя ни за что не позволила бы ей лгать, прятать голову под крыло. Она сочла бы своим долгом вывести ее на чистую воду, пролить беспощадный свет на омут ее боли, воображая, что этим ее исцелит. Таня по крайней мере отдавала себе отчет, что так ничего не добиться. К тому же ей самой сейчас несладко. Любовная интрига, конечно, выдумана желтой прессой, но журналы близки к истине, утверждая, что у нее с Тони появились нелады. Раньше он получал удовольствие от огласки, но теперь стал ежиться в бесстыжих лучах прожекторов, направленных на них, стыдился лжи, негодовал от угроз, преследования, судебных исков, стараний разных жуликов любыми средствами нажиться на имени его жены и втоптать его в грязь. Это доводило до безумия и напрочь лишало спокойствия. Настоящая Таня неминуемо должна была потонуть в этом мутном потоке.

В последнее время Тони все настойчивее жаловался на происходящее, и жена не могла ему не сочувствовать. Единственный способ покончить со всем этим — сойти со сцены. А этого от нее не требовал даже он. Все другое приносило облегчение ненадолго. Время от времени им удавалось улизнуть, но путешествия — хоть на Гаваи, хоть в Африку, хоть на юг Франции — не решали проблему, являясь короткой приятной передышкой. Весь ее феноменальный успех, огромная слава, миллионы обожателей и поклонников — в общем, жизнь звезды превращала ее из триумфаторши в жертву. Мало-помалу Тони это надоело. Она могла пообещать ему лишь одно: стараться как можно меньше быть на виду. На прошлой неделе она даже не навестила в Техасе мать, хотя собиралась, — до того боялась, что, уехав, только подкинет хворосту в костер слухов. В последнее время муж без устали повторял, что он и дети больше не в силах терпеть такое, причем тон, которым это говорилось, ужаснул Таню — ведь она отдавала себе отчет, что не может изменить ситуацию: все их мучения проистекали извне.

— На следующей неделе я буду в Нью-Йорке, потому и звоню, — объяснила Таня. — Зная, как ты занята, я решила заранее договориться с тобой о встрече, иначе ты удерешь ужинать с губернатором, чтобы выжать из него деньжат на свои благие дела.

Много лет Таня с поразительной щедростью жертвовала на подопечных Мэри Стюарт, дважды, не жалея времени, давала концерты. Впрочем, с тех пор утекло уже немало воды. Теперь она слишком занята. У нее не оставалось минутки даже на себя. Ее теперешние импресарио и менеджер жестче предыдущих: те хотя бы немного ее жалели, а эти только и делают, что заставляют выступать. Ведь можно сколотить несметное состояние, продавая альбомы с записями концертов, права на куколок и духи, выпуская новые компакт-диски и кассеты. Таня шла нарасхват. Дельцам, спешившим погреть на этом руки, нет числа. Но сама она в данный момент склоняется к тому, чтобы еще раз сняться в кино.

— В Нью-Йорке у меня телевизионное шоу, — известила она Мэри Стюарт, — но главное — переговоры с агентом насчет книги. Позвонил издатель и предложил мне написать книгу. Это не слишком интересно, но выслушать их предложения я готова. Разве обо мне еще можно сказать что-то новое?

Ей уже были посвящены четыре биографические книжки, написанные невесть кем, — злобные и по большей части неточные, — но Таня относилась к авторам снисходительно. Только после первой она позвонила Мэри Стюарт среди ночи в истерике. Много лет они утешали друг друга в трудную минуту и не сомневались, что так будет всегда. В зрелые годы столь верных друзей уже не завести. Такая дружба вызревает медленно, ее холишь, как крохотный саженец, которому требуются десятилетия, чтобы превратиться в раскидистый дуб. Более поздние годы не так благоприятны для корней. Дерево их дружбы укоренилось давно и теперь на удобренной почве могло выдержать любой ураган.

— Когда ты появишься? Давай я встречу тебя в аэропорту, — предложила Мэри Стюарт.

— Лучше встретимся по пути и вместе поедем в отель. Там и поговорим. Во вторник. — Таня собиралась, как всегда, воспользоваться самолетом компании звукозаписи. Ей это было очень легко, все равно что сесть в попутную машину. Мэри Стюарт всегда восхищало, как запросто ее подруга летает по свету. — Я позвоню тебе из самолета.

— Буду ждать. — Внезапно Мэри Стюарт почувствовала себя маленькой девочкой. У Тани неподражаемая манера подхватывать ее на лету и брать под крыло, не давая упасть, отчего ей снова становилось легко и радостно. В предвкушении скорой встречи Мэри Стюарт заулыбалась. С прошлой минула целая вечность. Она уже не помнила, когда виделись в последний раз, хотя Таня наверняка ответила бы сразу, спроси ее об этом.

— До скорого, подружка. — Таня тоже улыбнулась и добавила серьезно и так ласково, что Мэри Стюарт зажмурилась: — Я тебя люблю.

— Знаю. — У Мэри Стюарт выступили на глазах слезы. Эта доброта невыносима. Вытерпеть свое одиночество не в пример проще. — Я тебя тоже люблю, — проговорила она из последних сил. — Прости... — Она зажмурилась еще крепче, борясь с волной переживаний.

— Не надо, деточка. Все хорошо. Я знаю, знаю... — Хотя в действительности она ничего не знала. Никто ничего не знал. Никто не смог бы понять, что́ она сейчас чувствует, даже ее собственный муж.

— Значит, увидимся на следующей неделе. — Мэри Стюарт взяла себя в руки, но Таню трудно провести. Мэри Стюарт возвела дамбу, чтобы сдержать поток боли, но Таня сомневалась, что это сооружение продержится долго.

— До вторника. Надень простые джинсы. Мы съедим по гамбургеру, а может, закажем еду в номер. Пока.

Она пропала. Мэри Стюарт стала вспоминать, какой она была в Беркли. Тогда, в самом начале, все виделось так просто... Простота кончилась со смертью Элли. И они вошли в настоящий мир. Вспоминая, она смотрела на фотографию у себя на ночном столике. Вся их четверка на первом курсе — дети, младше даже ее собственной дочери... Длинноволосая блондинка Таня, сексапильная, глаз не оторвать; Зоя с длинными рыжими косами и честным пристальным взглядом; неземная Элли с нимбом белых кудряшек; сама Мэри Стюарт — глазастая, высокая, с длинными каштановыми волосами, уставившаяся в камеру... Казалось, с тех пор минуло целое столетие. Так и есть. Она долго вспоминала былое, пока не уснула, как была, в джинсах и тенниске.

Билл вернулся в одиннадцать и застал ее спящей. Он долго смотрел на нее, потом выключил свет. Не разбудив и не дотронувшись до нее, позволил проспать в джинсах всю ночь.

Утром, проснувшись, она обнаружила, что он уже уехал на работу. Снова скользнул по ее жизни, как чужой человек, каковым теперь, собственно, и был.

Глава 2

Когда Таня проснулась на следующий день в своей спальне в Бель-Эр, Тони уже находился в душе. У них была общая спальня и две отдельные просторные гардеробные, каждая со своей ванной. Спальня большая, в старофранцузском стиле, с пышными гардинами из розового шелка и обилием розовой ткани с цветочным орнаментом. Ее гардеробная и ванная выложены розовым мрамором, здесь тоже хватало светло-розового шелка. Зато у Тони в ванной преобладал черный цвет: мрамор и гранит, даже полотенца и шелковый занавес черные — настоящая мужская ванная.

Она купила этот дом много лет назад и все в нем переделала, когда вышла замуж за Тони. Ему тоже сопутствовал успех в делах, но она знала, как он гордится ее успехами. Да, это связано с головной болью, но он все равно любил напоминать людям, что женат на самой Тане Томас. Голливуд всегда обладал для него притягательной силой, и, проведя много лет на обочине, а потом очутившись в самом сердце, он почувствовал себя счастливчиком, сорвавшим небывалый куш. Ему нравилось посещать голливудские тусовки, болтать со звездами, присутствовать на церемониях присуждения «Оскаров» и «Золотых глобусов», в особенности на гала-вечерах Барбары Дейвис. Он наслаждался всем этим куда больше самой Тани. Отдавая работе по восемнадцать часов в день, она с радостью оставалась дома, отмокала в горячей ванне и слушала музыку в чужом исполнении.

Пока он одевался, она накинула поверх кружевной ночной рубашки розовый атласный халат и спустилась вниз — приготовить ему завтрак. В доме и без нее нашлось бы, кому о нем позаботиться, но Таня любила готовить сама, зная, какое значение этому придает Тони. Всякий раз, когда у нее появлялась возможность, она готовила и детям. У нее хорошо получался бифштекс, она познакомила мужа и детей с овсянкой, и они полюбили это блюдо, хоть и осыпали ее насмешками. Еще ей нравилось кормить мужа макаронами. Она много чего любила для него делать. Ей нравилось заниматься с ним любовью, оставаться наедине, путешествовать вместе, открывая новые места. Впрочем, ей вечно не хватало времени: бесконечные репетиции, звукозапись, съемки, концерты, бенефисы, невыносимое корпение в обществе юристов над контрактами и прочими заковыристыми документами. Теперь Таня являлась не просто певицей и актрисой, — она превратилась в отдельную отрасль индустрии и была вынуждена многое узнать про бизнес.

Дожидаясь его, она налила в стаканы апельсиновый сок и разбила над сковородой яйца, когда зашипело масло. Заложив в тостер ломти хлеба и поставив варить кофе, она открыла утреннюю газету. При виде заголовка на первой странице она чуть не вскрикнула. Бывший ее сотрудник подал на нее в суд вроде бы за сексуальное домогательство. О таком она еще не слышала. Прочитав статью, вспомнила своего телохранителя: он прослужил у нее в прошлом году всего две недели и был уволен за воровство. Мерзавец дал газете пространное интервью, в котором утверждал, что она пыталась его соблазнить и выгнала с работы без всяких объяснений, когда он не поддался на соблазн. Ей стало тошно: это дело, подобно всем предыдущим, завершится уплатой ему крупной суммы в обмен за отказ от иска. Иного способа защитить репутацию не существовало. Она никому не могла доказать свою невиновность, убедить, что все это ложь, заурядный шантаж. К счастью, муж знал цену подобным обвинениям и первым советовал ей не доводить дело до суда, каким бы абсурдным ни был наговор. Это действительно было проще всего. Но одновременно она представила, как побледнеет Тони, увидев газету. Она тщательно сложила ее и убрала с глаз долой. Спустя несколько секунд он вошел в кухню, одетый для игры в гольф.

— Ты не едешь на работу? — спросила она как ни в чем не бывало, с невинным видом нарезала авокадо и аккуратно расставила тарелки на столе.

— Где ты была последние три года? — спросил он удивленно. — По пятницам я всегда играю в гольф.

Тони Голдмэн — интересный, хорошо сложенный брюнет на исходе пятого десятка. Он активно занимался теннисом и гольфом, тренировался в гимнастическом зале, пристроенном к дому сзади, с личным инструктором — не тем, которого недавно вытащила из небытия бульварная пресса.

— Где газеты? — поинтересовался он, садясь и озираясь.

По утрам Тони просматривал «Лос-Анджелес таймс» и «Уолл-стрит джорнэл». Он был удачливым бизнесменом и заработал состояние торговлей недвижимостью во времена, когда она еще чего-то стоила. Но его деньги Таню не интересовали. Она польстилась в свое время на его доброту, детей, преданность семейным ценностям. Для нее он был честным тружеником, ежедневно отправляющимся на работу и по выходным гоняющим с сыновьями мяч. Больше всего ей нравилось то, что он не имеет отношения к ее бизнесу. Но Таня проморгала другое: он оказался куда более падким на голливудские ловушки, чем она сама. Его устраивала мишура, но не цена, которой за все это приходилось расплачиваться. Таня в отличие от него сознавала, что одно не существует без другого, а Тони жаловался на неприятности, которые на них обрушиваются, и на безобразные выдумки журналистов.

«Любишь кататься — люби и саночки возить», — втолковывала она ему когда-то. Пьянящая слава обязательно приносит похмелье. Когда газеты — впервые после их свадьбы — вылили на нее очередной ушат помоев, припомнив всех ее прежних приятелей, она обмолвилась об уходе со сцены. Тогда муж настоял, чтобы она оставила эти мысли. Он полагал, что ей будет скучно сидеть без дела. Она предложила: «Давай все бросим и заведем лучше ребенка». Но где там! Ему нравилось иметь жену-звезду. Поэтому она осталась звездой и по-прежнему подвергалась нападкам, выслушивала угрозы и выступала ответчицей в суде. Она отказывалась нанимать постоянного телохранителя и прибегала к услугам охраны, только когда появлялась на приемах во взятых напрокат драгоценностях.

— Так где же газета? — снова спросил он, приступив к яичнице и поглядывая на нее. Выражение Таниных глаз сразу ему подсказало, что дело неладно. — Что случилось?

— Ничего, — безразлично ответила она, наливая себе кофе.

— Перестань, Таня. — Он уже не на шутку встревожился. — На твоем лице все написано. При такой игре «Оскара» тебе не видать.

Она грустно улыбнулась и обреченно опустила плечи. Все равно новость от него не скрыть. Просто ей не хотелось портить ему настроение за завтраком. Она молча подала мужу газету и стала наблюдать за ним. Вначале напряглись его лицо и шея, затем, молча дочитав статью, он отложил газету и поднял на нее потухшие глаза.

— Это выльется в кругленькую сумму. Я слышал, что иски о сексуальных домогательствах стали выгодным бизнесом. — Тони произнес эти слова бесстрастным тоном, но она видела, как муж рассержен. — Что ты ему наговорила? — Он впился в нее взглядом.

Таня была ошеломлена этим вопросом:

— Что я ему наговорила?! Ты спятил! Неужели принимаешь этот бред на веру? Я сообщила ему, где студия и когда я должна быть на репетиции. Больше ни единого слова! Как ты вообще смеешь задавать мне такие вопросы? — В ее глазах появились слезы.

Тони смущенно заерзал и поставил чашку с кофе на стол.

— Просто хотел узнать, не сказала ли ты чего-нибудь такого, на чем он может выстроить свое обвинение, только и всего. Ведь этот парень столько всего наплел!

— Все они много плетут, — грустно ответила она, не сводя с Тони взгляда. — Этот ничем не отличается от остальных. Его, как и предшественников, обуяли алчность и зависть. Увидел деньги — и захотел запустить в них лапы. Решил, что сможет меня смутить и заставить раскошелиться, чтобы он соизволил заткнуться.

Она через все это прошла не один раз. Ей предъявляли иски и за дискриминацию, и за незаконное увольнение, и за нарушения при приобретении недвижимости, и за виновность в несчастных случаях с бывшими сотрудниками. Все истцы надеялись погреть руки. Это давно стало обычным делом и в Голливуде, и в других местах, но всякий раз, когда это случалось, ответчик испытывал горькое чувство. Муж понимал, откуда дует ветер, но Таня отказывалась привыкать к этой мерзости. Да и он не мог с этим свыкнуться и твердил, что это плохо отражается на детях, семье, превращает его в объект насмешек и дает пищу для обвинений его первой жене. Зачем ему все это? Таня отлично изучила реакцию Тони на подобные скандалы. Сначала он клялся, что ему наплевать, потом начинал все больше беспокоиться и в конце концов вместе с адвокатами оказывал на нее давление, чтобы дело кончилось миром. Причем вел себя как пострадавшая сторона. Потом, заставив ее расплатиться и немного выждав, он радовал ее своим прощением. Все это, естественно, не доставляло ей ни малейшего удовольствия.

— Ты собираешься заплатить ему отступное? — озабоченно спросил Тони.

— Я еще не говорила со своим адвокатом, — ответила она недовольно. — Как и ты, я только что прочла эту чушь в газете.

— Если бы год назад, выгоняя его, ты действовала с умом, этого бы не случилось, — заметил он у двери, надевая пиджак.

— Ничего подобного! Ты прекрасно знаешь, как это делается. Мы все это уже проходили. Просто плата за славу. Хоть на уши встань, все равно клеветы не избежишь. — Таня всегда была так осторожна, даже щепетильна, но никому не приходило в голову воздать ей за это хвалу. Никогда не отличалась неразборчивостью в связях, не буянила, не употребляла наркотиков, не третировала своих сотрудников, не пьянствовала в общественных местах. Но при всех ее стараниях она вела жизнь, попросту подразумевавшую дикие поползновения со всех сторон, которым неискушенная публика склонна верить. Иногда им верил даже Тони.

— Прямо на знаю, чего еще от тебя ожидать! — рассерженно бросил он. Муж всегда твердил, что она ставит его в неловкое положение. Развернувшись на каблуках, он покинул кухню. Через минуту она услышала, как отъезжает от дома его машина.

Как только Тони уехал, она позвонила Беннету Пирсону, своему адвокату, но тот встретил ее звонок извинениями: они получили бумаги только вчера, под конец дня, и не успели поставить ее в известность.

— Хорошенький сюрприз к завтраку! — произнесла она с сильным техасским акцентом. — В следующий раз желательно получать заблаговременное предупреждение. Тони все это не слишком одобряет.

На прошлой неделе — инструктор в «Энквайер», теперь — охранник... Она являлась не просто мишенью для многомиллионных исков и всяческих шантажистов, но еще и секс-бомбой. Понятно, почему газеты так любят копаться в ее грязном белье. Со слезами на глазах она повесила трубку. Охранник утверждал, что она донимала его неприличными предложениями, постоянно вгоняла в краску и привела к эмоциональному срыву. У него был наготове психиатр, готовый дать свидетельские показания в его пользу. По словам адвокатов, иск относился к разряду заурядных, однако Таня помнила истца — порядочная дрянь, лишенная всякой совести. В былые времена она бы расплакалась, но за двадцать лет привыкнешь и не к такому. Она понимала, почему это происходит. Причина — в ее успехе и влиятельности, в способности оставаться в первых рядах благодаря упорному труду и необыкновенной решительности. Неудивительно, что люди толпятся в очереди, лишь бы отщипнуть от нее кусочек. В Голливуде, как и повсюду, не счесть разочарованных, готовых бороться с чужим счастьем. К сожалению, это явление стало обычным.

На ее вопрос, как поступить с новым иском, адвокат посоветовал ей махнуть рукой на подобную ерунду. Он пообещал все уладить. Наделав шуму, истец будет только рад пойти на мировую. Видимо, его цель с самого начала в этом и состояла, ведь в наше время уплата за отказ от иска по делу о домогательстве может достигать нескольких миллионов.

— Чудесно! Как же мне быть? Может, просто подарить ему мой дом в Малибу? Вы его спросите, как он относится к солнышку и загару. Или он предпочтет дом в Бель-Эр?

Тут, правда, поменьше места. — Ей трудно было удержаться от цинизма, еще труднее не раскричаться, не почувствовать себя жертвой насилия, предательства со стороны людей, только и ждущих, как бы сделать ей больно, поживиться за ее счет, пусть даже они никогда с ней не сталкивались. Все нападки на нее были настолько дикими, что очень напоминали отстрел дичи из движущегося автомобиля.

Было девять утра, когда явилась ее секретарша — нервная девушка по имени Джин, работавшая прежде у президента компании звукозаписи и прослужившая у Тани уже больше года. Девушка работящая и вполне заслуживающая доверия, но Тане не нравилась ее чрезмерная торопливость, тогда как Тане хотелось, наоборот, чувства успокоенности.

В течение часа Джин приняла три звонка из Нью-Йорка, два из журналов, просивших об интервью, и один из телепередачи, в которой ей предстояло принять участие. Дважды звонил адвокат, один раз — агент, требовавший поскорее принять решение о следующем концертном турне. Она еще не дала согласия, и на нее наседали, иначе в турне уже нельзя будет включить Японию. Звонил также ее британский агент насчет какого-то контракта. Был звонок с предупреждением о предстоящем очередном *скандальном разоблачении*, еще один, касающийся технической проблемы с ее новой записью. На следующий вечер у нее был назначен благотворительный концерт, и ей звонили с приглашением на репетицию к полудню. Киноагент изъявлял желание поговорить с ней об участии в новом фильме.

— Что это сегодня с ними со всеми? Уж не полнолуние ли? Или все разом посходили с ума? — Таня откинула с лица свои длинные светлые волосы, принимая у Джин чашку с кофе и выслушивая напоминание, что до половины пятого она должна дать ответ по поводу турне. — Ничего я не должна, черт возьми! Не включат Японию — тем лучше.

Не позволю давить и вытягивать из меня решение до того, как я буду к этому готова сама! — Говоря это, она хмурилась, что было ей несвойственно. Обычно с ней с удовольствием общались, но сейчас на нее навалилось сразу столько всего, что это трудно выдержать.

Она не сверхчеловек, когда же наконец это уяснят?!

— Как насчет интервью для «Вью»? — спросила неутомимая Джин. — Сегодня утром они ждут вашего ответа.

— Почему бы им не позвонить тем, кому я плачу за то, чтобы они занимались *паблик релейшнз*? — Раздражение увеличивалось с каждым мгновением. — Нечего звонить мне напрямую! Вам следовало их предупредить.

— Я хотела, но они и слушать меня не пожелали. Вы же знаете, Таня, как это бывает: стоит людям заполучить ваш номер, как у всех появляется охота побеседовать с вами лично.

— Как у меня. — Это Тони. Он вернулся из гольф-клуба и стоял у дверей кабинета с несчастным видом. — Можно с тобой поговорить?

— Конечно. — Ей сделалось не по себе. Через полчаса ее ждали в студии, но она не хотела отказывать ему. Видно, у него к ней весьма срочное дело.

Джин вышла. Таня подождала, пока муж сядет. Он определенно задумал сообщить ей что-то важное, только она не была уверена, что готова к этому.

— Что-то случилось? — спросила она тревожным шепотом.

— В общем-то нет. — Он вздохнул, отвернулся и стал смотреть в окно. — Все как обычно. Главное, мне не хочется, чтобы ты меня неверно поняла. — Он опять взглянул на нее, и она увидела, как он разгневан, каким обманутым себя чувствует.

Дело не столько в ней или в глупой болтовне телохранителя, сколько в том, что сама их жизнь невозможна без таких передряг, от которых некуда скрыться. Да, знаменитости не имеют права ни на частную жизнь, ни даже на элементарную порядочность по отношению к ним — ведь каждая высосанная из пальца история, каждая выдумка о ней под защитой закона.

— Меня не рассердила сегодняшняя газетная статейка, — солгал он, видимо, скорее самому себе, чем ей. Ему нравилось думать, что он к ней справедлив, даже когда этого не было и близко. — Она ничуть не хуже всего того, что уже успели про нас насочинять. Я очень тебя уважаю, Тан, и просто не представляю, как ты проглатываешь все эти гадости. — Оба знали, что гадостей про них понаписали огромное множество. На прошлое Рождество им пришлось приставить телохранителей ко всем троим детям, поскольку поступила весьма серьезная угроза, касавшаяся всей семьи, особенно самой Тани. У бывшей жены Тони в связи с этим случился нервный припадок. — Тобой нельзя не восхищаться.

Ей стало не по себе от того, с каким видом он все это произнес. В его глазах читалось что-то недоброе. Что ж, весь последний год она чувствовала, что рано или поздно *это* случится. Он смертельно устал, но по крайней мере еще мог отойти в сторону. Разница между ними заключалась в том, что ей некуда отходить. Даже если бы она решила сегодня же закончить свою карьеру, ее еще долго, очень долго, может быть, до самой смерти не оставили бы в покое. Она хорошо это понимала.

— Что ты хочешь мне сказать? — Она прилагала усилия, чтобы ее голос не звучал цинично, но это плохо получалось, как всегда. С ней такое часто происходило — с разными людьми по-разному. Она твердила себе, что готова ко всему, но в глубине души знала, что это иллюзия. На самом деле всегда хочется надеяться, что теперь-то все сложится иначе, что близкий человек проявит силу духа, сумеет войти в твое положение и оказать помощь. Вот чего ей всегда больше всего хотелось — даже больше, чем детей: настоящей прочной связи с мужчиной, который не струсит и не отойдет в сторону в критический момент. Это должно рано или поздно наступить, она предупреждала Тони с самого начала. Надо отдать ему должное — он крепился почти три года и только в самое последнее время стал раздражительным. Честно говоря, слишком раздражительным. — Намекаешь, что я для тебя слишком хороша, что я заслуживаю большего, чем способен предложить ты? Ну, произноси свою речь, чтобы у меня кружилась от гордости голова, пока ты будешь выбегать в дверь. — Она смотрела ему в глаза и отчетливо выговаривала каждое слово. Наступила развязка, и прятать голову в песок не имеет смысла.

— Что ты несешь? Я еще никогда так не поступал. — Он выглядел обиженным, и ей стало совестно. Возможно, она поспешила с обвинениями.

— Не поступал, но все чаще подумываешь, что стоило бы, — тихо возразила Таня.

Он долго смотрел на нее, не подтверждая, но и не отрицая ее предположение.

— Я сам не знаю, какие тебе говорить слова. Скажем так: я устал. Ты живешь трудной жизнью — более трудной, чем кто-либо, не ощутивший этого на себе, способен понять.

— Я предупреждала, — сказала она, чувствуя себя альпинисткой, покорительницей Эвереста, которую на самом решающем этапе восхождения перестал страховать напарник. — Я тебе говорила, чем это грозит. Здешняя жизнь не сахар, Тони. В ней много чудесного, я люблю свое дело, но все остальное сводит меня с ума. Я прекрасно вижу, чего это стоит тебе, детям, всем нам... И знаю, какой это ужас. Хуже всего то, что я ничего не могу с этим поделать.

— Конечно. Я не вправе жаловаться. — В его взгляде читалось замешательство и нешуточная боль, но глядя на него, она поняла: для него все кончено. Этого нельзя не разглядеть. Он наконец разобрался, что такое Голливуд. Его роман с такой жизнью подошел к концу. — Я знаю, какие трудности ты испытываешь, и меньше всего хочу их усугублять. Ты очень стараешься, потому что всегда стремишься к совершенству, но беда отчасти заключается и в этом. На меня у тебя уже не остается времени, и не мудрено: сплошь концерты, репетиции, записи. Ты штурмуешь высоту за высотой, а я тем временем сижу и читаю про нас с тобой в газетах.

— Может, ты не только читаешь, но и веришь прочитанному? — резко спросила она. Неужели это правда? Он способен поверить подобной ахинее? А что, телохранитель, собирающийся тащить ее в суд, хоть и полный сукин сын, но чертовски привлекателен как мужчина...

— Нисколько не верю, — ответил он со вздохом, — но согласись: наслаждаться всем этим я тоже не могу. Скажем, люди, с которыми я играл сегодня в гольф, только об этом и говорили. Некоторые считают, что даже забавно, когда твоя жена проходит ответчицей по делу о сексуальных домогательствах. По их словам, их жены отказываются спать даже с ними...

Таня ухватила суть: друзья издеваются над Тони и ему осточертело ходить оплеванным. Что ж, претензия вполне обоснованна, но и она уже давно устала — от разговоров на эту тему. Бульварная пресса и потенциальные «истцы» метят в нее, а не в ее мужа.

— В общем, я даже не знаю, что сказать... — проговорил Тони через силу. — Во всем этом очень мало радости, верно?

— Верно, — тоскливо согласилась она. В его глазах читался приговор, и она отказывалась напоминать о смягчающих ее вину обстоятельствах. В жизни всегда одерживают верх мерзавцы. Клевета, судебные иски, угрозы, давление со всех сторон — все это погубит отношения с любым нормальным человеком. — В общем, ты намекаешь, что просишься на волю? — пролепетала она. Он не стал любовью всей ее жизни, но с ним ей было хорошо и удобно, она доверяла ему, любила его и его детей. Если бы это зависело от нее, то она всеми силами защищала бы их брак.

— Не уверен, — признался Тони. Он уже давно об этом подумывал, но еще не пришел к окончательному решению. — Честно говоря, не знаю, сколько еще кругов смогу пробежать. Хочу быть с тобой честным. Все это начинает здорово действовать на нервы. Я подумал, что тебя следует поставить в известность.

— Ценю твою откровенность. — Таня по-прежнему смотрела на него в упор. Он предавал ее уже тем, что хотел отойти в сторонку, стеснялся ее, не говоря уж о желании оставить. — Я бы с радостью все изменила.

— А я был бы рад, если бы мог сносить все это спокойно. Раньше я не думал, что это будет так меня задевать. Когда смотришь на подобные вещи со стороны, то все это по-человечески понятно, а потом, сам в это окунувшись, оказываешься в роли Алисы в Стране Чудес. Ты попадаешь в совершенно нереальный мир и падаешь, падаешь, никак не достигая дна...

Слушая его, Таня до конца осознала, что любит его. Это был умный, незаурядный человек, с которым, несмотря на все их разногласия, у нее оставалось очень много общего.

— Оригинальный подход, — произнесла она с вымученной улыбкой. Чутье подсказывало, что Тони уже принял решение. — А как же дети? — В ее тоне появилось смятение. — Если ты уйдешь, мне можно будет с ними видеться? — Этот вопрос она задала со слезами на глазах. Пока что разрыв обходился без крови, сопровождавшие его речи звучали разумно. Видимо, за этим разговором последуют другие.

Увидев ее потухший взгляд, Тони дотронулся до ее руки. Содеянное ужаснуло его. Он уже ненавидел себя за жестокость. С другой стороны, разве он только сегодня почувствовал, что с него довольно? Просто материал в утренней газете переполнил чашу терпения.

— Все равно я люблю тебя, Тан, — прошептал он. — Просто я решил рассказать тебе о своих чувствах. Даже если нам не удастся преодолеть этот кризис, я не стану тебе препятствовать встречаться с детьми. Они ведь тебя любят.

Она ненавидела его за то, что он так красив. Он полностью сохранил свою привлекательность для нее, был прекрасен, полон соблазна и ума. Да, она далеко не всегда могла на него опереться, но всегда готова его простить. От его проникновенного взгляда у нее разрывалось сердце. Он прощался, не произнося слова «прощай». Она поняла, что все кончено. Кончено для него, не для нее.

— И я их люблю. — Она тихо заплакала.

Он сел с ней рядом и обнял ее за плечи.

— Тебя любят и они, и я.

Она отказывалась ему верить. Когда любишь, в голову не приходят мысли покинуть любимую.

— А как же Вайоминг? Они поедут? А ты? — Ее охватило отчаяние и страх. Она теряла его и, вероятно, их. Чего ради им видеться с женщиной, от которой ушел их отец? Сумела ли она так сильно с ними подружиться за истекшие три года, чтобы у них возникло это желание? Подняв глаза, она увидела, что Тони как-то странно на нее смотрит.

— По-моему, им стоит с тобой поехать. Они будут в восторге...

По его смущению она сразу смекнула, куда он клонит.

— Сам ты не поедешь, да?

— Вряд ли. Нам самое время сделать перерыв. Лучше я наведаюсь в Европу.

— Когда ты принял это решение? Только сегодня, за игрой в гольф?

Что вообще происходит? Как давно он вынашивает планы дезертирства?

Он смешался, не выдержав ее осуждающего взгляда.

— Я начал подумывать об этом некоторое время назад, Тан. Конечно, в один миг, за утренней газетой, такие вещи не происходят. Просто газета сыграла роль катализатора. До того был «Энквайер» на прошлой неделе, «Стар» неделей раньше. С тех пор как мы поженились, я только и слышу, что об исках, кризисах, обещаниях растерзать тебя в клочья.

— Я думала, ты к этому привык, — пробормотала она.

— Кто же к такому привыкнет? Ты сама и то не можешь. — Порой он высказывал удивление, откуда она берет силы переносить столь невероятные перегрузки. Даже люди ее цветущего возраста нередко ломаются от стрессов и накладывают на себя руки. Он всерьез недоумевал, как ей удается не последовать их примеру. — Поверь, Таня, мне очень жаль, что все так получилось.

— Как нам быть теперь?

Она не знала, что лучше: подняться наверх и собрать его вещи или все же затянуть его в постель и постараться отговорить от опрометчивого шага. Как принято поступать в таких случаях, чего он от нее ожидает? А что важнее для нее самой? Она не могла разобраться — его решение слишком глубоко ранило ее.

— Понятия не имею, — честно признался он. — Мне хотелось бы еще об этом поразмыслить. Но, по-моему, я правильно сделал, что предупредил тебя.

— Просто какое-то стихийное бедствие. — Она попробовала улыбнуться, но из глаз по-прежнему лились слезы.

Джин постучала и просунула голову в дверь.

— Вы опаздываете в студию на целый час. Звонил продюсер с напоминанием, что счетчик включен. Музыканты хотят отпроситься на ленч и вернуться через час. Еще звонил ваш агент, которому нужен ответ сегодня до половины пятого. Беннет Пирсон просил, чтобы вы позвонили ему как можно быстрее...

— Ладно, ладно! — Таня подняла руку, заставляя ее замолчать. — Пускай музыканты идут на ленч. Я приеду через полчаса. Попросите Тома подождать: мы обо всем договоримся. — Ее не волновало, как она сможет петь, принимать решения насчет Японии, нового фильма, турне, уплаты отступного шантажисту, продавшему свои бредни утренней газетенке? Дождавшись, когда Джин убрала голову из двери, она посмотрела на мужа: — Наверное, ты прав: все это совсем невесело.

— Иногда бывает весело, даже очень, но чаще — наоборот, — согласился он. — Слишком велика цена. — Он встал. Чувствовал себя отвратительно, но втайне ликовал, что вырвался из ада. Ее жизнь как была, так и останется беспросветным кошмаром. — Езжай записываться, Тан. Извини, что задержал. Поговорим в другой раз. Сейчас мы все равно ничего не решим. Сожалею, что отнял у тебя столько времени.

Какие могут быть возражения? Хоть один час, хоть все три года! Благодарю за компанию. Кто же осудит его за желание унести ноги? Она проводила его взглядом, разрываясь между унынием и ненавистью.

— Все в порядке? — Джин принесла ей кучу записок и напомнила, что через пять минут ей выезжать на студию.

— Да-да, еду! Все в порядке.

«Все в порядке!» У нее всегда все отлично, даже когда из рук вон плохо. Интересно, сколько времени уйдет у репортеров, чтобы пронюхать, что ее бросил Тони? Это вызовет новую лавину отвратительных сплетен.

Перед отъездом она умылась, приказала себе перестать лить слезы и надела на всякий случай темные очки. За руль села Джин. Из машины она сделала несколько звонков, сообщила агенту, что совершит концертное турне с заездом в Японию. Из этого следует, что на будущий год она проведет четыре месяца на гастролях. Не беда, время от времени она будет прилетать домой. Это турне сейчас важнее важного для ее карьеры. Она поспешила в студию и пробыла там до шести вечера, после чего отправилась на репетицию благотворительного концерта. Домой вернулась только к одиннадцати.

На кухонном столе ее ждала записка от Тони. Он уехал на выходные в Палм-Спрингс. Она долго стояла, держа перед собой записку и размышляя, что стало с их жизнью и сколько времени уйдет у него на то, чтобы поставить точку. Не надо обладать способностями провидицы, чтобы понять: он принял окончательное решение. Она была готова остановить его на полпути, позвонить в Палм-Спрингс, напомнить о своей любви к нему и о том, как она переживает, что причиняет ему столько неприятностей. Но взяв трубку, не стала набирать номер. Почему он отказывается подставить плечо, почему не разделяет ее невзгоды? Почему мечтает о бегстве? Напрашивался один-единственный разумный вывод: Тони Голдмэн никогда ее по-настоящему не любил. Спрашивать об этом у него самого теперь бессмысленно. Она положила трубку и, не утирая слез, медленно побрела в безмолвную спальню.

Глава 3

Таня вылетела в Нью-Йорк самолетом компании звукозаписи и, желая побыть одна, не захватила с собой секретаршу. Программа ограничивалась участием в одном телешоу и встречей с литературным агентом. Для этого Джин ей не была нужна. Кроме того, хотелось спокойно поразмыслить о Тони. Проведя уик-энд в Палм-Спрингсе, он, как положено, вернулся в воскресенье вечером домой. Они поужинали вместе с детьми и весь вечер старались избегать разговоров о последних событиях. Промолчал Тони и тогда, когда журнал «Пипл» подхватил тему с иском. Он знал, что уже сказал достаточно. Во вторник они разъехались: его путь лежал, как всегда, в контору, ее — в аэропорт.

Самолет дожидался ее одну. Это было все равно что самостоятельно распоряжаться рейсовым лайнером. В салоне уже сидел один из боссов компании. Он наверняка знал, кто она такая, но ограничился холодным приветствием. Она делала записи, звонила по телефону, работала с нотами. На полпути к Нью-Йорку ей позвонил адвокат: бывший телохранитель соглашался отказаться от иска за миллион долларов.

— Передайте ему, что мы увидимся в суде, — храбро заявила Таня.

— По-моему, это не самое разумное решение, — возразил Беннет Пирсон.

— Не собираюсь оплачивать услуги шантажистов! Все равно он ничего не сумеет доказать. Какие у него улики? Одни выдумки!

— В суде это будет выглядеть, как его слово против вашего. Вы — звезда. По его утверждениям, вы его домогались, нанесли ему травму тем, что уволили, испортили ему жизнь за то, что он отказался заниматься с вами сексом...

— Хватит, Беннет! Зачем повторять всю эту грязь? Я знаю содержание иска.

— У него могут найтись сочувствующие. В наши времена присяжные ведут себя непредсказуемо. Советую вам как следует поразмыслить. Вдруг они оценят его страдания в целых десять миллионов? Как вам это понравится?

— Тогда у меня зачешутся руки его прикончить.

— Вот и пораскиньте мозгами. По-моему, проще откупиться. Миллион — миленькая круглая сумма.

— А вам известно, каких трудов мне стоило заработать эту *миленькую сумму*? Такие деньги никто не платит просто так.

— На будущий год вам предстоит большое турне. Отнимите от будущего заработка миллион и махните на него рукой. Считайте, что у вас в доме произошел пожар, а вы не успели застраховаться.

— Это какое-то безумие! Настоящий грабеж, разве что невооруженный.

— Совершенно верно. Утешайтесь тем, что так уже бывало. И с вами, и с кучей других людей.

— Платить ни за что ни про что? Меня от этого тошнит!

— Все равно подумайте. У вас и без судебного разбирательства хватает хлопот. Меньше всего вам нужно давать показания, которые растиражируют журнальчики. Ведь все разбирательство — от начала до конца — станет достоянием прессы!

— Хорошо, я подумаю.

— Позвоните мне из Нью-Йорка.

Боже, какая же гадость! Неудивительно, что Тони спешит катапультироваться. Ей тоже иногда хочется махнуть на все рукой, но, увы, на это не приходится даже надеяться: все эти уродства пристали к ней, как бородавки.

Она долетела до Нью-Йорка всего за пять часов и перед приземлением позвонила Мэри Стюарт — договориться о встрече через полчаса. Мэри Стюарт с нетерпением ее ждала. Через полчаса она перезвонила ей уже из машины. Подруга спустилась в вестибюль своего дома в джинсах и легкой блузке. Женщины обнялись. В полутьме машины Таня старалась как можно лучше разглядеть Мэри Стюарт. Та за истекший год похудела и посерьезнела: этот год дался ей нелегко. Таня знала, что, отправив Алису в Париж, Мэри Стюарт еще больше страдает от одиночества. Впрочем, дочери требовалось побыть немного подальше от родных. Зная это, Мэри Стюарт не жаловалась.

— Боже, ты все такая же! — восхищенно воскликнула Мэри Стюарт. Возраст совершенно не сказывался на Таниной красоте. Время, как видно, над ней не властно. — Как это у тебя получается?

— Профессиональная тайна, дорогая! — Подруга загадочно засмеялась, Мэри Стюарт тоже. Возможно, дело в пластической операции, но у Тани к тому же чудесная кожа, прекрасные волосы, фантастическая фигура. От всего ее облика всегда веяло неувядающей молодостью. Мэри Стюарт тоже неплохо выглядела, но ее моложавость не шла ни в какое сравнение с Таниной. Впрочем, сохранять внешность не является для Мэри Стюарт профессиональной необходимостью. — Ты тоже превосходно выглядишь, детка, невзирая ни на что, —

смело проговорила Таня. Трудно поверить, что за плечами у подруги остался самый тяжкий период ее жизни и, видимо, жизни Билла, хотя он никогда бы в этом не признался.

— Сдается мне, ты заключила договор с самим дьяволом. — Мэри Стюарт удрученно покачала головой. — Как это немилосердно по отношению к нам, простым смертным! Сколько тебе лет теперь? Тридцать один? Двадцать пять? Девятнадцать? Меня, чего доброго, примут за твою мамашу!

— Перестань! Это ты выглядишь на десять лет моложе. И не говори, что это для тебя новость.

— Хотелось бы мне, чтобы ты оказалась права... — Увы, Мэри Стюарт знала, какой отпечаток оставил на ней прошедший год. Достаточно посмотреть в зеркало...

По давней привычке они заехали в закусочную «Мелонс» и еще какое-то время продолжали рассыпаться в комплиментах друг другу. Потом Таня сообщила, что зимой уезжает в концертное турне.

— Как к этому относится Тони? — Мэри Стюарт рассматривала подругу, поедая гамбургер.

Беседа ненадолго застопорилась. Взгляд Тани, устремленный на Мэри Стюарт, стоил пера писателя или кисти художника.

— Он еще не знает. В последнее время я его редко вижу. У нас... В общем, у меня, кажется, возникла проблема. — (Мэри Стюарт озабоченно нахмурилась.) — Он уехал на несколько дней в Палм-Спрингс. И вообще считает, что летом нам лучше пожить врозь. Он поедет в Европу, а я — в Вайоминг с детьми.

— У него что, религиозное паломничество или ты не все рассказываешь?

— Нет. — Таня отложила недоеденный гамбургер и скорбно взглянула на подругу. — Это он не все рассказывает, но скоро плотина прорвется. Пока колеблется. Ему кажется, что он еще не принял окончательного решения. Но я-то знаю, что оно принято.

— Почему ты так считаешь? — Как ни жалела ее Мэри Стюарт, слова подруги не вызвали у нее удивления. Образ жизни Тани в силу ее профессии приводил к многочисленным жертвам, и подруги это хорошо понимали. Правда, это не излечивало Таню от разочарования и уныния.

— Сердце не обманешь. Я не так молода и наивна, какой стараются меня сделать врачи. — (У Мэри Стюарт это замечание вызвало улыбку.) — Я научилась заранее чувствовать неприятности. Он уже ушел от меня, хотя сам для очистки совести еще сомневается. Он больше не может выносить это давление: суды, сплетни, всяческие нападки — всю эту грязь, стыд, унижение. Мне не в чем его винить.

— Ты ничего не забыла? Неужели в твоей жизни нет ничего хорошего? — мягко спросила Мэри Стюарт.

— Есть, наверное, но как-то меркнет в общей суете. Ты, например, о хорошем не помнишь, я тоже, потому и говорю, что он не виноват. Мне приятно то, чем я занимаюсь, только когда я пою, записываюсь, на концерте, когда я выкладываюсь на все сто. Мне даже не нужны аплодисменты, в такие моменты для меня важнее всего музыка. Но этим наслаждаюсь я, а не он. Ему достается только мусор, а мне еще и слава. Странно ли, что ему это осточертело? Скажем, на этой неделе в газетке появилось интервью одного подонка, который недолго работал у нас в прошлом году. Он утверждает, что я к нему неровно дышала, а когда он отказался со мной переспать, я его вышибла. Ну, сама понимаешь: такая невинная домашняя заготовка. Материал дали на первой полосе. Тони почувствовал себя опозоренным. Кажется, это стало для него последней каплей, переполнившей чашу.

— А ты? Как к этому относишься ты сама? — Мэри Стюарт всерьез встревожилась. Они много лет переживали друг за друга, пускай даже редко разговаривали, еще реже встречались, жили в разных городах. Их согревала уверенность, что они друг другу небезразличны. — Из твоих слов следует, что он от всего этого устал и решил тебя бросить.

— Сам он еще этого не сказал, но его намерение именно таково. Сейчас он запросил всего лишь отгул, чтобы проветриться в Европе. Мне придется ехать с его детьми на ранчо в Вайоминг. Что ж, меня это устраивает. Я обожаю его детей.

— Это мне известно. Но вот их отец не очень-то способен на настоящую преданность и рыцарство...

— Ладно, давай лучше о новостях, — внезапно оборвала ее Таня и стиснула ей руки. — Что хорошего у тебя? Как поживает Билл? Переживает так же сильно, как ты? — По лицу Мэри Стюарт было видно, как она исстрадалась.

— Наверное... — Мэри Стюарт пожала плечами. — Мы мало об этом говорим. Что тут скажешь? Случившегося не изменить. — Как и того, что они успели друг другу наговорить по этому поводу...

Следующий Танин вопрос был рискованным, но ее весь год мучили подозрения, что корень проблемы — именно в этом.

— Он винит в происшедшем тебя? — Таня произнесла эти слова шепотом, но даже в переполненной закусочной они показались Мэри Стюарт оглушительными.

— Вероятно. — Она тяжело вздохнула. — Наверное, мы с ним обвиняем друг друга за то, что оказались слепыми и не видели, что назревает. Но он считает ответственной прежде всего меня: как это я не уследила? Я должна была предвидеть катастрофу и успеть ее отвести. Билл наделяет меня волшебными способностями предвидения, когда ему удобно. Я ни в коем случае не слагаю и с себя вину. Но разве это что-то меняет? Было бы иллюзией воображать, будто нам под силу повернуть стрелку часов вспять и не дать разразиться трагедии, если мы сможем ткнуть пальцем в виноватого. Так не бывает. Все кончено. — В ее глазах появились слезы, она резко отвернулась.

Таня уже жалела, что затронула эту тему.

— Прости. Напрасно я об этом заговорила. — Что толку извиняться? Она обругала себя за глупость.

Мэри Стюарт утерла слезы и уже утешала саму Таню:

— Ничего, Тан, не обращай внимания. Боль все равно не дает о себе забывать. Это как отрубленная рука. Иногда совершенно невозможно выносить, иногда с ней можно жить, но боль не прекращается ни на минуту.

— Так не может продолжаться вечно, — проговорила Таня, сочувствуя ей всей душой. Мэри Стюарт постигло неизбывное горе, но она ничем не могла ей помочь.

— Очень даже может, — обреченно ответила Мэри Стюарт. — Люди сплошь и рядом мирятся с болью — от артрита, ревматизма, несварения желудка, даже рака. Тут что-то похожее: отмирание сердца, утрата всякой надежды, потеря всего, что было для тебя важным. Это жестокий вызов, брошенный душе.

Ее терзала невыносимая боль, но она переносила это так мужественно, что Таня сама мучилась, глядя на нее.

— Почему бы тебе не поехать в Вайоминг со мной и детьми? — предложила она неожиданно для самой себя. Ничего другого ей не пришло в этот момент в голову.

Мэри Стюарт встретила предложение грустной улыбкой.

— Я лечу в Европу к Алисе. А то бы с радостью согласилась. Обожаю верховую езду! — Она нахмурилась, смущенная воспоминаниями, но довольная, что они оставили эту тему. — В отличие от тебя.

— Верно! — Таня усмехнулась. — Ненавижу ездить верхом! Но место там, кажется, сказочное, вот я и решила, что детям это пойдет на пользу. — Она замялась, но быстро пришла в себя. — Думала, что Тони тоже туда захочется, но ошиблась. Детям сейчас двенадцать, четырнадцать и семнадцать лет, и они без ума от коней. Ничего лучше для них нельзя и придумать.

— Не сомневаюсь. Ты тоже превратишься во всадницу? — спросила Мэри Стюарт.

— Если найдутся симпатичные всадники, — ответила Таня с техасским акцентом. Обе засмеялись. — По-моему, я была единственной девушкой на весь Техас, ненавидевшей лошадей.

Впрочем, Мэри Стюарт помнила, что Таня хорошо ездит верхом, но не любит.

— Вдруг Тони еще передумает и поедет с тобой?

— Сомневаюсь, — тихо ответила Таня. — Судя по всему, он уже все решил. Может быть, поездка в Европу пойдет ему на пользу. — Сама Таня не считала, что это к чему-то приведет. Мэри Стюарт склонялась к тому же мнению, хотя и держала его при себе. Все указывало на то, что Тане уже не восстановить с мужем прежних отношений.

Они еще поболтали — об Алисе, следующей Таниной кинокартине, ее концертном турне, намеченном на зиму. Мэри Стюарт представляла, каких усилий это потребует, и восхищалась Таниной отвагой. Потом речь зашла о телевизионной передаче, стоявшей в программе следующего утра. Таня была приглашена в самое популярное в стране дневное ток-шоу.

— Я все равно должна была прилететь в Нью-Йорк для переговоров с литературным агентом, потому и согласилась с этим предложением. Очень надеюсь, что речь не зайдет о последнем судебном иске. Мой агент уже предупредил их, что я отказываюсь обсуждать этот вопрос. — Она вспомнила о своем намерении пригласить Мэри Стюарт на один нью-йоркский раут. — У моей знакомой состоялась на прошлой неделе премьера. Говорят, удачная, во всяком случае, отзывы самые благоприятные. Постановка будет идти все лето, а если ей будет сопутствовать успех, то и зиму. Если хочешь, я раздобуду тебе билетик. Завтра вечером она устраивает прием. Я согласилась прийти. Если пожелаешь, с радостью возьму и тебя с собой. А Биллу это понравилось бы? Приглашение распространяется и на него. Правда, не знаю, любит ли он такие мероприятия и не слишком ли занят? — Да и разговаривают ли сейчас Мэри Стюарт и Билл?

— Ты — прелесть! — Мэри Стюарт улыбнулась Тане.

Та всегда вносила в ее жизнь разнообразие и радость. И двумя десятилетиями раньше Таня не давала подругам киснуть, вечно вовлекая их в свои безумные замыслы, веселила вопреки даже самому мрачному настроению. Однако Билла даже ей не растормошить. Они уже много месяцев не появлялись на людях, не считая случаев, когда этого требовал бизнес. К тому же он работал допоздна, готовясь к лондонскому процессу. Через две недели Билл улетит на все лето. Правда, Мэри Стюарт надеялась, путешествуя с Алисой по Европе, навестить его в Лондоне и провести вместе хотя бы один уик-энд. Он уже предупредил их, что будет слишком занят и не сможет уделить им много времени. После этого Мэри Стюарт возвратится в Штаты. Он пообещал уведомлять ее о ходе процесса. Если вдруг у него появится возможность, то жена наведается к нему снова. В сущности, это мало отличалось от того, что слышала Таня от своего Тони. По всей видимости, обе вот-вот должны лишиться мужей и не в силах этого предотвратить.

— Не уверена, что Билл сможет к нам присоединиться. Он работает и вечерами, так как готовится к важному судебному разбирательству в Лондоне. Но я все равно его спрошу.

— Может, тебе лучше прийти без него? Моя знакомая — милая особа. — Таня смутилась: можно подумать, речь идет о неизвестной актрисе. — Пожалуй, скажу тебе, что это Фелиция Дейвенпорт, не то ты, чего доброго, при виде нее хлопнешься в обморок. Я знакома с ней много лет. Увидишь, она тебе понравится.

— Вот это связи! — Мэри Стюарт не удержалась от смеха. Ее звали на прием к одной из великих звезд Голливуда, начавшей теперь карьеру на Бродвее. Не далее как в воскресенье Мэри Стюарт прочла об этом в «Нью-Йорк таймс». — Молодец, что предупредила! Ты права: я могла бы умереть от гордости. С тобой не соскучишься.

Выходя из закусочной, они весело смеялись. Таня пообещала, что следующим утром сообщит Мэри Стюарт подробности предстоящего приема. Фелиция ждала гостей в особняке в районе Шестидесятых улиц.

Таня завезла Мэри Стюарт домой. Та дала слово, что утром будет любоваться ею по телевизору, и на прощание крепко обняла подругу.

— Спасибо, Таня. Была счастлива с тобой увидеться! — Повидавшись с подругой, она с новой силой ощутила свое одиночество.

С Биллом они вот уже целый год почти не разговаривали, и она чувствовала себя цветком, который долго не поливали. Встреча с Таней равносильна ливню, который снова напитал ее жизненными соками.

Она вошла в вестибюль с улыбкой на устах, пружинистой походкой и радостно кивнула привратнику.

— Добрый вечер, миссис Уолкер! — Тот по привычке приподнял фуражку.

Лифтер сообщил ей, что Билл вернулся домой несколькими минутами раньше. Войдя, она застала его в кабинете: он собирал со стола какие-то бумаги. Находясь в приподнятом расположении духа, она улыбнулась мужу. Он был поражен ее веселостью, словно давно забыл, что значит веселиться, встречаться с друзьями и даже просто разговаривать.

— Где ты была? — спросил он недоуменно, увидев, как жена преобразилась. Он терялся в догадках, где она могла побывать в такой час, да еще в джинсах.

— Приехала Таня Томас. Мы вместе поужинали. Как здорово было снова ее увидеть! — Мэри Стюарт чувствовала себя очень глупо. Она улыбалась мужу, словно забыла о скорби, довлевшей над ними целый год, о молчании, стеной разделявшем их. Отметила, что слишком громко говорит, слишком оживлена. — Прости, что так поздно вернулась. Я оставила тебе записку... — Она поперхнулась, съежившись от его укоризненного взгляда. Его глаза были ледяными, лицо ничего не выражало. Точеные черты, прежде такие любимые, теперь как бы застыли, как и он сам. Он так от нее отдалился, что она перестала его видеть, не говоря о том, чтобы понимать.

— Не вижу никакой записки. — Это была констатация, а не обвинение.

Глядя на него, она порой сожалела, что он настолько красив. Биллу сорок четыре года, в нем больше шести футов роста, он атлетически сложен и строен. К этому надо добавить пронзительные голубые глаза, которые превратились за последний год в льдинки.

— Прости, Билл, — пробормотала она. Ей казалось, она всю жизнь только и делает, что извиняется перед ним за что-то, в чем никто не имел права ее упрекать. А сейчас она знала, что он никогда ее не простит. — Я оставила записку в кухне.

— Я поел на работе.

— Как дела? — спросила она.

Он собрал в портфель бумаги.

— Спасибо, прекрасно. — Можно подумать, что перед ним секретарь или совершенно чужой человек. — Мы почти готовы. Получится очень любопытный процесс. — С этими словами он погасил в кабинете свет, словно намереваясь ее выставить, и понес портфель в спальню. Год назад он ни за что бы так не поступил. Впрочем, это мелочь, на которую не стоит обращать внимания. — Кажется, мы улетим в Лондон раньше, чем собирались. — Теперь он не советовался с ней, как раньше, о своих планах, словно необходимость в этом отпала раз и навсегда.

Она хотела спросить, когда именно, но не посмела.

Раз он улетает раньше, то она, возможно, поступит так же, хотя ее поездка еще не до конца продумана. У нее с дочерью были забронированы номера в отелях Парижа, Сен-Жан-Кап-Ферра, Сан-Ремо, Флоренции и Рима; в Лондоне они собирались остановиться в «Кларидже», как и Билл. Путешествие обещало быть интересным. После нескольких месяцев разлуки с дочерью Мэри Стюарт с замиранием сердца предвкушала встречу. В апреле Алисе исполнилось двадцать лет. Ее день рождения отмечали за неделю до дня рождения Тодда. Оба эти дня значили для Мэри Стюарт очень много.

Билл поставил портфель и собрался уединиться в ванной. Мэри Стюарт вспомнила о приглашении Тани и передала его Биллу.

— Кажется, это будет премилый вечер. Прием устраивает Фелиция Дейвенпорт. Как оказалось, они с Таней друзья.

У него было такое выражение лица, что она почувствовала себя подростком, испрашивающим у отца разрешения побывать на вечеринке у старшеклассников. Он пришел в ужас от этого предложения.

— Возможно, тебе бы там понравилось, — обмолвилась она. — О новой пьесе Дейвенпорт хорошие отзывы, Таня ее тоже хвалит.

— Не сомневаюсь, но завтра вечером мне придется задержаться на работе. Пойми, Мэри Стюарт, мы готовим грандиозный процесс. Я думал, ты давно поняла. — Это даже не отказ, а упрек.

Ее разозлил его тон.

— Я поняла. Но согласись, приглашение интересное. По-моему, нам следовало бы его принять. — Ей очень хотелось к людям. Она устала сидеть дома и горевать. Увидев Таню, вспомнила, как велик мир, — та, несмотря на ворох проблем — с Тони, исками, сплетнями, — не сидела дома и не скулила в уголке. Благодаря ей Мэри Стюарт взглянула на все другими глазами.

— Об этом не может быть речи — для меня, — твердо заявил он. — Иди одна, если тебе так хочется. — Он закрыл дверь ванной изнутри. Выходя, он увидел на лице жены решительное выражение.

— Хорошо, — согласилась она, упрямо посмотрев на мужа, словно ждала возражений.

— Ты о чем? — Она совершенно сбила его с толку. Если бы он не знал ее так хорошо, то подумал бы, что она выпила лишнего. Ее поведение показалось ему очень странным. Он не обратил внимания ни на ее спокойствие, ни на то, как она похорошела.

— Я пойду на прием, — твердо проговорила Мэри Стюарт.

— Прекрасно! А я не могу. Надеюсь, ты меня понимаешь? Тебе будет интересно повращаться среди таких людей. У Тани много забавных знакомых, чему, впрочем, не приходится удивляться.

Казалось, он сразу забыл об этом разговоре и взял с собой в постель стопку журналов, чтобы просмотреть статьи на темы юриспруденции и бизнеса, среди которых были и материалы о его клиентах. Мэри Стюарт заперлась в ванной и вышла оттуда в белой ночной рубашке. Что бы на ней ни оказалось — хоть кольчуга, хоть власяница, — муж не обратит на это ровно никакого внимания. Пока он читал, она тихо лежала рядом, вспоминая разговор с Таней и думая о себе и Тони.

Права ли Таня? Действительно муж собрался от нее уйти или он еще способен передумать? Мэри Стюарт казалось верхом несправедливости его нежелание поддерживать Таню, но та как будто уже смирилась с его малодушием и ничего другого от него не ждет. Может быть, Тане следовало проявить характер и поднажать на мужа, заставить его дать задний ход?

До чего же просто рассуждать о чужой жизни и решать за других, как им надо поступить! Зато в ее собственной никак не удавалось навести порядок. Вот уже целый год она не может достучаться до Билла. Муж стал недосягаем, отгородился ледяной стеной, день ото дня становившейся все толще. Ей казалось, они уже много месяцев не общаются друг с другом. Мэри Стюарт совершенно не представляла себе, как сложится их будущее, и не заводила с ним разговор на эту тему, боясь, что Билл не так ее поймет. Сегодня он уже принял ее за умалишенную, а она всего лишь вернулась домой в приподнятом настроении, с улыбкой на лице. Он смотрел на нее, как на инопланетянку. Не приходилось сомневаться, что их супружеские отношения, любая близость между ними остались в далеком прошлом.

Мэри Стюарт до конца осознала, как все плохо, только после приезда дочери домой на Рождество. Алиса пришла в ужас и сразу же стала собираться обратно в Париж. Однако Мэри Стюарт не имела ни малейшего понятия, как положить этому кошмару конец.

Закончив чтение, Билл выключил свет, не сказав жене ни единого словечка. Она лежала на боку, закрыв глаза, притворяясь спящей. Станет ли он когда-нибудь прежним, захочет ли обнять ее снова? И вообще появится ли в ее жизни еще мужчина, который прикоснется к ней, признается в любви? Или все это в прошлом?

В сорок четыре года ее жизнь, казалось, окончательно разбита.

Глава 4

Следующим утром Мэри Стюарт устроилась перед телевизором. Очень скоро она пришла в такую ярость, что ей захотелось разбить экран. Задав Тане всего один вопрос — о детстве в маленьком техасском городке, интервьюер сразу же перешел к свежим сплетням о ее романе с инструктором, а потом подло намекнул на иск сотрудника, пострадавшего от домогательств поп-звезды. К удивлению Мэри Стюарт, Таня и бровью не повела, лишь отделалась снисходительной улыбкой, отмахнувшись от обвинений, как от шантажа и очередных вымыслов желтой прессы.

Но спокойствие далось певице не просто. После окончания съемки она и рукой не могла шевельнуть от напряжения, и все тело покрылось холодной испариной; голова раскалывалась от нестерпимой боли.

— Хватит с меня телевидения, — пожаловалась она сопровождавшей ее даме.

Встреча с издательским агентом, предлагавшим ей написать книгу о себе, также разочаровала. От нее ждали только сенсаций и отмахивались даже от намека на серьезный тон будущего произведения. Устав от всего этого, она позвонила Джин и узнала, что о ней снова трубят все газеты

Лос-Анджелеса: раскопали, что ее муж проводит уик-энд в Палм-Спрингсе с молоденькой актрисой, имя которой не называли.

— Уж не с проституткой ли? — поинтересовалась она у Джин.

Та рассмеялась и вместо ответа прочла ей о развитии истории с иском. Слушая, Таня с трудом сдерживала слезы. Уволенный телохранитель заявлял, что Таня неоднократно пыталась его соблазнить, разгуливая по дому нагишом, когда они оставались одни. В другое время она бы просто посмеялась, но навалившиеся неприятности лишили ее сил.

— Хотелось бы мне вспомнить, когда я в последний раз оставалась в этом доме одна! — огрызнулась она.

О том, как на это прореагирует Тони, не хотелось даже думать. На предложение Джин зачитать сообщения, касающиеся его самого, она ответила отказом. Повесив трубку, она сама сходила за газетой и, изучив материал, беспомощно развела руками. На фотографиях фигурировал Тони, пытающийся скрыться от фотографов, и смутно знакомая Тане актриса максимум лет двадцати. Было совершенно невозможно понять: фотографии — подлинные или компьютерная подтасовка с целью выпачкать обоих? В наши дни можно усомниться в подлинности любой фотографии, однако эта мысль не успокаивала. Немного поколебавшись, Таня позвонила мужу в офис, поймав его перед самым уходом.

— Кажется, мое имя снова озарено светом рампы? — посетовала она, найдя силы для шутки даже в самой отвратительной из всех возможных ситуаций.

— Вот именно! Твой приятель Лео немало про тебя знает. Ты читала? — Он был настолько вне себя, что даже не старался этого скрыть.

— Я услышала об этом от Джин. Полнейшая ересь! Надеюсь, тебе не надо объяснять?

— Я уже ни в чем не могу быть уверен.

— То, что они написали про меня, ничуть не хуже откровения насчет тебя и девки, которую ты якобы таскал с собой в Палм-Спрингс. В газетке даже есть твоя фотография. — Ей хотелось его подразнить. — Ведь это тоже липа. Чего тут переживать?

Последовала долгая пауза, после которой он медленно проговорил:

— Это правда. Я как раз собирался все тебе рассказать, но не успел: ты уехала.

У нее было такое впечатление, будто ее огрели тяжелой дубиной. Он изменяет ей, и это становится известно презренным фоторепортерам, да еще смеет в этом сознаваться! Настала ее очередь выдержать продолжительную паузу. Что тут скажешь?

— Вот это да! Ну и какой же, по-твоему, должна быть моя реакция?

— Ты вправе рвать и метать, Таня. Я не стану тебя обвинять. Кто-то навел журналистов на след. Не могу себе представить, как они нашли отель. Я надеялся, что это не попадет в газеты.

— Ты староват, милый, для такой наивности. Столько лет проторчать в Голливуде и не знать, как работает его кухня! Ну и кто, по-твоему, вызвал фотографов? Она сама! Это же для нее шикарная реклама: ведь встречается с мужем самой Тани Томас! Нет, Тони, девица попросту не имела права упустить такой шанс.

Конечно, она говорит гадости, но даже гадость может быть правдой. Прозрение пришло к нему слишком поздно. Он долго, нестерпимо долго молчал.

— Теперь вы тоже знаменитость, мистер Голдмэн. Нравится?

— Собственно, мне нечего тебе сказать, Тан.

— Это точно. Мог бы на худой конец действовать с оглядкой или присмотреть бабенку, которая не выдала бы тебя и меня со всеми потрохами.

— Не хочу играть с тобой в игрушки, Таня, — проговорил он смущенно и одновременно сердито. — Завтра же переезжаю.

Он снова надолго умолк. Она же молча кивала, борясь со слезами.

— Так я и думала, — хрипло отозвалась Таня.

— Не могу больше так жить! Кто это вытерпит — служить постоянной мишенью для чертовых журналистов?

— Я тоже не в восторге, — грустно молвила она. — Разница только в том, что у тебя есть выбор, а у меня — нет.

— Сочувствую. — Его тон был неискренним, в нем вдруг появились злобные нотки.

Что ж, поймали со спущенными штанами — чему тут радоваться? Тони не устраивает роль второй скрипки, ему не нравится, когда его *продают* и выставляют на посмешище. Словом, ждет не дождется, когда наконец уйдет из ее дома и из ее жизни, выскользнет из лучей рампы, в которых оказался, женившись на ней. Сначала ему нравилась известность, но потом лучи стали чересчур жгучими, а это, как выяснилось, невозможно долго выносить.

— Прости, Тан... Не хотел говорить все это по телефону. Я собирался побеседовать с тобой завтра, дома. — Она кивнула, заливаясь слезами. — Ты меня слушаешь?

— Слушаю.

Ей казалось, что она вот-вот распадется на кусочки. Удар слишком жесток, перспектива одиночества невыносима. Таня столько всего перенесла, ее нещадно эксплуатировали, подвергали такому бесчеловечному обращению! Менеджер, за которого она сдуру выскочила замуж, обчистил ее до нитки... А Тони не выдержал и трех лет, сломался и стал таскаться в Палм-Бич развлекаться со статистками! Неужели он воображал, что газеты закроют на это глаза? Надо же оказаться настолько беспечным болваном!

— Мне очень жаль!.. — пролепетал он, но она уже ничего от него и не ждала.

— Знаю. Ничего, вот вернусь, тогда и поговорим. — Ей не терпелось от него отделаться: слишком больно он ранил ее. Вдруг она кое-что припомнила: — А как же Вайоминг?

— Возьми с собой детей. Им это пойдет на пользу, — сказал он с облегчением. Ему не терпелось поскорее сорваться с крючка, хотелось быстрее отплыть в Европу, прихватив с собой ту самую статисточку.

— Спасибо. Да, Тони... Мне тоже жаль. — Чтобы не разразиться рыданиями, она поспешила повесить трубку.

Когда телефон зазвонил снова, Таня еще пребывала в слезах и не хотела отвечать, уверенная, что это опять Тони — заботливый муж, беспокоящийся о настроении обманутой жены. Но она ошиблась: звонила Мэри Стюарт.

Подруга сразу поняла, что Таня чем-то сильно расстроена. Всхлипывая, та объяснила, что ее только что бросил Тони. Она поведала об обеих статейках и об измене Тони в Палм-Спрингсе. Рассказ был путаным, и понять что-либо было очень трудно, но Мэри Стюарт разобралась и настояла на встрече. До приема оставалось еще много времени, если они вообще на него пойдут. Тане теперь хотелось одного — домой, но самолет должны прислать за ней только на следующее утро.

— Немедленно приезжай! Выпьешь чашечку чаю или стакан воды, умоешься. Перестань! Смотри, не приедешь — нагряну сама. — У Тани на душе скребли кошки, но ее тронула настойчивость подруги.

— Со мной все в порядке. — Поверить в это было трудно: через секунду она разрыдалась пуще прежнего.

— Хорош порядок! Ах ты, лгунья! — И тут Мэри Стюарт прибегла к самой страшной и действенной угрозе: — Если не приедешь, я обзвоню все газеты.

Таня прыснула.

— Ну надо же! — Смех ее звучал сквозь слезы. — Целый год тебя не видела, а стоило повстречаться, пожалуйста, через два дня — развод.

— Вот и хорошо, что я рядом: кто же еще тебя утешит? Поторопись, пока я не начала звонить в «Энквайер», «Глоб», «Стар» и вообще повсюду. Может, мне самой за тобой приехать? — мягко спросила она.

Таня высморкалась.

— Не надо, сама доберусь. Буду через пять минут.

Через пять минут она предстала пред очи Мэри Стюарт — всклокоченная, с красным носом и зареванными глазами. Но даже это не могло затмить ее красоту, о чем подруга поспешила ее уведомить, обнимая и успокаивая, как обиженное дитя. У Мэри Стюарт богатая практика на этот счет: она была хорошей матерью Тодду и Алисе и за двадцать два года поднаторела в утешении. Но Тодда она утешала недостаточно, иначе все сложилось бы по-другому...

— До сих пор не верю... Все рухнуло за какие-то несколько минут! — твердила Таня, продолжая оплакивать свое замужество. И не имело сейчас никакого значения, что обе знали: в действительности разрыв назревал давно. Тони не первый день выражал недовольство, негодовал по поводу ее образа жизни, просто до поры до времени помалкивал. Оглядываясь назад, она была вынуждена признать, что улавливала тревожные симптомы, но закрывала на них глаза.

Несмотря на жаркий день, Мэри Стюарт вскипятила чай. Таня присела с горячей чашкой в безупречно белой кухне.

— Чем ты тут занимаешься? — спросила она, озираясь. — Заказываешь по телефону готовые блюда?

— Нет, готовлю сама, — коротко ответила Мэри Стюарт, улыбаясь подруге. Та выглядела раздавленной, но уют благотворно сказывался и на ней. — Просто мне нравятся чистота и порядок.

— Нет, — возразила Таня, — твой идеал — полное совершенство, и не отрицай. Но полное совершенство не всегда возможно, иногда все идет кувырком, и мы не властны что-либо изменить. Тебе необходимо это признать. У меня впечатление, что ты терзаешься из-за случившегося. — Так оно и было, и сейчас Тане больше всего на свете хотелось избавить подругу от мучения, которое явно читается в ее взгляде.

— Разве ты на моем месте не обвиняла бы себя? — тихо промолвила Мэри Стюарт. — Что еще мне остается? Билл тоже меня винит... Он даже смотреть в мою сторону не может. Живем как чужие люди. Даже не враги больше. Сначала были ими, а теперь никто друг другу.

— Он будет на приеме? — поинтересовалась Таня, жалея обоих. В последнее время жизнь обходилась с ними жестоко.

Мэри Стюарт отрицательно покачала головой:

— Он сказал, что будет работать допоздна.

— Прячется от людей.

Подобно большинству смертных, Таня была мудрой провидицей в отношении других и беспомощной в отношении себя, не в силах найти себе подходящего мужа. Таков уж ее удел.

— Знаю, — ответила Мэри Стюарт, направляясь с подругой в гостиную. — Он прячется, а я не нахожу. Ищу повсюду — и все без толку. Здесь живет мужчина, с виду — Билл, только я знаю: это не он — и понятия не имею, куда подевался настоящий.

— Главное — не прекращать поиски, — с пылом проговорила Таня, удивив Мэри Стюарт своей убежденностью, и добавила: — Пока еще не все кончено.

Каким-то образом Таня чувствовала, что брак подруги стоит того, чтобы за него побороться. Недаром они с Биллом прожили вместе двадцать два года. Шутка ли! Но, с другой стороны, люди расстаются, прожив вместе и еще дольше. Если Мэри Стюарт так и *не найдет* его, то надо рвать — нечего продолжать за него цепляться. Просто Таня не советовала ей так быстро сдаваться, поддавшись горю. А Билл, конечно, несправедлив, обвиняя жену в разразившейся трагедии.

— К тебе это тоже относится? — спросила Мэри Стюарт. По дороге в гостиную, они миновали одну запертую дверь за другой — Таня заподозрила, что это спальни. — Насчет конца?

— Думаю, мой случай особый, — ответила Таня со вздохом. — Вероятно, брак с Тони с самого начала был ошибкой, и его вообще не стоило затевать. Наверное, конец наступил раньше, просто я отказывалась смотреть правде в глаза, не понимала, каким несчастьем обернется для него вся эта грязь. Что ж, если он сходит от всего этого с ума, я ничего не могу поделать. — Она не переставала его любить, но со свойственной ей проницательностью признавала свое поражение. С самого начала их отношения строились на слишком зыбкой почве, что она давно понимала, но не желала признавать.

Подруги устроились в гостиной и долго беседовали. Через некоторое время Таня встала и отправилась принять ванну. В холле была небольшая туалетная комната для гостей. Таня направилась туда, зажгла свет — и ахнула.

Она поняла, что ошиблась дверью и забрела в комнату Тодда, увешанную призами, картинками и памятными вещицами. Все здесь оставалось на своих местах, словно он вот-вот вернется из Принстона.

— Я больше сюда не захожу, — прошептала Мэри Стюарт.

Таня вздрогнула и оглянулась: она не слышала, как Мэри Стюарт подошла сзади. Взгляд подруги был таким затравленным, что Таня инстинктивно заключила ее в объятия. Напрасно комнату оставили нетронутой — она превратилась в святилище Тодда. Одна мысль о близости этого храма должна была стать для матери невыносимой. На письменном столе стояла чудесная фотография парня с двумя школьными друзьями. Как похож улыбающийся Тодд на мать! Таня не могла удержаться от слез.

— Мэри Стюарт... — пробормотала она, видя, что глаза подруги тоже наполняются слезами. — Прости меня! Я открыла не ту дверь, я не хотела...

Мать парня улыбнулась ей сквозь слезы и сделала шаг назад. Стоя рядом с Таней, она не спускала взгляда с фотографии на столе.

— Он был такой хороший, Танни... Чудесный мальчик! Всегда поступал правильно, всегда блистал. Все хотели ему подражать, все его любили... — Слезы медленно катились по ее щекам. Тане казалось, что юноша с фотографии сейчас заговорит или появится в своей комнате. Увы, обе знали, что этого не произойдет.

— Да. Отлично его помню. Он был так похож на тебя, — тихо проговорила Таня.

— Все еще не верю, что *это* произошло.

Мэри Стюарт присела на кровать. Она не появлялась здесь с самого Рождества. В Сочельник пришла сюда, упала на кровать сына, обняла подушку и прорыдала несколько часов. А позже не посмела признаться Биллу, что была в комнате Тодда, — муж считал, ее лучше запереть. Когда она спросила, как поступить с вещами Тодда, Билл разрешил ей действовать по собственному усмотрению. У нее же не хватило духу что-либо отсюда вынести.

— Может, тебе лучше убрать его вещи? — грустно предложила Таня. Она догадывалась, как тяжело это будет, но полагала, что в конце концов принесет пользу. Возможно, правильнее было бы вообще продать эту квартиру. Но посоветовать такое она не осмелилась.

— У меня не поднялась рука, — ответила Мэри Стюарт. — Не могу. — От мысли о сыне, жившем здесь, слезы потекли по ее щекам ручьями. — Я так по нему горюю... все мы горюем. Билл помалкивает, но я-то знаю, что и ему больно...

Она знала, как известие сразило Алису. Однажды она видела, как та заглянула в комнату брата. Мать догадывалась, почему дочь хочет остаться в Париже. Никто не стал бы ее за это винить. Дома у нее разрывалось от горя сердце, и искать утешения было не у кого. Ни мать, ни отец не оправились от удара.

— Ты не виновата, — твердо произнесла Таня, обнимая подругу и глядя ей в глаза. У Мэри Стюарт мелькнула мысль, что она забрела сюда не по ошибке. — Пойми, не виновата! Когда он принял решение, ты уже не могла его остановить.

— Как же я проглядела, что с ним творилось? Я так его любила и оказалась настолько слепа! — Мэри Стюарт знала, что никогда не простит себе случившегося.

— Мальчик вырос и имел право на секреты. Он не хотел, чтобы ты знала, иначе сказал бы. Ты не могла знать всего, даже того, что творится в душе собственного ребенка. Поверь! — Сама Таня не могла и представить себе, как Билл мучил жену весь истекший год, не позволяя ей расстаться с чувством вины. Наоборот, он убеждал ее в этом чувстве — своими поступками, молчанием...

— Я обречена на чувство вины, — грустно молвила Мэри Стюарт, но Таня не выпустила ее из объятий, полная решимости извлечь подругу из бездны горя. В этом и состоит дружба. Иначе Мэри Стюарт долго не выдержит.

— Ты не имела тогда для него никакого значения, — тихо произнесла она жестокие, ранящие слова. — Как бы ты его ни любила, для него оказалось важнее другое. У него была собственная жизнь, свои друзья, мечты, разочарования, беды. Как бы ты ни хотела, ты бы не смогла заставить его делать то, чего ему не хочется, и не делать того, что хочется. Другое дело — если бы он сам к тебе прибежал, умолял его остановить... Но он никогда бы так не поступил: он был слишком погружен в себя — совсем как ты сейчас. — Таня говорила серьезно, как никогда, понимая, что подруге нужны именно эти слова.

— Я бы ни за что так не поступила, — возразила Мэри Стюарт, прикованная взглядом к фотографии сына, — казалось, мать спрашивает его, почему это случилось. Впрочем, все давно знали ответ. Все до смешного просто.

Девушка, которую он любил четыре года, погибла в автокатастрофе на обледенелом шоссе в Нью-Джерси, и Тодд четыре месяца пребывал в непрекращающейся депрессии. Никто не догадывался о силе его страданий, его отчаяния после гибели любимой. На Пасху он вроде бы повеселел, и все решили, что Тодд начал приходить в себя. Но никто не догадывался, что он тогда, вернувшись в Принстон, принял страшное решение. Как близки в те дни были мать и сын! Они долго гуляли в парке, беседовали на философские темы, смеялись, он даже затрагивал, пусть в общих чертах, свое будущее и признался, что *теперь* верит в вечное счастье. И в первую же ночь после возвращения из дома его получил — покончил с собой за две недели до двадцатилетия в своей комнате в Принстоне.

Его нашел парень, живший по соседству: пришел о чем-то попросить и обнаружил Тодда в постели спящим. У парня сразу же возникли подозрения — он его осмотрел, попытался сделать искусственное дыхание, потом вызвал пожарных и полицию. Как выяснилось, Тодд пролежал к этому времени мертвым несколько часов.

Юноша оставил каждому в семье по записке: наконец-то он спокоен и счастлив. Конечно, это трусость с его стороны, он сожалел, что причинил им боль, но жизнь без Натали невозможна — он проверял, — и просил простить его и найти утешение в мысли, что отныне они с Натали навечно пребудут вместе на небесах. Родители считали, что сын еще молод для женитьбы, но он все равно собирался сделать это летом, после выпуска. Теперь они в некотором смысле обвенчались...

И сразу же после случившегося и еще долго потом Билл обвинял в трагедии жену. Он твердил, что это Мэри Стюарт вбила сыну в голову разные глупости и романтические иллюзии, позволила ему слишком сильно увлечься Натали и на целых четыре года потерять рассудок. Если бы мать не сделала его настолько религиозным, он не заразился бы абсурдной верой в Бога и загробную жизнь. По убеждению Билла, Мэри Стюарт подготовила трагедию, а посему самоубийство Тодда лежит всецело на ее совести. Подобные обвинения она бы еще стерпела, но сама не могла пережить ужас утраты единственного сына — первенца, света в окошке, подарившего ей столько радости, внушавшего матери такую гордость...

Слушая Мэри Стюарт, Таня воображала, как хватает Билла за плечи и что есть силы трясет. Никогда еще она не слышала до такой степени безумных обвинений мужа в адрес матери его детей — ясно, что он пытается облегчить собственную боль, заставляя мучиться Мэри Стюарт. Последствия для самой Мэри Стюарт тоже нетрудно угадать: душа ее уже мертва — при смерти может оказаться и плоть.

— Бедный мальчик! — Мэри Стюарт беззвучно рыдала, сидя с подругой в комнате сына. — Он был настолько влюблен, что, узнав об аварии, едва не умер. — В конце концов это и случилось. Авария убила не только его, но и всю семью. От Мэри Стюарт, Билла, их брака не осталось почти ничего. Все умерло вместе с Тоддом. Во всяком случае, самое главное — сердца, души, мечты...

Слишком несправедливо обошлась с ними судьба, отняв сына, которого они так любили.

— Ты хотя бы разозлилась на него? — спросила Таня.

Мэри Стюарт вздрогнула:

— На Тодда?! За что?

— За боль, которую он вам причинил. Он украл часть твоей жизни. Сдрейфил, когда надо было найти силы и жить дальше. Не признался родной матери, как сильно страдает.

— Я должна была сама его понять. — Мэри Стюарт упорно обвиняла одну себя. Тане необходимо было избавить бедную женщину от самобичевания.

— Обо всем догадаться невозможно. Ты не телепатка, а обыкновенный человек. И великолепная мать. Он не должен был так с тобой поступить.

Мэри Стюарт никогда не позволяла себе подобных мыслей, даже слушать такие речи ей было страшно.

— Сама знаешь, как это несправедливо с его стороны. А теперь несправедлив Билл: какое право он имеет тебя винить?! Может, настало время на них рассердиться? Слишком тяжелую ношу они на тебя взвалили, Мэри Стюарт.

Она долго смотрела на Таню, не произнося ни слова.

— С той минуты, когда я узнала о его смерти, обвиняла в ней одну себя.

— Знаю. Это удобно всем. А сейчас настало время поделиться ответственностью за содеянное с самим Тоддом. Заодно и с Биллом. Нельзя же покорно соглашаться с обвинениями и молча тащить такой груз! Тодд вошел в историю как герой, а не как слабак, дурачок, совершивший непростительную глупость и обрекший близких на вечные угрызения совести. Ладно, чем бы он ни руководствовался, такова, видно, его судьба. Сделанного не воротишь. Все это — дело его собственных рук. Билл не имеет права клеймить тебя и при этом обелять себя. Если уж говорить о вине, то о совместной. Пускай и он помучается. Ты вовсе не единственная виновная, Мэри Стюарт, а козел отпущения.

— Знаю, — тихо отозвалась она. — Я уже давно пришла к такой мысли. Но разве она что-то меняет? Билл никогда этого не признает. Ему непременно надо кого-то обвинять. И он давно нашел кого — меня.

— В таком случае брось его! Или хочешь позволить ему казнить тебя по гроб жизни? Готова простоять еще сорок — пятьдесят лет на коленях, шепча покаянную молитву? Не чересчур ли велик срок для искупления вины? Ты еще молода. — Ее слова производили поразительное действие: казалось, в темной комнате раздвинулись тяжелые занавески, до этого не пропускавшие яркий солнечный свет. Мэри Стюарт целый год просидела в темном углу, скорбя и посыпая голову пеплом. Самое странное, что все говорилось именно в этой комнате. Казалось, рядом стоит сам Тодд. Сказанное Таней буквально всколыхнуло в ней все, что накопилось за год. Ей вдруг захотелось обозлиться на Билла, наорать на него, как следует наподдать. Как можно быть таким глупцом! Почему он не щадит их брак?

— Не знаю, что и подумать, Тан. Все так запутанно... Представь ужас бедняжки Алисы, когда она приехала на Рождество! Она застала нас в таких растрепанных чувствах, что сразу стала рваться обратно в Париж. — В итоге дочь улетела на четыре дня раньше, чем усугубила чувство вины, сжигающее мать.

— В твоем распоряжении время, чтобы наладить с ней отношения. В данный момент важнее заняться собой, собственными потребностями. Хватит позволять Биллу над собой измываться! Пора примириться со случившимся. Хорошо об этом подумай, потом потолкуй с Биллом — уж больно легко он выкрутился!

— Вряд ли, — возразила Мэри Стюарт, качая головой. — По-моему, он весь покрылся льдом, а теперь боится оттаять, что еще больнее.

— Если не решится, погубит тебя и ваш брак.

Если уже не погубил... Таня еще не разобралась, до какой степени подруге необходимо спасение. Она была рада, что забрела в комнату Тодда.

— Спасибо, Танни. — Мэри Стюарт встала, Таня положила руку ей на плечо. Мэри Стюарт распахнула шторы, и комната наполнилась светом. — Он был славным мальчиком. Мне все еще не верится, что его больше нет.

— Мы никогда его не забудем, — подбодрила ее Таня.

Они покинули комнату рука об руку, со слезами на глазах. Таня выпила вторую чашку чая и уехала в отель переодеться для приема.

После ее ухода Мэри Стюарт еще раз заглянула в комнату сына и задернула занавески. Закрыв дверь, она вернулась к себе. Возможно, Таня права. Вероятно, она не так уж и виновата, а виновен один Тодд и никто другой. Но сердиться на него она все равно не могла. Гораздо проще рассердиться на его папашу, так же как последнему — свалить вину на Мэри Стюарт за то, что случилось.

Она сидела и размышляла, когда позвонила Алиса. Поболтав немного с дочерью, Мэри Стюарт рассказала о Тане, но о разговоре в комнате Тодда промолчала. Она сказала, что Таня зовет ее с собой к Фелиции Дейвенпорт, но Мэри Стюарт хочет отказаться — чувствовала себя эмоционально опустошенной.

Алиса возмутилась, что мать собирается упустить такую возможность:

— Ты с ума сошла! Тебе ведь никогда больше не представится такого шанса! Ступай, мама. Приоденься и ступай. Я вешаю трубку, чтобы тебя не отвлекать. Надень черное платье от Валентино.

— Которое ты сама все время носишь?

Разговор с дочерью ее оживил. Они всегда были близки, а после смерти Тодда стали еще ближе. Алиса никогда не подводила мать, всегда была рядом, пусть и не в прямом смысле. Мэри Стюарт хотела извиниться перед ней, что так долго хандрила, но решила не говорить о грустном.

Повесив трубку, она заставила себя принять ванну, привела в порядок и натянула платье, которое ей посоветовала надеть дочь.

В красивом платье, в туфлях на высоком каблуке, с расчесанными до блеска волосами она преобразилась в утонченную, элегантную даму. Она очень умело нанесла косметику, надела бриллиантовые серьги — давний подарок Билла — и, осмотрев себя в зеркале, удовлетворенно улыбнулась.

Она осталась довольна своим видом, только непривычно появляться на людях без мужа...

Таня позвонила и обещала за ней заехать. Мэри Стюарт спустилась вниз и дождалась лимузин подруги. Сев в машину, она затаила дыхание: на Тане была свободная, почти прозрачная розовая шифоновая блузка и черные атласные брюки, подчеркивавшие потрясающую фигуру — плод усилий умелых тренеров. На ногах — черные атласные туфли на высоком каблуке. Светлые густые волосы выглядели роскошно. Она была невероятно красива и привлекательна. Впрочем, и вид Мэри Стюарт тоже не вызывал нареканий.

— Ты так элегантна! — воскликнула Таня. — Не придерешься.

Одно из достоинств Мэри Стюарт, всегда вызывавшее у нее восхищение, — безупречность. Та была аккуратна до мельчайших деталей, вплоть до ноготка и волоска. У нее — бесподобные ноги, отличные волосы. Сегодня впервые за целый год ее карие глаза, огромные и теплые, не смотрели затравленно.

— Ты уверена, что я тебя не скомпрометирую? — робко поинтересовалась Мэри Стюарт.

— Ошибаешься. Скорее ты весь вечер только и будешь делать, что отмахиваться от кавалеров. — Таня усмехнулась и приподняла одну бровь. — Или найдешь, кому отдать предпочтение...

Мэри Стюарт печально покачала головой — она никого не искала, во всяком случае, пока. И это *пока* грозило превратиться в *никогда*. Несмотря на обнадеживающий разговор с Таней в комнате Тодда, свет в конце тоннеля для Мэри Стюарт еще не зажегся...

Прием оказался даже лучше, чем они ожидали. Фелиция Дейвенпорт была очень внимательна и ласкова с обеими. Они с Мэри Стюарт долго обсуждали Нью-Йорк, театральные события города, даже детей. Мэри Стюарт она понравилась.

Таня провела почти весь вечер в окружении мужчин, у Мэри Стюарт тоже хватало восхищенных поклонников. Она ни от кого не скрывала, что замужем, и не прятала обручальное кольцо. Прием благотворно подействовал на ее настроение. Уезжала она в отличном расположении духа. Таня предложила еще разок побаловаться гамбургерами, но Мэри Стюарт предпочла поехать прямо домой — она еще не совсем готова злоупотреблять только что обретенной независимостью и бросать вызов Биллу.

Таня довезла ее до дому. Мэри Стюарт пригласила ее зайти, но Таня спешила в гостиницу — ей необходимо сделать несколько звонков и отдохнуть.

— Большое тебе спасибо за вечер. И не только за него. — Мэри Стюарт благодарно улыбнулась. — Как обычно, ты помогла мне. Поразительно, тебе всегда это удается!

— Фокус в том, что я раз в год тебе навязываюсь.

— Теперь займись собой, слышишь? — предупредила ее Мэри Стюарт.

Подруги рассмеялись и обнялись. Мэри Стюарт стояла на тротуаре и махала вслед лимузину, пока он не исчез за поворотом. Входя в свой дом, она чувствовала себя Золушкой. Танино появление всегда меняло ее жизнь, пускай всего лишь на время, и напоминало об их дружбе, которая была, есть и будет, наверное, впредь. Во всяком случае, они постараются. Сейчас она чувствовала себя лучше, чем когда-либо за целый год. Таня нагрянула вовремя. Сама переживая переломный период в жизни, она тем не менее умудрилась вдохнуть в Мэри Стюарт новые силы.

— Мистер Уолкер только что поднялся, — сообщил лифтер.

Войдя в квартиру, она мельком увидела мужа, входящего в спальню. Он слышал, как она вошла, но не соизволил оглянуться. Это как пощечина: он даже не желает на нее смотреть!

— Привет, Билл! — Она вошла в спальню следом за ним. Только сейчас он обратил на нее внимание, бросив мельком взгляд через плечо. В руках он держал портфель.

— Не видел, как ты вошла. — Неправда! Просто не пожелал обернуться. О, Билл, как никто, умел обижать и отвергать. — Как прием?

— Очень интересно. Масса приятных людей. Это как свежая струя. Фелиция Дейвенпорт — прелесть, ее друзья по большей части тоже. Я чудесно провела время. — В кои-то веки она обошлась без покаяния. Почему-то в этот раз она не ощущала необходимости ползти к нему побитой собачонкой, вымаливая прощение за непростительное прегрешение. Кажется, Таня помогла ей сегодня выбраться на свободу. — Жаль, что ты не смог пойти!

— Я ушел с работы двадцать минут назад, когда ты еще развлекалась. — Реплика была не очень дружелюбной, но он произнес ее с улыбкой. — Через три дня мы уезжаем в Лондон.

Она очень удивилась.

— Это гораздо раньше, чем ты собирался! — упрекнула она его, снова почувствовав себя наказанной и брошенной.

Не существовало никаких серьезных причин, почему бы ей не полететь с ним в Лондон. Но Билл уже давно дал ясно понять, что об этом не может быть и речи, не хотел, чтобы она путалась под ногами, пока он работает. Еще один способ держать ее на расстоянии.

— Увидимся, когда ты привезешь Алису, — пообещал он, словно читая ее мысли.

Увы, два дня за три месяца — слишком мало, чтобы удержать на плаву брак. После путешествия с дочерью по Европе она проведет остаток лета в Нью-Йорке одна. Ее вдруг осенило: а не слетать ли на несколько дней в Калифорнию навестить Таню? Других дел у нее все равно не будет: все ее благотворительные комитеты прерывали на лето свои заседания. Об этом стоило поразмыслить, хотя она знала, что вряд ли осуществит свое намерение.

Билл удалился в ванную, откуда вышел переодетый в пижаму. Казалось, он вовсе не замечает ее, несмотря на чудесное платье и привлекательный вид. Можно было подумать, что после смерти сына он перестал воспринимать ее как женщину.

Она уединилась в ванной, чтобы медленно избавиться от платья от Валентино, а заодно от иллюзий о своей привлекательности и, главное, независимости. Вернулась в спальню в халате. Билл лежал к ней спиной, занятый чтением каких-то бумаг. Какая-то сила, которой она не смогла противостоять, вдруг заставила ее бросить ему вызов. Ее голос прозвучал спокойно, но очень отчетливо. Ее удивили слова, которые у нее вырвались, но не так напугали, как его.

— Я не стану вечно это терпеть, Билл. — Высказавшись, она немного постояла молча, дожидаясь, пока он обернется и удивленно взглянет на нее.

— Что ты хочешь этим сказать? — Он прибег к сокрушительной интонации, отрепетированной в суде, но на сей раз она не испугалась. Танины речи вселили в нее отвагу.

— То, что сказала. Я не стану больше жить так, как сейчас. Надоело! Ты со мной не говоришь, ведешь себя так, словно я пустое место. Не обращаешь на меня внимания, избегаешь, отталкиваешь, а теперь вообще уезжаешь в Лондон на два, а то и три месяца и воображаешь, что я буду довольствоваться двухдневным свиданием. Это больше не супружество, а настоящее рабство! С рабами и то обходились лучше, чем ты со мной.

Никогда она еще не говорила ему подобных резкостей, а за истекший год и подавно.

— Считаешь, что я еду за удовольствиями? Кажется, ты забыла, что я буду там работать, — произнес он ледяным тоном.

— Это ты забыл, что мы женаты.

Он отлично понял, о чем речь.

— Год был очень трудным для нас обоих. — Только что исполнился год со дня смерти Тодда, но время не залечило, а только разбередило рану.

— У меня такое чувство, что мы умерли вместе с ним, — печально молвила Мэри Стюарт, глядя на мужа. Она была удовлетворена уже самим фактом разговора. — А с нами — и наш брак.

— Не обязательно. Думаю, нам обоим требуется время, — медленно проговорил он.

Она понимала, что Билл кривит душой не только с ней, но и с самим собой, тешит себя надеждой, что в один прекрасный день все само собой встанет на свои места. Но она-то знала, что этого не произойдет.

— Одним ожиданием ничего не исправишь. Прошел уже год, Билл, — напомнила она ему, гадая, как долго он сможет выдерживать атаку, и подозревая, что скоро начнется контрнаступление.

— Знаю! — отрезал он, после чего наступила тишина. — Я многое знаю. Но что для меня новость — так это твои ультиматумы. — Он давал понять, что удручен.

— Я не собиралась предъявлять ультиматумы, а только довела до твоего сведения свои намерения. Даже если бы я собралась терпеть вечно, у меня это вряд ли вышло бы.

— Можешь делать все, что тебе захочется.

— Не хочу! Не хочу, чтобы ко мне относились как к мебели на протяжении всей оставшейся жизни. Это не супружество, а кошмар. — Раньше она ему этого не говорила.

Вместо ответа он опять отвернулся, нацепил очки и вернулся к бумагам.

— Не могу поверить! Ты способен меня игнорировать даже после таких слов?

Билл ответил ей, не оборачиваясь. Ей трудно было представить себе, что когда-то они вместе смеялись, тепло относились друг к другу, любили... Еще труднее поверить, что она по-прежнему его любит, что он — отец ее детей.

— Мне больше нечего тебе сказать. — Он не отрывался от бумаг. — Я тебя выслушал и оставляю твое выступление без комментариев.

Невероятно! Неужели он настолько напуган, испытывает такую боль, что превратился в ледяную глыбу? Как бы это ни называлось и как бы ни произошло, она наконец-то взглянула правде в лицо: она не могла больше этого выносить.

Когда она легла, он погасил свет. Не повернулся к ней и не сказал больше ни слова. Она долго лежала с открытыми глазами, размышляя о Тане и о людях, с которыми познакомилась на приеме у Фелиции. Многие стремились с ней поговорить, проявляли интерес. Казалось, Таня распахнула перед ней окно, и она впервые за долгий срок осмелилась выглянуть наружу. Впечатление было интригующим, и она пребывала в нерешительности, как быть дальше. После ее отповеди муж тоже не знал, как поступить. Они очутились по разные стороны пропасти. А раньше это была река под названием «брак», по которой они плыли вместе.

Что ж, наконец она поняла: даже в сорок четыре года нужно продолжать жить.

Глава 5

Следующие несколько дней Билл и Мэри Стюарт практически не виделись. Работая почти до полуночи, он, казалось, вообще переехал жить в контору. Впрочем, Мэри Стюарт успела к этому привыкнуть — она весь год провела в одиночестве. Правда, теперь ей уже не приходилось готовить ужин. В результате она начала худеть, но Билл не обращал на это внимания.

За день до его отлета Мэри Стюарт позвонила ему на работу и предложила собрать его вещи — раньше он никогда сам не собирал чемоданов в дорогу. Ответ Билла ее удивил: он приедет домой во второй половине дня и все сделает сам.

— Ты уверен? — Получалось, что он вообще больше в ней не нуждается. Боже, как все изменилось с тех пор, как умер Тодд! — Я могла бы сама тебя собрать.

Ей хотелось что-нибудь для него сделать, к тому же это было хоть каким-то занятием. Она до сих пор не освоилась с мыслью, что муж будет отсутствовать два-три месяца. Не считая поездки с Алисой, она проведет все лето одна. Ей стало невыносимо. Его нежелание брать жену в Лондон еще более увеличивало пропасть между ними. Он утверждал, что ей там будет скучно, а его она отвлечет от дела. Но в былые времена Билл обязательно повез бы ее с собой.

— Я не возражаю собрать твои вещи, — настаивала Мэри Стюарт, однако он ответил, что хочет собраться сам, так как должен тщательно подобрать одежду для выступлений в лондонском суде.

— Я приеду в четыре, — предупредил он, давая понять, что ему некогда.

Отлучка с работы на несколько месяцев — сложное мероприятие, нужно продумать массу деталей. Он брал с собой помощницу. Если бы она была моложе и симпатичнее ее, Мэри Стюарт не колебалась бы с выводом. Но секретарша — умная и совершенно непривлекательная особа на шестом десятке.

— Хочешь поужинать дома или в ресторане? — спросила Мэри Стюарт. Она испытывала тоску, но изображала оживление. Теперь они даже не разыгрывали близость и теплоту...

— Перекушу тем, что найдется в холодильнике, — рассеянно ответил Билл. — Можешь не утруждать себя. — Оба терпеть не могли молчаливые ужины на пару, и появившаяся у него привычка работать допоздна принесла ей облегчение. Это даже пошло им на пользу: оба постройнели.

— Я куплю готовые блюда в «Уильям Полл» или «Фрейзер Моррис», — предложила она и отправилась по делам: купить для него книжку — почитать в самолете, и забрать из химчистки его одежду. Торопясь по Лексингтон-авеню, Мэри Стюарт порадовалась, что и сама скоро уезжает: пусть их теперь и разделяет пропасть, но без него она вообще завянет от одиночества.

Она купила в «Уильям Полл» еды, приобрела книгу, журналы, сладости и жевательную резинку, повесила на плечики чистые рубашки мужа в ожидании его возвращения домой. Явившись в половине пятого, он не сказал ей ни слова, а тут же принялся доставать чемоданы и собирать одежду. Она увидела его снова только в семь в кухне. Билл так и не снял крахмальную белую рубашку, в которой работал, но был без галстука, волосы были слегка взъерошены — таким он выглядел моложе. Ее больно кольнула мысль о невыносимом сходстве между отцом и сыном, но она отважно ее отбросила.

— Готово? Я так хотела сделать это сама! — Мэри Стюарт накрывала на стол. День выдался жаркий, очень кстати — ей не пришлось готовить горячее.

— Мне не хотелось тебя затруднять, — сказал он, усаживаясь на табурет за высокой кухонной стойкой, словно сложенной из белого гранита. — Я больше не дарю тебе счастья. Несправедливо нагружать тебя только работой и горем. Зачем играть на твоих нервах? Лучше ничего не усложнять.

Впервые Билл дал оценку их отношениям. Это было так неожиданно, что она удивленно уставилась на него. Всего несколько дней назад, попытавшись что-то ему сказать, она натолкнулась на глухую стену: Билл полностью ее проигнорировал, она даже сомневалась, что он тогда вообще расслышал ее слова.

— Я не берегу от тебя свои нервы, — ответила она, садясь напротив него.

Ее темно-карие глаза источали тепло. Раньше Билл любил смотреть на жену. Ему нравился ее вид, стиль, взгляд. Но последний год ее взгляд полон боли, и это настолько невыносимо, что проще стало ее избегать.

— В браке состоишь не для того, чтобы соблюдать дистанцию. Супруги все делят на двоих.

Так у них всегда и было. Почти двадцать один год они делили радость, а на протяжении последнего года — горе без дна. И вот в том-то и беда, что разделить это горе им не удалось — каждый скорбел в одиночку.

— В последнее время мы с тобой мало что делили, — грустно отозвался он. — Боюсь, я был слишком занят работой.

Оба знали, что дело в другом. Она молча смотрела на него, он медленно дотянулся до ее руки — первый жест такого рода за долгие месяцы. От прикосновения его пальцев у нее на глазах выступили слезы.

— Мне тебя не хватало, — призналась она шепотом, он молча кивнул. Билл чувствовал то же самое, но не мог себя заставить выразить это в словах. — Я буду по тебе скучать, пока ты будешь в отъезде, — тихо сказала она. Впервые им предстояла такая долгая разлука, но он сам настоял, чтобы она осталась. — Тебя так долго не будет!

— Время пролетит быстро. Уже в следующем месяце вы с Алисой меня навестите, а к концу августа я надеюсь возвратиться.

— За два месяца мы проведем вместе всего два дня, — проговорила она, глядя на него с отчаянием и убирая руку. — Браку это не способствует, во всяком случае, хорошему. Пока ты на работе, я могла бы сама себя занимать. — В Лондоне у них хватало друзей, чтобы она не знала скуки денно и нощно на протяжении нескольких месяцев, о чем ему хорошо известно. Она вдруг застеснялась, что навязывается ему.

— Меня бы это отвлекало от дела, — ответил он недовольно.

Они уже неоднократно обсуждали это и давно пришли к решению. Он не хотел, чтобы она находилась в Лондоне сколько-нибудь долго, и согласился только на один уик-энд вместе с ней и дочерью.

— Раньше я не была тебе обузой. — Она снова чувствовала себя просительницей и презирала себя и его. — Просто это слишком долго, вот и все. Кажется, мы оба понимаем.

Неожиданно Билл буквально впился в нее взглядом. Глаза его посуровели.

— Что ты хочешь этим сказать? — Впервые он выглядел по-настоящему обеспокоенным.

Он был интересным мужчиной, и она не сомневалась, что в Лондоне на него будут обращать внимание женщины. Но чтобы он волновался из-за нее — нет, такого она не могла себе представить. Она всегда была образцовой женой. Но с другой стороны, он еще никогда не бросал ее одну на целое лето, тем более когда позади остался такой ужасный год.

— Я хочу сказать, что два месяца — долгий срок, особенно сейчас. Ты уезжаешь на два месяца, может, и дольше... Не знаю, как я к этому привыкну, Билл. — Она смотрела на него в волнении. Ответ разволновал ее еще больше.

— Я тоже не уверен. Просто подумал, что нам было бы полезно побыть какое-то время врозь, все взвесить, прикинуть, как жить дальше, как вернуть все на свои места.

Мэри Стюарт не верила своим ушам. Еще час назад она сомневалась, готов ли он признать, до какой степени разошлись их пути за истекший год, а тем более необходимость возвращать что-то на прежнее место.

— Не пойму, каким образом двухмесячная разлука способна нас сблизить, — сказала она бесстрастно.

— Возможно, это прочистит нам мозги. Не знаю... Ясно одно: мне необходимо пожить отдельно от тебя, поразмышлять кое о чем, погрузиться с головой в работу.

Теперь ее пугали не только его слова, но и глаза: в них появились слезы. Она не видела, чтобы он плакал, с того дня, когда забрали из Принстона тело Тодда. Даже на похоронах он держался. Все это время он прятался за своей стеной и только сейчас позволил себе высунуться. А вдруг он тоже не в восторге от предстоящей разлуки?

— Мне хотелось побыть одному, спокойно поработать. Пойми, Мэри Стюарт, стоит мне тебя увидеть... — У него дрожали губы, в глазах блестели слезы. Она снова взяла его за руку и несильно стиснула. — Всякий раз, когда я на тебя смотрю, я думаю *о нем*. Такое впечатление, что нам друг от друга никуда не деться. Мне необходимо сменить обстановку, перестать думать о нем, о том, что мы могли бы знать, но не знали, могли бы сказать, но не сказали, могли бы сделать, но не сделали, о том, как все могло бы сложиться, если бы... Я буквально схожу с ума. Вот и решил, что Лондон внесет свежую струю, что расстаться на время будет полезно и мне, и тебе. Наверное, ты чувствуешь то же самое, стоит тебе меня увидеть.

Она улыбнулась сквозь слезы. Его слова тронули ее, но в то же время усилили ее уныние.

— Ты так на него похож! Когда ты сейчас появился в кухне, я даже испугалась.

Билл кивнул. Он все прекрасно понимал. Оба чувствовали себя в западне в этой квартире, куда по-прежнему нет-нет да и приносили почту для Тодда, где осталась его комната, в которую отец никогда не заглядывал. Даже Алиса иногда напоминала им сына, унаследовав, как он, глаза и улыбку матери. Все это было невыносимо больно.

— Разбежаться мы можем, но от памяти о сыне не уйти, — грустно молвила Мэри Стюарт. — Это была бы двойная потеря: так мы лишились бы не только его, но и друг друга.

На самом деле это уже произошло, подумали оба.

— Ты справишься в мое отсутствие? — спросил он.

Впервые Билл чувствовал себя виноватым. До этого он убеждал себя, что поступает разумно, бросая ее одну. В конце концов в Лондоне его ждет не что-нибудь, а работа. Но в действительности он испытывал облегчение от возможности расстаться, а сейчас это стремление казалось неразумным, даже глупым, но он не собирался ничего менять.

— Справлюсь, — ответила она, больше заботясь о своем достоинстве, чем об истине.

Разве у нее есть выбор? Для него не имеет значения, что она будет сидеть дома и лить слезы. Что она вообще этого не перенесет. Она может выдержать и не такое. Мэри Стюарт уже успела привыкнуть к одиночеству. По сути, Билл бросил ее, как только не стало Тодда, по крайней мере душой. Теперь за душой собирался последовать и он сам. Она уже провела в одиночестве год, так что еще два месяца мало что добавят...

— Если у тебя возникнут трудности, не стесняйся мне звонить. Может, побудешь какое-то время с Алисой в Европе?..

Она ощутила себя престарелой тетушкой, которую мечтают сбагрить родне или отправить в долгий круиз. Мэри Стюарт знала, что будет лучше себя чувствовать дома: в Европе, таскаясь по отелям, совсем зачахнет.

— Алиса едет в Италию с друзьями. У нее собственные планы...

Как и у него. У всех свои планы. Даже Таня едет в Вайоминг с детьми Тони. Всем есть чем заняться, кроме нее. Ей предстояло ограничиться короткой поездкой с Алисой, он полагал, что остальную часть лета она проведет в пассивном ожидании. Поразительная самонадеянность! Впрочем, она больше этому не удивлялась, понимая, во что превратилась их жизнь.

Они поели без аппетита, обсудили то, что ей следовало знать: финансы, страховую выплату, которую он ожидал, почту, которую он просил ему пересылать. Ей полагалось оплачивать счета и продолжать вести хозяйство. В Лондоне во время процесса у него будет слишком мало свободного времени. Закончив разговор, он вернулся в спальню, чтобы дособирать бумаги. Когда в спальню пришла она, он принимал душ. Вышел из ванной в халате, с мокрыми волосами. От него пахло мылом и лосьоном после бритья. Посмотрев на него, она вздрогнула.

Теперь, перед самым отъездом, Билл вроде бы немного оттаял. Но в чем причина: то ли ему жаль уезжать, и это делает их чуть более близкими, то ли, напротив, он так воодушевлен, что отбросил осторожность.

Улегшись, он не придвинулся к ней, но даже так, на расстоянии, она чувствовала, что он меньше напряжен. Она многое могла бы ему сказать, но чувствовала, что, несмотря на небольшое потепление, холодная война продолжается: он по-прежнему не готов к разговору по душам, не готов услышать, что она думает об их браке. Эти дни она прожила с чувством полной безнадежности, в глубоком одиночестве. Она ощущала себя ограбленной до нитки. У нее отняли сына, который, по существу, обокрав сам себя, лишил будущего и их. Казалось, он ушел в небытие не один, а отправил туда же и своих родителей. Ей очень хотелось сказать об этом мужу, но, зная, что в предстоящие два месяца им почти не суждено видеться, полагала, что сейчас не время: Билл не готов к такому разговору. Пока она лежала на своей половине супружеской постели, думая о нем, супруг уснул, ни слова не сказав, даже не обняв ее. Все, что мог, он сказал раньше, на кухне.

Утром он заторопился. Позвонил на работу, закрыл чемоданы, принял душ, побрился, наскоро позавтракал, почти не заглянув в газету. Она подала ему омлет, хлопья и его традиционный тост из пшеничной муки. Мэри Стюарт предстала перед ним в черных брюках и тенниске в черную и белую полоску, похожая, как всегда, на женщину с рекламной фотографии.

— У тебя сегодня встречи? — осведомился он, глядя на нее поверх газеты.

— Нет, — тихо ответила она. От тоски у нее крутило живот.

— Ты уже оделась. Собираешься куда-то на ленч?

Странно, почему его это занимает, раз он уезжает на целых два месяца. Какая ему теперь разница, чем она займется?

— Не хочется везти тебя в аэропорт в джинсах.

Он изумленно приподнял брови:

— Я не думал просить тебя об этом. В десять тридцать за мной придет лимузин. Заодно подвезу миссис Андерсон. В машине уже будут она и Боб Миллер. По дороге в аэропорт мы собирались поработать.

Роботы, а не люди! Не выносят, когда пропадает зря даже секунда. Или это только отговорка, чтобы побыстрее от нее улизнуть?

— Если не хочешь, я не поеду, — спокойно сказала она.

Он снова взялся за газету.

— Вряд ли в этом есть необходимость. Проще попрощаться дома.

Проще и не так обременительно. Боже, неужели тут можно надеяться, что муж ее любит! Или она к нему несправедлива? Накануне вечером в этой самой кухне он снова стал ненадолго человеком. Стена, воздвигнутая им, начала было разрушаться, теперь он ее восстановил. Но ему мало одной стены — он спрятался вдобавок за газетой.

— Уверен, у тебя сегодня найдутся более приятные занятия. В это время года в самом аэропорту и на пути туда не протолкнуться. На обратный путь у тебя ушло бы несколько часов. — Он улыбнулся ей, но в его улыбке не было тепла. Так улыбаются совершенно чужим людям.

Она кивнула и ничего не сказала. Когда он встал, она убрала тарелки в раковину и постаралась взять себя в руки, чтобы не расплакаться. Было так странно смотреть, как он уходит... Он вызвал лифт и вынес из двери свои вещи. В легком сером костюме Билл выглядел красавчиком. Как они условились, в аэропорт она не поехала, а осталась у двери и наблюдала, как лифтер забирает чемоданы и деликатно скрывается в кабине, давая им возможность проститься.

— Я позвоню, — пообещал Билл и снова стал похож на мальчишку.

Глядя на него, Мэри Стюарт боролась со слезами. Ей не верилось, что он уезжает вот так, без единого жеста, который можно было бы истолковать как проявление чувства.

— Смотри не подкачай, — выдавила она.

— Я буду по тебе скучать. — Он нагнулся и поцеловал ее в щеку.

Что-то заставило Мэри Стюарт обнять мужа.

— Прости. За все... — Она просила простить ее за Тодда, за весь истекший год, за то, что ему потребовался двухмесячный отдых от нее, за то, что их брак разлетелся на куски. Ей многого было жаль, трудно даже и припомнить все, но он понял.

— Ничего, ничего, все обойдется, Стью...

Он целый год не называл ее так. Но обойдется ли? Она больше в это не верит. Они проведут врозь два месяца. Инстинкт подсказывал, что это их не сблизит, а только усилит отчуждение. До чего же Билл глуп, если вообразил, что им нужно именно это! Теперь пропасть между ними станет еще непреодолимее.

Он сделал шаг назад, так ее и не поцеловав, и посмотрел на нее с невыносимой грустью:

— Увидимся через пару недель.

Ее хватило только на жалкий кивок. Слезы бежали по ее щекам, в кабине лифта томился лифтер.

— Я люблю тебя, — прошептала она в тот момент, когда он отвернулся.

Услышав эти слова, он снова взглянул на нее и кивнул. Дверь лифта бесшумно закрылась. Он так и не удостоил ее ответом.

Вернувшись в квартиру, Мэри Стюарт почувствовала, что не может дышать. Какой это ужас — видеть, как он уходит, знать, что его не будет целых два месяца, что они с дочерью увидят его только мельком! Хотя Билл и посулил ей короткую встречу, но она твердо знала: семье настал конец.

Она села на диван и залилась горькими слезами, затем медленно побрела в кухню — вымыть грязную посуду и убрать остатки завтрака. Когда зазвонил телефон, она не хотела отвечать. Потом спохватилась: вдруг звонит из машины Билл сказать, что что-то забыл или как он ее любит... Но звонила дочь.

— Здравствуй, милая. — Мэри Стюарт попыталась скрыть свое состояние: Алисе ни к чему знать, какую боль причинил ей отъезд Билла. Горя хватает и без жалоб Мэри Стюарт на несчастный брак, тем более родной дочери. — Как Париж?

— Красота, жара, романтика... — Последнее слово — новое в ее лексиконе.

Мэри Стюарт улыбнулась: быть может, в жизни дочери появился новый мужчина? Уж не француз ли?

— Можно спросить, почему? — осторожно спросила она, заранее улыбаясь.

— Потому что Париж — это так замечательно! Я его обожаю. Не хочу отсюда уезжать.

Но ей все равно придется это сделать: когда Мэри Стюарт приедет в Париж, она съедет с квартиры.

— Не могу тебя за это осуждать, — ответила мать, глядя в окно кухни на Центральный парк. Он тоже был зелен и смотрелся неплохо, но обе знали, сколько там грязи, преступников и бродяг. Это определенно не Париж. — Жду не дождусь, когда мы увидимся. — Ей не хотелось вспоминать отъезд Билла. Наверное, за час он успел добраться до аэропорта, но вряд ли позвонит. Сказать ему все равно нечего, к тому же она его смутила, когда не смогла скрыть чувства.

Алиса уже давно молчала, а мать даже не замечала этого.

— Ты подготовилась к поездке? — Мэри Стюарт просила дочь подобрать карты для предстоящего путешествия. Эта часть хлопот была возложена на Алису. Остальное взяла на себя фирма Билла. — Ты раздобыла карту Приморских Альп? Я слыхала о чудесном отеле в пригороде Флоренции. — Дочь по-прежнему молчала. — Ты меня слышишь, Алиса? В чем дело? Что-то случилось?

Что происходит? Влюбилась? Плачет? Но когда Алиса снова подала голос, Мэри Стюарт поняла: дочь спокойна, просто испытывает смущение.

— Мам, у меня проблема...

Господи, только не это!

— Ты беременна? — Ей еще не было двадцати, и Мэри Стюарт предпочла бы избежать такого осложнения, но если так случилось, мать будет с ней рядом.

Алису ее предположение повергло в шок.

— Ради Бога, мам! Нет, конечно!

— Тогда извини. Откуда мне знать? В чем же твоя проблема?

Алиса набрала в легкие побольше воздуха и затеяла длинный, путаный рассказ — вроде тех, которые сочиняла в третьем классе, — не в силах остановиться. Наконец до Мэри Стюарт стало доходить. Несколько друзей дочери собираются в Нидерланды и хотят захватить ее с собой. Редкая возможность! Потом они побывают в Швейцарии, Германии. Останавливаться будут у друзей или в молодежных пансионах. Под конец переедут в Италию, где Алиса раньше намечала с ними встретиться. Алиса считала, что это просто фантастика.

— Звучит действительно фантастично. Но я по-прежнему не понимаю, в чем твоя проблема.

Алиса вздохнула: иногда мать медленно соображает, но все равно делает это куда быстрее отца.

— Они уезжают уже на этой неделе и собираются путешествовать два месяца, прежде чем мы встретимся на Капри. Я бы уже теперь съехала с квартиры и присоединилась к ним, вот только... — Она замялась.

Мэри Стюарт все поняла: дочь больше не хочет кататься по Европе с матерью. Понять ее, конечно, можно, но Мэри Стюарт была разочарована. В ее жизни не осталось ровно ничего. Она так ждала это путешествие, надеялась, что поездка с дочерью, теперь единственным ее дитя, исцелит ее.

— Ясно, — тихо проговорила Мэри Стюарт. — Не хочешь ехать со мной. — Тон ее был резок, даже слишком.

— Вовсе нет, мам! Я обязательно с тобой поеду, если тебе по-прежнему этого хочется. Просто я подумала... Редко предоставляется такой шанс... Но мы, конечно, сделаем так, как ты захочешь. — Алиса старалась быть подипломатичнее, но видно, что дочь сгорает от желания поехать с друзьями. Нечестно препятствовать ей в этом.

— Заманчиво!.. — великодушно произнесла мать. — Думаю, тебе надо соглашаться.

— Ты не шутишь? Нет, ты серьезно? Правда? — Казалось, она превратилась в маленькую девочку. Мэри Стюарт представила ее себе прыгающей от восторга по своей парижской квартире. — Мамочка, ты — самая лучшая! Я знала, что ты меня поймешь. Только боялась, как бы ты не подумала, что я...

Вот теперь Мэри Стюарт действительно об этом подумала — дочь выдал голос.

— Дело в молодом человеке? — Мать улыбнулась, хотя ей стало грустно.

— Может быть... Но я хочу поехать вовсе не поэтому! Честно, это же чудесное путешествие!

— А ты — чудесная девочка. Я тебя люблю. Помни, осенью с тебя должок — совместное путешествие. Съездим куда-нибудь вместе на несколько дней перед твоим возвращением в Йель. Договорились?

— Честное слово! — Мэри Стюарт знала цену этому слову: старые друзья, волнение и прочее.

Путешествие по Франции и Италии нужно ей самой, но дочери гораздо интереснее податься с компанией в Нидерланды. Мэри Стюарт без колебаний жертвовала собой ради детей.

— Когда отъезд?

— Через два дня. Ничего, я все успею.

Они еще поговорили о том, как она отправит домой вещи, о платежах. Мэри Стюарт предстояло отправить ей денег. Она посоветовала дочери купить дорожные чеки. Потом они долго обсуждали подробности путешествия, под конец мать спросила, собирается ли Алиса в Лондон.

— Вряд ли. Англия в наши планы не входит. И потом, когда я в последний раз говорила с папой, он сказал, что будет страшно занят...

Он избегал не только жену, но и дочь. Утешения в них для него мало.

Повесив трубку, Мэри Стюарт еще долго сидела у окна, глядя на мамаш с детьми на детской площадке: дети носились как угорелые, мамаши сидели на скамейках и болтали. Она помнила, как сидела так же, как они, настолько хорошо, словно это было только вчера. Дня не проходило, чтобы она не водила детей в парк. Некоторые из подруг вернулись на работу, она же полагала: важнее оставаться дома, и считала большой удачей, что у нее есть эта возможность. С тех пор дети выросли и оставили ее одну: дочь самостоятельно колесит с дружками по Европе, сын и вовсе удалился в вечность, где она надеется в один прекрасный день с ним воссоединиться. Больше ей не на что было уповать.

«Берегите их! — хотелось прошептать мамашам внизу. — Удерживайте рядом с собой, сколько будет сил».

Все быстро кончается, и ничто не длится без конца. То же и с браком: он также может превратиться в ничто. Мэри Стюарт знала это уже несколько месяцев, но отказывалась смотреть правде в глаза. Стоило вспомнить, как он уезжал, ничего ей не сказав, как оставил ее, даже когда она призналась, что по-прежнему его любит, — и ее покидали последние сомнения. Ей даже не было дано утешения в виде догадок о другой женщине. Тут некого винить, кроме них самих, времени, обрушившейся на них трагедии, которую не смогли достойно пережить, кроме самой жизни, в конце концов. Так или иначе, ее супружеству настал конец. И ничего не оставалось, кроме как привыкать к этому. На привыкание к свободе ей отведено два месяца.

Днем она вышла прогуляться. Медленно бредя по улицам, представляла, как Алиса путешествует с друзьями, как Билл трудится в Лондоне. Мэри Стюарт размышляла над тем, что знала давно, но в чем боялась себе признаться: рано или поздно она останется одна. Но теперь она понимала и то, что жизнь на этом не кончается. Ей предстояло самой во всем разобраться, а главное — наконец примириться с тем, что совершил Тодд. Таня права: нельзя все время прятаться, тем более от себя. Возможно, случившееся произошло и не по ее вине. Хватит думать об этом и казнить себя — нельзя позволить смерти сына превратиться в удавку на ее шее.

Вернувшись домой, она вдруг вспомнила о том, что давно собиралась сделать, но не хватало храбрости. Лучше бы не браться за это в одиночку, но теперь пора.

Она распахнула дверь комнаты Тодда и на какое-то время застыла. Потом раздвинула занавески и подняла жалюзи. Впустив в комнату солнечный свет, она села за его стол и принялась выдвигать ящик за ящиком. Просматривая бумаги сына, она чувствовала себя непрошеной гостьей. Здесь лежали письма, старые дневники и контрольные работы, памятные мелочи из детства, пропуск в принстонскую столовую. Затем, борясь со слезами, Мэри Стюарт вышла в кухню за коробками. Набивая их вещами Тодда, она горько и безутешно заплакала. Дав волю слезам, Мэри Стюарт почувствовала облегчение.

Она провела в комнате сына не один час. Все это время телефон молчал — Билл так и не позвонил. Он должен был приземлиться в два часа ночи и где-то в половине четвертого прибыть в гостиницу...

Комната опустела. Мэри Стюарт убрала всю одежду сына, оставив немногое, вроде его старой бойскаутской формы, любимой кожаной куртки, свитера, который сама связала. Остальное решила раздать, а бумаги с книгами переправить в подвал. Все его школьные и спортивные призы она разместила на одной полке, надеясь со временем найти для них место. Забрав из комнаты фотографии, она разнесла их по всей квартире, будто специально оставленные Тоддом в память о себе. У себя в комнате она поставила самую лучшую семейную фотографию, еще одну отнесла в спальню Алисы.

Мэри Стюарт закончила только к двум ночи, затем ушла в свою белую кухню и застыла там, глядя в темноту за окном, чувствуя сына рядом, видя его лицо, глаза, отчетливо слыша его голос. Иногда ей начинало казаться, что она его забывает, но она знала, что этого никогда не случится. Тодд был для нее несравненно большим, чем оставшиеся вещи. То, что не имело значения, ушло, но самое главное осталось с ней.

Она вернулась в комнату сына, сняла с кровати темно-зеленое покрывало и убрала в шкаф с мыслью сдать в чистку, потом подумала о том, что надо бы сменить шторы, — раньше не замечала, как они выгорели. Находиться здесь ей было невыносимо: комната теперь выглядела пустой и тоскливой, хотя и заставлена коробками. Можно подумать, что сын куда-то переезжает. На самом деле он уже съехал... С уборкой его вещей она опоздала на целый год.

Медленно бредя в спальню, она вспоминала все случившееся за этот год. Как далеко они зашли и как им всем теперь одиноко! Алиса в Европе — правда, с друзьями, Тодда нет, Билл в Лондоне. Она долго смотрела на фотографию сына. Какие у него были большие, ясные, сверкающие глаза, как он смеялся, когда она его фотографировала... Будто все еще слышит его смех: «Давай же, мама, скорее!» Он дрожал, замерзнув в мокрых плавках на Кейп-Код. Сначала делал вид, что душит сестру, потом кинулся от нее через пляж с лифчиком от ее купальника. Алиса устремилась за ним, прижимая к груди полотенце и визжа. Казалось, с тех пор минуло тысячелетие.

Мэри Стюарт легла спать лишь спустя несколько часов. Ей снилась семья: Алиса, доказывавшая что-то и качавшая головой; Тодд, благодаривший ее за то, что она собрала его вещи; где-то далеко — Билл, плетущийся прочь. Она позвала его, но он не оглянулся...

Глава 6

Возвращаясь в Лос-Анджелес, Таня не знала, что ее там ждет. Тони говорил, что уедет, но он мог и передумать. Едва войдя в дом, она заглянула в его шкафы и нашла их пустыми. Ее встретила Джин: секретарше не терпелось познакомить ее с последними новостями и со свежими сплетнями. Таня снова красовалась на первых страницах журналов. Статьи об охраннике, подавшем на нее в суд, были, как водится, кошмарны. Кто-то наболтал, что Тони снял себе квартиру, правда, временно; здесь же были свежие фотографии его и артисточки, с которой он удрал, — на сей раз за ужином.

— Подумаешь! — устало вздохнула Таня. — Знаю, видела. — Она купила газету в аэропорту. — Съезжу-ка я на пару дней в Санта-Барбару. — Необходимо было убраться отсюда — от фотографов, бесстыжих глаз и пустых шкафов. У нее нет времени о нем горевать. Все ее мысли теперь посвящены одному — как защититься от прессы.

— Это невозможно, — деловито сказала Джин, подавая ей график на четырех страницах. — Завтра вечером у вас благотворительное выступление, потом на протяжении двух дней — репетиции. В конце недели необходимо обсудить с Беннетом ход судебного разбирательства.

— Скажите ему, что я не могу! — взмолилась Таня. — Мне нужно два дня, чтобы прийти в себя. — Она никогда еще не манкировала выступлениями и репетициями. Но провести уик-энд с Беннетом Пирсоном, корпя над планами выступлений в суде, превыше ее сил.

— Боюсь, расписание жесткое. Дата ваших показаний по делу Лео Тернера уже назначена. К тому же Беннет сказал, что утром ему звонил адвокат Тони.

— Так быстро?! — Таня упала в глубокое мягкое кресло с розовой атласной обивкой у себя в спальне. — Он не теряет времени. — Получается, всего за одну ночь пошли прахом целых три года. Что ж, настало время заняться бизнесом. Иногда ей казалось, что бизнес — единственное, что есть серьезного, все остальное — чепуха.

Деньги, жадность, бизнес. Агенты, юристы, продавцы грязных сплетен, мерзавцы, требующие за свое молчание отступного, кучи людей, воображающих, что она должна расплачиваться именно с ними за свой успех, потому что ей повезло, а им — нет...

— Мне нужен день, — спокойно сказала она секретарше.

Разве кто-нибудь из ее окружения способен понять, насколько это серьезно? Она больше не может продолжать в прежнем духе, не может петь, улыбаться, вкалывать на них всех. Иногда ей начинает казаться, что она трудится только для того, чтобы с ними расплачиваться. Времени на жизнь не оставалось. Работай и плати, остальное побоку.

— Он думает, что Лео можно купить за пятьсот тысяч, — не унималась Джин.

И это еще не все: у нее в запасе была куча бумаг, и она не обращала внимания на мрачное настроение Тани.

— К черту Лео! Так и передайте Беннету.

Джин кивнула и продолжила свою волынку. Тане хотелось, чтобы она провалилась сквозь землю, но Джин была не только старательной, но и неутомимой.

— Сегодня нам звонили из «Лос-Анджелес таймс». Они хотят подробностей развода. Чего желает Тони: алиментов, раздела имущества или того и другого? На что вы согласны, на что нет.

— Это вопрос его адвоката или газеты? — Таня пребывала в замешательстве и расстройстве. В ее жизни не было места личной тайне, какому-либо достоинству, обыкновенным человеческим слабостям.

— Газеты. Тони тоже звонил: хочет поговорить с вами о детях.

— При чем тут дети? — Она откинула голову и закрыла глаза.

Джин села напротив и продолжила свою работу. С нее все как с гуся вода. Она наметила доложить Тане всю программу, и ее было невозможно сбить с толку. Юрист, бухгалтер, дизайнер, предлагающий переоборудовать дом, архитектор, собравшийся помочь ей с переделкой кухни в доме на пляже. Всем им надо платить, со всеми встречаться, всех выслушивать; если кто-то из них решит, что она не оправдывает надежд, то не долго думая подаст на нее в суд. Таковы правила игры, и Тане об этом известно лучше всех остальных. И не важно, что адвокат Тани заставлял их всех подписывать соглашения о конфиденциальности, с обещанием не продавать сведений желтой прессе.

— Почему Тони хочет говорить со мной о детях? — переспросила она секретаршу.

Та опять просмотрела свои записи. Ее рабочий день длился по десять — двенадцать часов. Работа была нелегкая, зато высокооплачиваемая, к тому же чаще всего с Таней приятно работать. Джин тоже перепадали «кусочки» славы: ей нравилось бывать с хозяйкой на концертах, появляться вместе с ней на приемах, носить ее одежду, барахтаться в ее тени. Когда-то ей тоже хотелось стать певицей, но не оказалось то ли голоса, то ли удачи, то ли таланта. У Тани всего этого в избытке, и Джин устраивало просто находиться при ней.

— Точно не знаю, — был ответ. — Он не объяснил. Но очень просил позвонить.

Бизнес отнял еще полчаса. Потом Джин сказала Тане, что в кухне для нее оставлен ужин. Вместо того чтобы поесть, Таня налила себе бокал вина, просмотрела записи, забрала у Джин контракты. Все они были переданы ее адвокатами и составлены антрепренерами концертных туров. В девять вечера, когда Джин наконец-то удалилась, Таня набрала номер Тони.

— Привет, — произнесла она измученным голосом. День выдался слишком долгим: в Нью-Йорке она рано встала, а здесь ее поджидало слишком много неприятностей. Иногда она удивлялась, как вообще умудряется выжить. — Джин сказала, что ты просил позвонить.

— Просил. — Его тон был смущенным и чужим. — Как Нью-Йорк?

— Более или менее. Повидалась с Мэри Стюарт Уолкер — ради одного этого стоило туда слетать. Была у Фелиции Дейвенпорт. В утреннем шоу об меня вытерли ноги, а потом добавили грязи газеты. — Все это с ней уже было, и не раз. Ее уже ничто не удивляло, но нравиться это все равно не могло. — Встреча с человеком из издательства оказалась напрасной тратой времени. — Говоря все это, она понимала, что никак не перейдет к главному. Он больше не интересуется ее жизнью. — Сейчас речь, наверное, не об этом? Или бизнес всегда на первом месте?

— Всегда, а как же! Что же еще? Твоя работа, твои концерты, твоя карьера, твои репетиции, твоя музыка.

— Вот, значит, как ты теперь на это смотришь! По-моему, кое-что упустил. Мы что-то делали вместе: путешествовали, занимались детьми... — Конечно, их жизнь не сводилась только к ее карьере и музыке. Он поступал несправедливо, говоря ей это, лишь бы найти оправдание своему бегству, но ей сейчас не до споров. Она знала, почему его потеряла: его допекли не только ее работа и постоянное давление, но и унижение от сплетен. Чтобы любить человека, сделавшего карьеру в шоу-бизнесе, надо иметь очень толстую кожу, а он оказался недостаточно толстокож. — Кстати, как ты представил все это детям? — Вопрос был не праздный. Она хотела позвонить им из Нью-Йорка, но раздумала, чтобы дать Тони возможность предупредить их первым.

— Вместо меня об этом позаботилась их мать! — сердито отозвался он. — Она показывает им все желтые бредни.

— Жаль! — Таня всерьез расстроилась: как это больно для всех, особенно для детей!

— И мне. — В его тоне прозвучало маловато искренности. Казалось, он испытывает облегчение. Но в следующей его фразе почувствовалось замешательство. — Это Нэнси попросила меня с тобой поговорить. Раз о нас такое пишут, она считает... По ее мнению, дети... В общем, в данный момент она не хотела, чтобы они соприкасались с тобой, твоим образом жизни. — Он выплюнул эти слова, как испорченные устрицы.

— Мой образ жизни?.. — Таня была ошеломлена. — Что за образ жизни? Разве с прошлой недели что-то изменилось? — Впрочем, понять не составляло труда. Нэнси прочла все фантазии в газетах, включая вымысел Лео о ее сексуальных домогательствах и расхаживании по дому в костюме Евы. — Опомнись, Тони! Дети прожили с нами около трех лет. Разве это им как-то повредило? Разве я сделала хоть что-то дурное? Каких выходок она ждет от меня теперь? Неужели что-то изменилось?

— Конечно. Я больше с тобой не живу, поэтому она не видит повода, зачем им с тобой оставаться. Они смогут тебя навещать, когда я буду поблизости. — Он едва не поперхнулся: позиция Нэнси поражала даже его. — Но она против, чтобы они у тебя жили.

— Значит, мы говорим о праве посещения? — Неужели дело зашло так далеко? Еще минута — и речь зайдет об условиях развода. Но это можно обсуждать только в присутствии адвокатов...

— Еще нет, но дойдет и до этого, — отозвался Тони. До этого, а также до многого другого, в частности до дома в Малибу, который она купила на свои деньги уже после замужества с Тони, но который он очень любил. Ведь домом пользуется только он. У нее на это никогда не находится времени. — В данный момент речь о Вайоминге.

Таня надолго смолкла; за окном становилось все темнее. Итак, Нэнси не желает, чтобы Таня везла пасынков и падчерицу в Вайоминг.

— Может быть, это можно обговорить? — спросила она разочарованно. Планировалась веселая поездка, которую она предвкушала уже много месяцев. Но теперь все пошло наперекосяк. Тони ее бросил, детей не отпускает от себя их мать. — Пойми, Тони, там так хорошо! Все повторяют в один голос, что место просто сказочное. Детям понравится.

Сам он с самого начала не собирался туда ехать. У нее тоже были прежде сомнения. Однако она уже забронировала на две недели трехкомнатный домик.

— Что же мне делать с заказом?

— Отменить. Тебе вернут деньги?

— Нет. Но дело не в этом. Мне хотелось устроить с детьми что-то новенькое, особенное.

— Ничего не могу поделать, Тан, — ответил Тони смущенно. Вся эта история доставляла всем одни неудобства. Он знал, как она жаждала этой поездки, и ему действительно было совестно, тем более что он ее бросил. — Нэнси категорически против. Я сделал все, что смог, но не переубедил ее. Возьми с собой подруг. Скажем, Мэри Стюарт.

— Спасибо за совет. — В данный момент ее волновали более серьезные проблемы. — Мне необходимо знать, на каком я свете. Мне будет разрешено с ними видеться? — Ей хотелось услышать об этом только от него. Какое они имеют право так с ней поступать? Уже задавая этот вопрос, она чувствовала, как у нее глаза наполняются слезами.

— С кем? — Он изображал тупицу, хотя отлично знал, что ее интересует. К тому же решение принимал не он, а их мать.

— Ты отлично понимаешь, с кем, не морочь мне голову! С детьми! Мне будет разрешено с ними видеться?

— Я обязательно... Я уверен, что Нэнси... — Она чувствовала, что он хочет уклониться от ответа.

— Скажи правду. О чем вы с ней договорились? Мне разрешат с ними встречаться? — Она обращалась к нему, как к чужаку. Он, конечно, отлично ее понимал, но не знал, как ответить, чтобы не привести ее в бешенство.

— Тебе придется обсудить это с твоим адвокатом, — сказал он, желая избежать ссоры.

— Как прикажешь это понимать? — Она уже кричала на него, теряя контроль над собой. Внезапно ее охватила паника. Почему у нее всегда все отнимают? Деньги, которые она зарабатывает такими муками, репутацию, даже детей! — Вы позволите мне с ними видеться или нет? — Своим криком она заставила его заюлить.

— Решение принимаю не я, Тан. Будь на то моя воля, никто бы их у тебя не отнял. Но решающее слово принадлежит их матери.

— Плевать я на нее хотела! Этой стерве нет до них никакого дела! Разве ты не знаешь? Именно поэтому ты от нее ушел.

Поэтому, а также из-за ее пристрастия к спиртному и к азартным играм; кроме того, у него не осталось ни одного знакомого, с которым она бы не переспала. Сколько раз ему приходилось мчаться в Вегас и разыскивать там ее и детей! Это, впрочем, не мешало Тане обожать его детей; она знала, что им с ней хорошо. Ей хотелось остаться в их жизни. Нэнси не имела права ей мешать.

— Разберись с адвокатом. — Через несколько минут разговор иссяк.

Она весь вечер проходила вокруг дома, как голодная львица. Ей не верилось, что с ней творится такое. Он бросил ее, забрал детей, изменил ей, представил дурочкой в прессе, а теперь в довершение издевательств его бывшая жена не позволяет ей видеться с детьми! Вечером ей позвонил адвокат с неутешительными вестями.

— Конечно, у мачехи тоже есть права, — терпеливо объяснял Беннет. Она уже ненавидела его голос. Вечно одно и то же: они объясняют, что права обыкновенных людей — это одно, а права знаменитости — совсем другое, и почему. Даже когда обстоятельства на твоей стороне, тебе некуда деваться. — Поймите, Таня, в последнее время ваш имидж в прессе не совсем отвечает представлениям об образе непорочной Девы Марии. Лео высветил вас несколько по-иному. Он наговорил о вас гадостей, и бывшая жена Тони, наверное, не желает, чтобы ее дети становились свидетелями подобного поведения. Думаю, если бы дело дошло до суда и ее адвокат стал вас допрашивать, то, будь вы хоть трижды невинной, к концу допроса вам не позволили бы напоить детей чаем в соборе Святого Павла, не то что держать их в своем доме или везти в Вайоминг на каникулы. — От его слов у нее выступили слезы на глазах. Он даже не представлял себе, какую боль ей причиняет. — Простите, Таня. Ничего не поделаешь. Лучше вам временно уступить. Дождитесь хотя бы, пока уляжется пыль после последнего скандала.

— А следующий? — простонала она, высмаркиваясь. Она слишком хорошо знала сценарий.

— Вы о чем? — Ей удалось сбить Беннета с толку. — Еще один скандал? Это что-то новенькое!

— Пока нет, но скоро будет. С прошлого минула всего неделя. Дайте мне хотя бы пару дней.

— Не надо цинизма. — Она права, ему ли этого не знать! Она превратилась в постоянную мишень. Неудивительно, что ее бросил Тони! Сейчас она ненавидела свой образ жизни не меньше, чем он. — Давайте поговорим о Лео.

Беннет не хотел концентрироваться на ситуации с детьми Тони. Тут он бессилен и не собирается отстаивать в суде заведомо проигрышное дело, да еще перед камерами. Действительно, зачем лишний раз возвращаться к теме, входят ли в Танины привычки разгуливать по дому голышом в присутствии телохранителей и спать с инструктором. Лично он не сомневается, что все это выдумки.

— Не желаю говорить о Лео! — отрезала она. У нее было гадко на душе, ее оставили последние силы.

— Он готов уступить и согласиться на четыреста девяносто тысяч, если мы перестанем ломаться. Если честно, то вам, по-моему, не стоит дальше испытывать судьбу. — Он сказал это таким деловым тоном, что она чуть не швырнула трубку.

— Четыреста девяносто тысяч долларов?! — воскликнула она. Но адвоката невозможно было пронять. — Да вы свихнулись! Какой-то мерзавец высасывает из пальца разную дрянь, а мы торопимся отвалить ему за это полмиллиона? Почему бы ему сразу не попроситься на главную роль?

— Потому что о нем никто не слыхал и ему пришлось бы сперва сняться в четырех-пяти фильмах. На это ушла бы пара лет, да и то если бы ему повезло. Гораздо проще сразу нанести вам удар под дых.

— Гадость! Поверить не могу!

— Если мы будем тянуть, он удвоит сумму. Могу я позвонить сегодня его адвокату и сказать, что мы согласны?

Естественно, будет соблюдена конфиденциальность. Его адвокат сообщил, что одна из телекомпаний уже предлагает ему сниматься.

— Боже мой! — простонала она и закрыла глаза. В какой же кошмар превратилась ее жизнь! Тони сбежал куда глаза глядят! Кто станет его осуждать? Таня тоже сбежала бы, но не знала иных способов зарабатывать на жизнь. — Сумасшедший дом! Какой отвратительный бизнес! Как я умудрилась в это вляпаться и как до сих пор не пошла ко дну!

— Может, изучите свои налоговые скидки за последний год? Это послужит вам утешением.

Она печально покачала головой. Слишком все гадко. Никогда не думала, что придется жить в такой клоаке.

— Вот что я вам скажу, Беннет. Это такое дерьмо, и никакие налоговые скидки меня не утешат. Эти люди играют с *моей* жизнью. Они выдумывают гадости не о ком-нибудь, а обо *мне*. *Я* превратилась в неодушевленный предмет, в кассовый аппарат.

Любой, кому хочется денежек и кто не прочь ради этого взболтнуть, приврать, пошантажировать ее, получает желаемое по первому требованию. Впервые, слушая ее, Беннет помалкивал. Как он ненавидел загонять ее в угол, но иного выхода не существовало.

— Так что мне ответить адвокату Лео, Тан? Внесите, пожалуйста, ясность.

После долгой горестной паузы она обреченно кивнула. Она умела признавать свое поражение.

— Хорошо, — хрипло ответила она. — Скажите, что мы заплатим этой сволочи. — Потом, стараясь не думать о том, что она только что согласилась заплатить полмиллиона человеку, навравшему про нее газетам, задала Беннету другой вопрос: — Как насчет Вайоминга? Вы можете что-то поправить?

— В каком смысле? Купить вам целый штат? — Он паясничал, пытаясь улучшить ей настроение, хотя заранее знал, что это бессмысленно, и не судил ее за упадок духа. Быть знаменитостью — тяжкий труд, что бы об этом ни думали несведущие люди. Со стороны это выглядит сплошным праздником, изнутри же наполнено страданием. Увы, относиться к этому безразлично невозможно. Порядочный человек не в силах не переживать.

— Вы можете вырвать у нее согласие, чтобы я взяла детей с собой? Я готова сократить срок поездки до одной недели, если это поможет. — Наплевать на двухнедельное резервирование!

— Если вы настаиваете, я попробую, но, думаю, это совершенно безнадежно. Даю голову на отсечение: газеты пронюхают, что вам дали от ворот поворот, а это тоже не будет способствовать улучшению вашей репутации. Раз мы используем против Лео версию нарушения конфиденциальности, я бы не советовал тащить все это в газеты.

— Великолепно! Спасибо. — Она делала вид, что все это ее не касается, но собеседник не мог не почувствовать, как она расстроена.

— Мне очень жаль, Таня, — посочувствовал он.

— Ясное дело. Еще раз спасибо. Поговорим завтра, — проговорила она сквозь слезы.

— Я позвоню утром. Надо разобраться с контрактами на концертное турне.

Она повесила трубку. На душе скребли кошки. Год за годом ее жизнь превращалась в ад. Как ни обожала ее публика, как ни награждала аплодисментами, все концерты, призы, деньги превращались в результате в то, что она имеет сейчас. Слишком многие вытирали об нее ноги. Муж уходит от нее не оглядываясь, ее лишают даже права видеться с приемными детьми. Странно, что в Голливуде вообще находятся люди, способные смотреть другим в глаза и ходить, не валясь с ног на каждом шагу!

Таня провела вечер и ночь в своем доме в Бель-Эр одна, полная горечи и близкая к самоубийству, — если ей что-то и мешало наложить на себя руки, то только опустошение и страх. Она вспомнила Элли, впервые за много лет, и сына Мэри Стюарт, Тодда. Какой, казалось бы, простой способ покончить со всем раз и навсегда! Но нет, так нельзя: здесь требуется одновременно и малодушие, и отвага, а она не находила в себе ни того ни другого.

Она досидела в гостиной до рассвета. Ей очень хотелось возненавидеть Тони, но даже этого не получалось. Знаменитая поп-звезда сейчас была способна только сидеть и лить слезы ночь напролет, и некому услышать ее рыдания, некому утешить. В конце концов она поплелась спать, так и не придумав, как быть с Вайомингом. Но это ее больше не занимало, пускай туда едут Джин с подружками, ее парикмахер, даже Тони с любовницей. Потом она вспомнила, что Тони и его партнерша отправляются в Европу. У любого есть друзья, дети, жизнь, репутация приличного человека. А что есть у нее, кроме золотых и платиновых дисков, развешанных на стенах, и призов на полках? Этим, по сути, все и исчерпывается. Она уже никому не могла доверять, не могла даже мечтать, что найдется мужчина, готовый смириться со всеми нечистотами, в которые она его неминуемо окунет. Оставалось лить слезы. Или хохотать до упаду. Она проделала путь на самый верх, чтобы убедиться: там не припрятано ничего хорошего. Она улеглась, продолжая думать о своей загубленной жизни, о детях, которых, наверное, никогда больше не увидит.

Но так продолжалось всего несколько минут. Потом и она сама, и Тони, и ее дети, и вся ее жизнь растаяли, словно всего этого больше не существовало. Она заснула.

Глава 7

Таня проснулась с ломотой во всем теле, будто ее подвергли побоям, — сны о разводе, детях, о том, как Тони ушел от нее с вещами, измотали ее донельзя. Она встала, шатаясь как с похмелья, хотя накануне не выпила ни капли спиртного, и морщилась от головной боли и ноющих суставов.

— Все это кончится новым счетом из отделения пластической хирургии, — пообещала она своему отражению в зеркале ванной комнаты.

Наполнив горячей водой ванну, осторожно залезла в нее, улеглась и сразу же почувствовала себя лучше. Вечером ей предстояло петь на благотворительном концерте, и она собиралась хорошо выступить. Днем намечалась короткая репетиция. День вообще обещал выдаться загруженным.

Она появилась в кухне в халате, сварила кофе и взяла утреннюю газету. К ее облегчению в кои-то веки на первой странице не оказалось материала ни о ней, ни о ее муже, к которому скоро будет добавляться определение *бывший*, ни о ее работниках, прошлых и теперешних. Она опасливо перелистывала газету, словно боялась найти между страницами тарантула. Единственная статья, вызвавшая ее интерес, касалась сан-францисского врача Зои Филлипс.

Таня внимательно прочла статью и не удержалась от улыбки. Зоя была ее подругой по колледжу. Судя по всему, она добилась немалого успеха, возглавляя одну из крупнейших в городе клиник, оказывающих помощь больным СПИДом, и творила чудеса, выбивая деньги и добывая необходимое буквально из воздуха. Зоя кормила бездомных, больных СПИДом, предоставляла им кров, лечила, держала под наблюдением носителей страшной болезни. Настоящая мать Тереза из Сан-Франциско. Материал так тронул Таню, что она полезла в телефонную книгу, нашла номер и позвонила. Они не говорили с Зоей уже два года, хотя продолжали посылать друг другу рождественские поздравления. Таня знала, что она — единственная из подруг, кто еще держит Зою в поле зрения. Мэри Стюарт потеряла с ней связь много лет назад. Им так и не удалось перебросить мост через пропасть, разверзшуюся между ними после смерти Элли, — Мэри Стюарт и слышать о ней не хотела. Таня симпатизировала обеим.

Трубку взяла медсестра. Она попросила позвать доктора Филлипс. Сестра ответила, что доктор принимает больных, и спросила, сообщить ли ей о звонке.

— Конечно, — ответила Таня, не задумываясь.

— Могу я спросить, кто звонит?

— Таня Томас.

Возникла продолжительная пауза. Сестра приняла бы это за совпадение, если бы не способность доктора Филлипс склонять знаменитых людей к участию в благотворительности.

— Та самая Таня Томас? — Сестра чувствовала, что вопрос звучит глупо, но поделать ничего не могла.

— Наверное. — Таня усмехнулась. — Я училась вместе с доктором Филлипс в колледже.

Поразительно, но Зоя никогда не хвасталась таким знакомством — если ее что-то интересовало в Тане, то только былая дружба.

На сестру произвело должное впечатление сказанное Таней. Она пообещала узнать, не освободилась ли доктор Филлипс. Подождав еще немного, Таня услышала в трубке знакомый голос — тихий, немного прокуренный. Даже по телефону было слышно, какая это серьезная особа.

— Тан? — спросила она тихо и неторопливо. — Это ты? Мои медсестры чуть с ума не сошли.

— Я. О тебе пишут как о чудо-враче. Ты так занята, что даже забыла прислать мне на последнее Рождество открытку. — Беседуя с ней, Таня снова чувствовала себя девчонкой. Как и при встрече с Мэри Стюарт, к ней вернулась молодость.

— Я вообще никого не поздравляла. Слишком много дел. У меня появился ребенок.

Таня представила себе нежную улыбку, с которой Зоя произносит эти слова.

— Что?! Ты вышла замуж? — Очень сомнительно: Зоя никогда не стремилась к замужеству, довольствуясь карьерой, ее больше привлекало внесение собственной лепты в развитие медицины, чем замужество. — Не могу поверить! Ты присоединилась к остальным безрассудным? Что с тобой?

— Не волнуйся, замуж я не вышла — взяла приемного ребенка. Я не так сильно переменилась. Слишком много работы, чтобы меняться.

— Сколько лет ребенку? — Тема была приятной, к тому же новость выставляла Зою совершенно в ином свете — подруга никогда не проявляла сильного стремления к материнству. Получалось, что Зоя приняла свое ответственное решение в возрасте сорока трех лет. Видимо, решила испытать материнство, пока не поздно, однако беременности избегла.

— Около двух лет. Дочка сама вторглась в мою жизнь. Ее мать была моей пациенткой. К счастью, без СПИДа, но и без крыши над головой. Не захотела оставить Джейд у себя, и я ее удочерила. Девочка наполовину кореянка. Все получилось как нельзя кстати. Сама я не смогла бы урвать время, чтобы забеременеть. — Конечно, ведь у нее не было мужчины, с которым она поддерживала бы моногамную связь, — во всяком случае, в последние годы. Зоя посвящала всю себя работе и ради своих пациентов пошла бы на многое.

— Когда я смогу ее увидеть? — спросила Таня с легкой завистью, представляя подругу с приемной кореяночкой. Джейд — какое дивное имя! Нефрит. Именно так Зоя и должна была назвать дочь.

— Я пришлю тебе фотографию, — ответила Зоя извиняющимся тоном, поманила сестру, ждавшую у дверей, постучала пальцем по часам и показала пять пальцев. Она собиралась уделить разговору с Таней еще пять минут. В приемной ее дожидались четыре десятка пациентов, причем некоторым срочно требовалась госпитализация. Зоя давно к этому привыкла. Старой подруге она могла уделить пять лишних минут, не больше.

— По-моему, моментальной фотографии недостаточно. Может, поедем вместе в Вайоминг? — Предложение прозвучало без подготовки. Вот бы действительно затащить туда Зою с Джейд, Мэри Стюарт... Безумие, конечно. Мэри Стюарт едет с дочерью в Европу. — Я сняла в пансионате-ранчо домик на две недели в июле, а ехать мне туда не с кем.

По ее усталому и печальному голосу Зоя догадалась, что матримониальные дела у подруги обстоят не лучшим образом. Раз так, она готова ей посочувствовать.

— А муж?

— Ты подтверждаешь мои худшие подозрения: не ешь сладостей, не ходишь в супермаркеты и не читаешь бульварных газет. — Зоя всегда была худышкой, объектом зависти любой женщины.

Она засмеялась:

— Ты совершенно права: у меня нет времени на еду, а эту муть я не читала бы, даже если бы мне приплачивали.

— Очень мило. В общем, муж от меня ушел. Съехал на этой неделе. Его бывшая жена не разрешает мне видеться с его детьми, потому что мне предъявил иск бывший телохранитель, обвиняющий меня в попытках его соблазнить. Все такая гадость, что нормальному человеку необязательно и знать. Даже не пытайся все это себе представить. Я и то не могу, а ведь я среди дерьма живу.

Помимо слов, Зоя расслышала в речах подруги отчаяние. Та действительно не знала, как жить дальше.

— Да, веселого мало. Вайоминг? Неплохая идея. Я бы с удовольствием к тебе присоединилась.

В дверях снова появилась сестра, но Зоя не посмела прервать подругу. Тане определенно надо выговориться. Зоя вытребовала себе еще пять минут. Сестра сделала большие глаза и исчезла.

— Может, все-таки приедешь, Зоя? Хотя бы на уик-энд.

— С радостью бы! Но я сейчас совсем одна. Мне бы пришлось оставить вместо себя младший персонал, а пациентам это не понравится. Они по большей части настолько больны, что им обязательно надо чувствовать меня рядом.

— Неужели у тебя никогда не бывает отдушин? — удивилась Таня, хотя и она никогда не отдыхала от своей работы. Просто ее работа уступала по ответственности уходу за умирающими.

— Редко, — созналась Зоя. — Ты уж извини, но мне пора, иначе вышибут дверь, а меня линчуют. Я перезвоню. Не позволяй всяким паразитам садиться себе на шею, Тан. Все это мелюзга, они тебя не стоят.

— Стараюсь об этом не забывать, но они тоже ребята не промах. Каким-то образом им всегда удается выигрывать — во всяком случае, в этом городе, в этом бизнесе.

— Ты такого не заслуживаешь, — проникновенно сказала Зоя.

Впервые за утро Таня широко улыбнулась.

— Спасибо. Между прочим, я недавно виделась с Мэри Стюарт.

— И как она? — В голосе Зои появились суровые нотки. Снова она за старое! Таня никогда не обращала внимания на такие глупости. На протяжении многих лет она сообщала той и другой друг о друге и не отказывалась от мечты собраться вместе, как когда-то.

— Ничего. В прошлом году она потеряла сына. Помоему, вся ее семья еще живет под гнетом этой трагедии. Там все очень зыбко.

— Передай ей, что я сочувствую, — тихо молвила Зоя. Таня знала, что она говорит искренне. — Что стряслось? Несчастный случай?

— Вроде того. — Тане не хотелось уточнять. Она знала, какую боль все это доставляет Мэри Стюарт. — Он учился в Принстоне. Ему было двадцать.

— Ужасно!.. — Зоя постоянно имела дело со смертью, но никак не могла с ней примириться. Летальный исход каждого пациента казался ей личным поражением, даже оскорблением.

— Знаю, ты спешишь... Но все равно подумай насчет Вайоминга. Как было бы здорово! — При всем безумии этой затеи Таня уже не могла от нее отказаться.

Зоя улыбнулась. Она не может позволить даже мечтать об этом, уже одиннадцать лет работая без отпуска.

— Позвони как-нибудь. — Голос Тани звучал печально и одиноко.

Зоя с радостью подставила бы ей плечо — трудно вообразить, что женщина с таким достатком, такой славой настолько ранима и несчастна. Люди, не представляющие себе ее жизнь, ни за что не поверили бы, что приходится терпеть Тане и ей подобным, как высока цена известности.

— Я пришлю тебе фотографии Джейд, обещаю! — заверила Зоя, прежде чем повесить трубку.

В следующую секунду на нее налетели сразу три медсестры с жалобами на толпы в приемной. Только та, что позвала ее к телефону, смотрела с восхищением.

— Никак не поверю, что это Таня Томас! Какая она?

Все всегда задавали один и тот же дурацкий вопрос.

— Одна из чудеснейших женщин, каких я знаю, само благородство. Вкалывает как проклятая. Настолько талантлива, что не отдает себе в этом отчет. Заслуживает гораздо лучшей доли. Ничего, рано или поздно ей выпадет счастье. — С этими словами Зоя вместе с сестрами быстро покинула кабинет.

Сестра, позвавшая ее к телефону, так ничего и не поняла.

— У нее премии «Грэмми», награды Академии киноискусств, платиновые пластинки! — пожала она плечами. — Говорят, за одно концертное турне она зарабатывает десять миллионов. Один простой концерт дает за миллион. Чего же ей еще?

— Поверь мне, Аннали, это только видимость. Наша с тобой жизнь лучше ее. — Мысль, что Тане пришлось названивать подружке по колледжу, чтобы найти себе спутницу на отпуск, разрывала ей сердце. Зоя по крайней мере завела дочь.

— Все равно не пойму, — сестра покачала головой.

Зоя поторопилась в приемную.

Таня долго не сводила глаз с фотографии подруги в газете. Потом, махнув рукой, решила позвонить Мэри Стюарт:

— Привет! Догадайся, с кем я говорила пять минут назад?

— С президентом США. — Мэри Стюарт была счастлива снова слышать Танин голос. Стоило той покинуть Нью-Йорк, как она стала по ней скучать.

— С Зоей! Она заведует в Сан-Франциско клиникой, лечит больных СПИДом. В утренней «Лос-Анджелес таймс» о ней большая статья. Зоя взяла ребенка, девочку. Малышке скоро два годика, зовут Джейд, девочка наполовину кореянка.

— Чудесно! — откликнулась Мэри Стюарт. Ей очень хотелось быть великодушной по отношению к прежней подруге, но даже теперь, по прошествии двадцати с лишним лет, старые раны по-прежнему дают о себе знать. — Очень рада за нее. — Ее радость была искренней. — В этом она вся. Взять ребенка, да еще азиатку! Она стала именно такой, какой всегда старалась стать. Клиника для больных СПИДом тоже нисколько меня не удивляет. Она замужем?

— Нет. По-моему, Зоя сообразительнее нас с тобой. Билл уже улетел в свой Лондон?

— Еще вчера. — Мэри Стюарт умолкла, вспоминая уборку в комнате сына. — Вчера я убрала вещи Тодда. Давно надо было это сделать. Но раньше я не была к этому готова.

— Никто не засчитывает тебе проигрышные очки, — сказала Таня. — Ты поступаешь так, как должна, чтобы выжить.

После этого она рассказала Мэри Стюарт, что Нэнси не разрешает ей везти детей в Вайоминг. Судя по голосу Тани, она огорчена этим сверх всякой меры. Мэри Стюарт знала, чтó значат для подруги эти дети. Это самое лучшее, что принес ей брак.

— Отвратительно! — произнесла она с чувством.

— Как и все остальное. К примеру, я только что дала согласие заплатить полмиллиона шантажисту, продавшему меня газетам.

— Боже! Час от часу не легче. Почему так много?

— Со страху. Мои адвокаты делают в штаны при одной мысли о присяжных. Им кажется, что процесс с присяжными заведомо проигрышный. Противная сторона представит меня чудовищем, купающимся в деньгах. Изобразить меня добродетельной и здоровой женщиной совершенно невозможно. Знаменитая — значит шлюха или по меньшей мере человек, из которого менее удачливым, менее честным или патологическим лентяям совсем не грех вытрясти деньжат. Это определение вполне можно поместить в словаре, — заключила она, жуя.

Мэри Стюарт улыбнулась. Таня, конечно, расстроена, но не уничтожена, чего можно было ожидать, учитывая свалившиеся на нее беды. Она могла бы залезть с головой под одеяло и нахлобучить сверху подушку для верности, однако обошлось без этого. Таня всегда отличалась сильной волей. Мэри Стюарт восхищалась ею. Как бы с ней ни поступала жизнь, она поднималась во весь рост и принималась за старое, потрепанная, в царапинах, но по-прежнему с улыбкой до ушей, с песней на устах.

— Билл уже успел тебе позвонить? — спросила Таня, думая уже не о своих горестях, а об услышанном от Мэри Стюарт. Она по-прежнему считала возмутительным, что он не пожелал взять жену в Лондон. По словам Мэри Стюарт, здесь вряд ли измена. Просто не захотел, чтобы она была рядом.

— Еще нет. Зато вчера звонила Алиса. Наше с ней путешествие отменяется.

— Неужели? — Таня была поражена. — Что еще стряслось?

— Ничего. Поступило более заманчивое предложение. Тут просто мамаша, а там — молодой человек. — Мэри Стюарт улыбалась, но в ее голосе звучало разочарование. — Возраст берет свое.

— Что ж тогда говорить о моем возрасте! — засмеялась Таня. — Как ты поступишь?

— Буду обсыхать на берегу, как потерпевшая крушение шхуна. Вот сижу и ломаю голову, чем занять предстоящие два месяца. Перед отъездом Билла мы снова об этом говорили, но он непреклонен: в Лондоне мне не место. Я бы, видишь ли, его отвлекала. Честно говоря, я подумывала приехать к тебе на несколько дней, если у тебя найдется на меня время. Я бы остановилась в отеле. В июле — августе Нью-Йорк — сущий ад, а дом за городом мы в этом году не сняли из-за того, что Билл будет отсутствовать все лето.

— Тогда, может быть, в Вайоминг? — Таня затаила дыхание. Ее замысел все же мог осуществиться, хотя бы наполовину. Даже если Зоя не составит им компанию, они с Мэри Стюарт могут отправиться туда на две недели. — Едем со мной! Я сняла домик в пансионате-ранчо. Потрясающие удобства, стиль вестерн. Одна я не могу. Мне пришлось бы отказаться от заказа в пользу моей секретарши или кого-то из сотрудников.

Мэри Стюарт размышляла, сидя на кухне:

— Звучит заманчиво. Мне все равно больше нечем заняться. Конечно, наездница из меня теперь, наверное, никудышная, разве что отросла мягкая седельная подушка.

— Не морочь голову! Наоборот, тебе не хватает фунтов пятнадцати веса. Но даже если мы ни разу не сядем в седло, никто не умрет. Будем любоваться горами, пить кофе или шампанское и охотиться на смазливых ковбоев.

— Тут-то тебя и подстерегут корреспонденты. Никуда с тобой не поеду: в такой компании рухнет и моя репутация. — Мэри Стюарт, конечно, смеялась. Мысль о поездке с Таней на ранчо привела ее в восторг. Когда Таня заговорила об этом в первый раз, она не обратила на предложение никакого внимания, потому что собиралась в Европу к Алисе, а Таня вроде бы отправлялась в Вайоминг с детьми Тони.

— Обещаю быть паинькой. Поедем! Вот будет здорово! — У Тани засияли глаза. — Согласна, Стью?

Мэри Стюарт усмехнулась, услыхав старое студенческое обращение.

— С радостью. Когда? — В ее распоряжении целое лето.

— Сразу после Дня независимости. Ты успеешь купить себе сапожки. У меня еще сохранились старые.

— Прямо сегодня устрою набег на магазины. Как я попаду в Вайоминг? — У Мэри Стюарт сразу появилась уйма дел: чего стоит одна покупка сапог! Она вдруг снова почувствовала себя девчонкой. Мысль о двух неделях в обществе Тани показалась необыкновенно удачной. Именно это ей и требовалось.

— Прилетай в Лос-Анджелес, и мы вместе поедем на моем студийном автобусе в Джексон-Хоул. На поездку уйдет два дня. По пути будем спать, есть, читать, смотреть кино — все, что тебе угодно! Водитель никогда не донимает меня болтовней. По дороге в Вайоминг ты сможешь придумать себе любое занятие. — У нее был настоящий автобус поп-звезды с двумя огромными гостиными, раскладными кроватями, мраморной ванной и полноценной кухней. Лучшего средства перемещения нельзя себе и представить.

— Уговорила.

— Все, подбираю тебя в аэропорту.

Таня продиктовала даты. Мэри Стюарт аккуратно записала все в книжечку. Конечно, не совсем то, о чем она мечтала, но ей внезапно пришло в голову, что это, похоже, билет на свободу.

Повесив трубку, она направила Биллу факс о том, что Алиса отменила путешествие, а значит, в Лондоне они не появятся. Вместо этого они с Таней Томас проведут две недели в Вайоминге; как только у нее появятся более подробные сведения о программе, она поставит его в известность. Но уже сейчас понятно, что они очень хорошо устроятся. На следующей неделе она улетит в Лос-Анджелес и оттуда пришлет ему новый факс. Она приписала *целую*, но на сей раз не стала признаваться в любви.

Отправив факс, она взяла сумку и поспешила в «Билли Мартин» за ковбойскими сапожками.

Таня порхала по кухне, как окрыленная девчонка, мечтая о предстоящем путешествии. Они с Мэри Стюарт пошикуют на славу! Заряд хорошего настроения сохранился на целый день; вечером на благотворительном концерте она предстала перед публикой в черном, усыпанном блестками платье, подчеркивавшем ее великолепные формы. Все сошлись во мнении, что она выглядит потрясающе и поет, как никогда.

— Отлично! — прошептала Джин, когда Таня покинула сцену, изможденная, но торжествующая. Зрители устроили ей нескончаемую овацию. — Вы лучше всех!

Ее вызывали на бис, а потом не давали проходу. Из толпы раздавался визг, в нее летели цветы, в руки совали подарки, кто-то даже запустил предметом нижнего белья, но от этого дара она уклонилась. То был приступ буйного обожания. Если бы не полиция, она не вырвалась бы на свободу. Уезжая, Таня размышляла о своей безумной жизни и о немыслимом бремени, зовущемся известностью: ее страстно любят и с не меньшей силой ненавидят.

Глава 8

После Таниного звонка день Зои Филлипс вошел в привычную колею. Она занялась пациентами и забыла обо всем остальном. Пациенты ее по большей части были гомосексуалисты, хотя в последние годы стало прибавляться женщин и гетеросексуалов, заразившихся половым путем, при внутривенном введении наркотиков или при переливании крови. Больше всего она переживала, когда к ней попадали зараженные дети — их тоже прибывало. Можно было подумать, что она перенеслась в слаборазвитую страну. Вылечить их она не могла, даже помощь была ограниченной. Иногда они получали от нее только жест внимания, прикосновение, немного ее времени, минутку у постели. Потом наступала смерть. Она не жалела на пациентов ни времени, ни сил. Так продолжалось из года в год с начала восьмидесятых, когда впервые появилось сообщение о страшной болезни. С тех пор СПИД превратился в ее предназначение, ее рок, ее страсть и судьбу.

К концу дня она настолько выматывалась, что ее могло хватить только на дочь. Она старалась проводить с ней как можно больше времени, даже иногда мчалась обедать домой, лишь бы урвать лишнюю минутку пообщаться с девочкой.

Одно время Зоя брала ее к себе на работу и оставляла в кабинете в корзине. Потом Джейд начала ходить, и с этим пришлось покончить. Когда позвонила Таня, она как раз собиралась съездить домой.

Неожиданно к ней заглянул коллега. Сэм Уорнер — отличный врач и приятный человек. Зоя сотрудничала с ним много лет: до этого они вместе учились на медицинском факультете Стэнфордского университета. Одно время они были неразлучны. Зоя подозревала, что Сэм влюблен в нее, но на первом месте у нее и тогда стояла работа — не хватило времени дать ему понять о своей догадке, а сам он ничего не стал предпринимать. Отучившись, он переехал в Чикаго. Они надолго расстались. За это время Сэм успел жениться и развестись. Потом опять перебрался в Калифорнию, где они случайно встретились и возобновили прежнюю дружбу. Отношения так и не приобрели нового качества. Они остались приятелями. Он любил ей помогать.

— Как дела? Несколько недель от тебя ни слуху ни духу.

Он просунул голову в дверь ее кабинета, когда Зоя убирала со стола бумаги. Уорнер смахивал на большого уютного медвежонка. Он был высок, широкоплеч, радушен, вечно ходил всклокоченный, несмотря на все старания; у него большие карие глаза. Зоиным пациентам повезло, что к ним наведывается такой врач. Он умел ладить с людьми, и Зоя никому так не доверяла, как ему.

— Ты хоть когда-нибудь берешь выходные? — спросил Сэм озабоченно. Он обычно временно замещал врачей разных специальностей, чем зарабатывал на жизнь. Собственной практики не имел. Больше всего ему нравилось помогать Зое. Она руководила клиникой твердо, к тому же он считал ее отличным врачом, не боящимся самой страшной из болезней.

— Стараюсь обходиться без выходных, — ответила Зоя. — Мои пациенты против. — Как ни любили они Сэма, она считала своим долгом не подводить их и не оставлять надолго. Она совершала обходы в клинике и иногда посещала больных на дому, причем даже по воскресеньям.

— Тебе надо отвлечься, — проворчал он, глядя, как она снимает белый халат. — Это полезно и тебе, и мне. Мне тоже нужны деньги, но...

— Кажется, я задолжала тебе еще за прошлый раз. У меня новая бухгалтерша еще не научилась работать. — Она улыбнулась.

Сэм поразительно терпелив в отношении оплаты. Еще в Стэнфорде она узнала, что Уорнер — выходец из зажиточной семьи с Атлантического побережья и имеет постоянный доход, но сам он никогда этого не упоминал; ему было совершенно чуждо хвастовство. Он ездил на старой, помятой машине, одевался просто, отдавая предпочтение рабочим рубашкам и джинсам, никогда не снимал старых любимых сапог, которые до него таскала не одна сотня ковбоев.

— Какие новости? — поинтересовался Сэм.

Он не любил тыкаться, как слепец, когда Зоя поручала ему подменять ее. Последнее случалось только тогда, когда ей нездоровилось или возникали неотложные дела. В последнее время она старалась не отлучаться. Весь день трудилась не покладая рук и к вечеру еле-еле добиралась до дома. Если она с кем-то встречалась, то брала с собой пейджер, отвечала на звонки и порой, если возникала необходимость, уходила с середины представления или оставляла нетронутым ужин в ресторане. Назначать ей свидания было не очень-то удобно, зато врачом она была непревзойденным.

— Новостей немного, — ответила Зоя, переобуваясь. — Много только что поступивших маленьких детей. — Малыши заражались СПИДом от матерей еще в утробе.

— Иди спокойно, я просмотрю истории. — Она никогда не запирала от него истории болезни. От Сэма у нее не было секретов. — Поцелуй от меня Джейд.

— Спасибо. — Зоя улыбнулась и вышла, глядя на часы.

Выдался как раз тот нечастый случай, когда у нее было назначено свидание и требовалось поторопиться. Уже без пятнадцати семь, а Ричард Франклин обещал заехать за ней в половине восьмого. Это известный хирург, специалист по раку груди в Калифорнийском университете. Они познакомились два года назад на медицинском симпозиуме, где оба выступили с докладами. Она заинтересовалась им из-за естественного соперничества смежных областей медицины, он ею — из-за повышенного внимания к СПИДу в прессе. Он утверждал, что рак груди — более частая причина смерти, чем СПИД, следовательно, на него надо выделять больше денег. Из-за этого у них произошел спор, а затем завязалась дружба. За два года они встречались несколько раз, причем в последнее время стали видеться чаще. Ричард Франклин — яркая личность. Зоя ценила его общество, иногда заходило даже дальше, но влюбиться в него...

Ей встречались мужчины, значившие для нее гораздо больше, но они долго не держались. Последний, кто был ей по-настоящему небезразличен, умер от СПИДа, приобретенного при переливании крови десять лет назад, оставив ей все свои деньги, на которые она и создала клинику. С тех пор промелькнула еще пара неплохих людей, но замуж она не собиралась, а за Ричарда Франклина и подавно.

Зоя поехала домой в своем стареньком микроавтобусике «фольксваген». Она купила его, когда удочерила Джейд, и часто пользовалась для транспортировки больных. Сейчас она выжимала из него все, на что автомобиль был способен. У нее был чудесный старый дом в Эджвуде, неподалеку от университета, у самого леса, в котором они гуляли с Джейд.

Зоя часто любовалась видом из окна гостиной: мост Золотые Ворота был виден оттуда как на ладони. Стоило ей отпереть дверь, как Джейд радостно подбежала к ней:

— Мамочка!

Зоя взяла ее на руки, прижала к себе, гладя по головке. Малышка, размахивая ручонками, рассказывала о собачке, кролике, изюме и важных событиях в прогулочной группе. Разобраться в ее лепете пока что трудновато, но Зоя понимала.

— Олик, олик! — твердила Джейд, отчаянно жестикулируя. Зоя догадалась, что речь идет о соседском кролике.

— Знаю. Может, и мы заведем такого. — Она опустила девочку на пол и наспех утолила голод гамбургером с рисом, оставленным помогавшей ей по хозяйству датчанкой Ингой. Не очень вкусно, зато питательно. Джейд грызла на ходу сырую морковь.

Зоя кинулась наверх. Ей хотелось как можно быстрее переодеться, чтобы побыть с Джейд хотя бы несколько минут, прежде чем за ней заедет Дик Франклин. Если она уходила куда-то вечером, то на дочь совершенно не оставалось времени. Впрочем, выходы и свидания бывали у нее редко, как и выходные.

Спустя двадцать минут она спустилась вниз в длинной юбке из черного бархата и белой кружевной блузке. Она выглядела как персонаж со старого семейного портрета; ее длинные рыжие волосы были тщательно расчесаны и заплетены в затейливый хвост, как когда-то в колледже.

— Мамочка касивая! — прокомментировала малышка, хлопая в ладоши. Зоя, улыбаясь, посадила ее себе на колени. Она чувствовала себя невероятно уставшей.

— Спасибо, Джейд. Ну, как сегодня дела у моей большой девочки?

Девочка прижималась к ней, Зоя улыбалась. Это и есть жизнь. Не развлечения, не слава, даже не деньги и не успех, не говоря уже обо всем том, что она услышала от Тани. Для Зои важнее всего было здоровье и дети, ее шкала ценностей не менялась. То, что она видела ежедневно на работе, постоянно напоминало ей о ее долге.

Она немного поиграла с Джейд в красные кубики «лего». Потом в дверь позвонили — явился Ричард Франклин, холеный и бесстрастный. На нем были серые брюки, блейзер, дорогой галстук. Кажется, он побывал у парикмахера. Доктор Франклин всегда выглядел безупречно, словно у него намечалось выступление перед главными спонсорами больницы. Он отлично владел специальностью. Трудно было не восхищаться его познаниями, хотя его обращение с женщинами оставляло желать лучшего. Они с Зоей являлись полной противоположностью, видимо, потому их и влекло друг к другу.

— Как поживаете, доктор Франклин? — спросила она, сидя на полу и играя с дочкой, когда датчанка впустила его в дом.

— Под сильным впечатлением, — ответил он.

В нем сочеталась красота и величественность. Ему также было присуще высокомерие; Зоя подозревала, что тянется к нему именно потому, что ее подмывает его обломать. Но пока что ей удавалось держать себя в руках.

— И часто ты этим занимаешься? — Он указал на развалины домика из кубиков: Джейд немилосердно разрушила Зоину постройку.

— Так часто, как могу, — честно ответила она, зная, что ему неприятно это слышать. Дик давно ей признался, что неуютно чувствует себя в присутствии детей. Своих у него никогда не было, да он, подобно ей, ни разу и не состоял в браке, утверждая, что ему никогда не предоставлялось такой возможности, но она догадывалась, что дело не в этом, а в его закоренелом эгоизме. — Хочешь поиграть?

В действительности она не могла представить его стоящим на четвереньках, занятым какой-либо игрой. Это нарушило бы его прическу и помяло брюки. Большинство людей считает его напыщенным ничтожеством, каковым он отчасти и является, однако при этом умен и, несмотря на свои пятьдесят пять лет, привлекателен для женщин. С виду он таков, каким хотели бы видеть ее родители много лет назад жениха дочери. Однако родителей давно нет в живых, а встречи с Диком она воспринимает как развлечение.

— Ты готова? — спросил он, не получая особого восторга от ее игры с Джейд. Не прошло и минуты, а он уже утомился любоваться этим зрелищем.

У них был заказан столик в «Бульваре» на восемь часов. Надо еще туда добраться — место такое популярное, что там не любят подолгу держать столики, даже для важных докторов.

— Готова, сэр. — Зоя натянула узкий бархатный жакет. Даже в июне вечера в Сан-Франциско прохладные. Она взяла Джейд на руки и поцеловала. На нее было приятно смотреть. — Обожаю тебя, моя мышка, — проворковала она, потерлась носом о носик девочки и пощекотала ее щечку ресницами. Малышка захохотала. — До свидания!..

Достаточно было это сказать, чтобы у Джейд скривилась нижняя губка. Зоя увидела, что сейчас брызнут слезы. Она поспешно отдала дочь датчанке и, не дожидаясь, когда она разревется, помахала рукой. Датчанка попыталась отвлечь ребенка. За последний год Зоя превратилась в специалистку по поспешным исчезновениям.

— Великолепно! — восхищенно проговорил ее кавалер.

Для доктора Франклина невероятно — вести в ресторан женщину, обремененную ребенком. Он отдавал предпочтение тем, для которых карьера превыше брака и материнства. К таким в момент их знакомства относилась и Зоя. Новость, что она удочерила девочку, его поразила — не ожидал от нее такого поступка. Это, конечно, не могло не отразиться на их отношениях. Однако ее привлекательность от этого не померкла, и он не отказался от встреч с ней. Увы, она была слишком занята на работе, а теперь еще и с ребенком, и встречи становились все реже.

— Мы не виделись две недели, — пожаловался он, заводя мотор своего темно-зеленого «ягуара».

— Я была занята, — ответила она бесстрастно. — У меня много пациентов в очень плохом состоянии. — Недавно несколько человек скончалось, что ее особенно удручало, так как она привыкала к своим больным, и душа разрывалась от жалости.

— У меня тоже, — проворчал он, трогаясь с места.

— Ты работаешь не один.

— Верно. Тебе бы лучше последовать моему примеру. Ума не приложу, как ты выдерживаешь такое напряжение. Рано или поздно заболеешь: подхватишь у кого-нибудь из пациентов гепатит или, не дай Бог, СПИД.

— Какие веселые мысли! — заметила она, отворачиваясь.

— Это иногда случается, — серьезно сказал он. — Подумай о себе. К чему героизм и мученичество?

— Я уже думала. Но я такая, какая есть, и нужна им, Дик.

— Не только им. Еще ты нужна дочери. Тебе надо больше отдыхать.

За этот день он второй, от кого она получила этот совет. С какой стати он проявляет такую заботу, что ему чуждо, хоть он и врач?

— У тебя усталый вид, Зоя. — Ричард улыбнулся и похлопал ее по руке. — Тебе не помешает отменный ужин. Боюсь, ты вообще не успеваешь есть.

Она действительно не помнила, завтракала ли сегодня, обедала ли. Скорее всего что-то перехватила на бегу, как обычно.

В ресторане ей очень понравилось. Премилое место, решила она. Столик выглядел заманчиво. Зоя даже пожалела, что не видится с Диком чаще. Он заказал вина для обоих, бок ягненка и суфле на десерт. Да, это не холодные гамбургеры, которые она доедала дома за Джейд, и не пицца из холодильника на работе.

— Чудесно! — восхитилась Зоя.

— Я по тебе соскучился. — Он взял ее руку в свою.

Высокомерие Дика сильно мешало ей в отношениях с ним, хотя она считала его привлекательным мужчиной. Сейчас, даже при свечах и вине, она была настроена соблюдать дистанцию.

— Я была занята, — ответила она, объясняя свое исчезновение на две недели.

— Слишком занята. Может, съездим куда-нибудь на уик-энд? Я снял дом в Стинсоне на июль и август. Не хочешь провести там выходной?

Она улыбнулась, зная его лучше, чем он предполагал.

— С Джейд?

Дик помялся, потом кивнул:

— Если тебе так больше хочется. Хотя было бы полезно отдохнуть и от нее.

— Я бы по ней скучала, — возразила она со смехом. — Да и вообще из меня получилась бы сейчас не очень-то приятная гостья. Я бы только и делала, что спала.

— Я бы нашел способ тебя разбудить. — Он поднял бокал с видом опытного соблазнителя и пригубил вино.

— Могу себе представить, доктор Франклин. — Зоя снова улыбнулась.

Разговор перешел на больницу, в которой оба раньше работали, политику, всегда пронизывающую жизнь любой крупной клиники, различные слухи. Он рассказал о новом хирургическом методе, который так усовершенствовал, что теперь он фигурирует в учебниках. Дик — хороший специалист, и Зоя не мешала ему хвастаться. Она любила беседовать на медицинские темы. Правда, когда она намекала на это Сэму, тот обвинял ее в ограниченности и признавался, что терпеть не может ужинать с врачихами и обсуждать за макаронами пересадку печени. Он полагал, что ей следует расширять свой кругозор, к тому же не переваривал Дика Франклина, считая его надутым зазнайкой.

После суфле Зоя и Дик заказали капуччино. Часы уже показывали одиннадцать. Зоя чувствовала страшную усталость. Ей требовалось усилие, чтобы не заснуть. Она планировала начать утренний обход в семь утра, а это означает встать вместе с Джейд рано утром и поиграть с ней, как делала всегда, прежде чем ехать на работу. То были ее любимые минуты.

Дик не замечал ее усталости. Он отвез ее домой и снова напомнил про уик-энд в Стинсоне.

— Сообщи мне, если сможешь вырваться, — попросил он, со значением глядя на нее. — Я всецело в твоем распоряжении.

— Сначала мне придется ввести в курс дела сменного врача и уговорить помощницу остаться на воскресенье.

Она говорила про Джейд, просто чтобы его подразнить. Ей и в голову не пришло бы навязать ему девочку на выходные. Ребенок был чудесный, но Дик все равно сошел бы с ума. Ему хотелось внимать классической музыке, заниматься любовью на закате и обсуждать тонкости хирургии с полноценной собеседницей, а не менять пеленки и вытирать с детского подбородка яблочный сок. Зоя отлично это понимала.

— Я узнаю, когда они оба будут свободны, и позвоню тебе.

Они сидели в машине возле ее дома. Сначала он хотел отвезти ее к себе в Пасифик-Хейтс, но по дороге увидел, что она зевает. Зоя извинилась, и он повез ее в Эджвуд.

— Беда в том, что этого не произойдет, — молвил он, вожделенно поглядывая на дом. Впрочем, там, помимо Зои, обитали ребенок и помощница, и Зоя предпочитала ездить к нему. — Стоит мне с тобой встретиться — и я оттягиваю расставание. Но ты всегда слишком занята. — Дик хорошо понимал ее трудности. У него самого было перегруженное расписание, бесконечные пациенты. Недаром он считался ведущим хирургом по своей специальности. Кроме того, еще умудрялся колесить с лекциями по всей стране.

— Может, оттого интерес и не затухает, — улыбнулась Зоя, сидя в удобной машине и не сводя с него глаз. До чего же он хорош! Увы, как ни наслаждалась Зоя его обществом, о том, чтобы его полюбить, не могло быть и речи. — Возможно, если бы мы проводили вместе больше времени, тебе бы со мной наскучило.

При этих ее словах он усмехнулся:

— Вряд ли. — Она входила в число его любимых женщин и часто его изумляла. Так происходило и сейчас. Ей удавалось быть одновременно уязвимой и недосягаемой, сильной и мягкой. Присущие ее натуре контрасты воспламеняли его, хотя он никогда не признался бы ей в этом. — Я не уговорю тебя пригласить меня к себе?.. — В его голосе звучала надежда, но Зоя покачала головой. Этого она никогда не делала, заботясь о спокойствии ребенка и оберегая от шока датчанку. Даже ради доктора Франклина она не собиралась менять свои привычки.

— Боюсь, что нет, Дик. Прости.

— Я не удивлен, — откликнулся он с добродушной улыбкой, — только разочарован. Изучи хорошенько свой календарь и подбери подходящий уик-энд. Только поскорее, пожалуйста.

— Будет исполнено, сэр.

Он проводил ее наверх, сам отпер ее ключом дверь и целомудренно поцеловал на прощание в губы. Раз надежды на продолжение вечера не было, он и не собирался ничего затевать. Отличаясь терпением, был готов ждать неделю-другую, хотя предпочел бы постель с ней немедленно. Он смиренно принимал ограничения, которые она накладывала на их связь. Зоя поблагодарила Дика за ужин, и он исчез. Она тут же поспешила к себе в спальню, разделась и упала на кровать, даже не надев ночной рубашки и не почистив зубы. Она так устала! И теперь до шести утра ничего для нее не существовало.

Утром, когда Зоя заглянула к Джейд, девочка уже проснулась и беззаботно возилась в кроватке с игрушками. Она то разговаривала с собой, то напевала песенку. При появлении матери малышка вскочила и радостно взвизгнула.

— Привет, обезьянка! — Зоя взяла ее на руки, чтобы сменить пеленку. Джейд показалась ей более тяжелой, чем обычно, к тому же ночной сон не принес отдыха. В последнее время это случалось с Зоей все чаще, и она дала себе слово, что, приехав на работу, первым делом позвонит в лабораторию.

Без пятнадцати семь она уехала и через четверть часа прибыла в больницу. После полуторачасового обхода Зоя вернулась к себе в кабинет, у дверей которого ее уже ждали две дюжины пациентов. Минута позвонить в лабораторию представилась только в обед. Анализы еще не были готовы. Зоя разозлилась, хотя обычно сохраняла самообладание.

— Черт возьми, я жду уже две недели! Разве можно столько томить? Речь идет о жизни и смерти, а не о заурядном анализе мочи! Сколько еще терпеть?

В лаборатории извинились за задержку и попросили перезвонить в четыре часа. Однако она проработала, не поднимая головы, до половины шестого, хотя поток пациентов не иссяк и к этому времени. Желая получить результаты анализа сегодня, она набрала номер лаборатории. Там немного повозились; она, кипя негодованием, перекладывала бумаги у себя на столе. Потом голос в трубке деловито произнес:

— Положительный. — В ответе не было ничего странного — анализы ее пациентов на СПИД сплошь и рядом оказывались положительными. Иначе они бы к ней не обращались.

— Положительный? — переспросила она, словно впервые услышала этот вердикт. Кабинет завертелся у нее перед глазами.

— Ну да, — подтвердил лаборант. — Вы удивлены?

В том-то и беда, что нет! Теперь она понимала, откуда у нее усталость, потеря веса, приступы поноса и прочие симптомы, проявлявшиеся уже полгода, с самого Рождества. Речь шла о ее собственном анализе. Она точно знала, когда заразилась. Случайно укололась иглой около года назад, когда брала анализ крови у девочки, два месяца назад, в апреле, скончавшейся от СПИДа.

Зоя поблагодарила лаборанта и спокойно повесила трубку. Теперь она поняла, *что* чувствуют пациенты, узнавая от нее страшную новость: наступил конец света. Это обрушилось на нее как снег на голову, без всякой подготовки. Положительный результат... Значит, она больна СПИДом. Что станет с Джейд? Сколько еще она сможет проработать? Кто станет о ней заботиться, когда она сляжет? Что ей теперь делать? Страшное известие придавило ее к земле. Сначала Зоя отказывалась верить, что это возможно, но подозрения не покидали ее уже несколько недель.

Причиной послужила язвочка на губе. Язвочка быстро прошла, но подозрения остались. Будучи профессионалом, Зоя взглянула в лицо реальности и сдала кровь на анализ, зная, как это бывает, — изучила до тонкости на своих пациентах. Беспокойство было настолько сильным, что она уже несколько недель избегала Дика Франклина, хотя никогда не забывала о мерах предосторожности. С тех пор как десять лет назад ее возлюбленный умер от СПИДа, Зоя соблюдала меры безопасности и предупреждала всех своих мужчин об участи их предшественника. Дик не был исключением; оба были крайне аккуратны. Она никогда не подвергала его риску. Но если они продолжат встречаться, она скажет ему правду, он должен ее знать. Пока что у нее не было желания видеться с ним и сообщать что-либо. Она не могла представить его в роли сиделки; от него даже не приходилось ждать сочувственных слов. Недаром он предостерегал ее, что она слишком рискует. Зоя не первый врач, заразившийся от пациента.

Ричард Франклин — настоящий ученый, и их связывает тесная дружба, но он не из тех, к кому можно обратиться в трудную минуту. У Дика другое предназначение: с ним приятно провести вечер. Зоя заранее знала, как ужаснется Дик, когда услышит. Чутье подсказывало ей, что это положит конец их встречам. То же самое произойдет и с ее будущим, хотя медицинская карьера прервется не сразу. Как ей ни хотелось разреветься, она отдавала себе отчет, что не имеет права на слезы, не закончив приема больных. Однако в таком состоянии она может только навредить и без того страдающим людям.

— Можно? — Сэм Уорнер заглянул к ней в кабинет и вытаращил глаза. Можно было подумать, что в нее угодило ядро, причем самого крупного калибра.

— Что с тобой? У тебя ужасный вид, — выпалил он.

— Что-то нездоровится, — пробормотала Зоя. — Наверное, простудилась. Как бы не грипп.

— В таком случае тебе здесь не место, — твердо заявил он. — Не сочти, конечно, что я на тебя нажимаю с целью получить работу, но ты не должна подвергать пациентов риску инфекции.

— Я надену повязку, — пролепетала она, шаря в ящике стола. У нее слишком тряслись руки, чтобы завязать тесемки. Он ничего не сказал, только нахмурился. — На самом деле я... Со мной все в порядке. Просто болит голова.

— Ничего себе — в порядке! — Он снял с ее шеи стетоскоп. — Немедленно домой! Я закончу прием за тебя. Денег с тебя не возьму. Считай это подарком. Некоторые просто не знают чувства меры. — Он погрозил ей пальцем и чуть ли не насильно вытолкал из кабинета.

Она не стала сопротивляться, уже не в силах ни соображать, ни даже дышать. Зоя отказывалась верить в прозвучавший в телефонной трубке приговор. Значит, у нее тоже СПИД, та же неизлечимая болезнь, от которой мрут ее больные... Жизнь кончена... На самом деле при хорошем уходе она могла бы еще протянуть не один год. Однако в крови у нее вирус, он караулит ее, как снайпер, как бомба с часовым механизмом.

— Марш домой! — напутствовал ее Сэм. — В постель! Я к тебе загляну.

— Это совершенно не обязательно. Я здорова. Спасибо тебе за то, что взялся закончить вместо меня прием.

Какой славный малый! Она испытывала к нему самые теплые чувства. Он бесконечно добр и предупредителен с ее умирающими пациентами. Может, сказать ему, что произошло? Если признаваться, то в первую очередь ему. Нет! Пока она никого не поставит в известность. Не сейчас, потом, когда иначе будет уже нельзя. Ни Сэму. Ни друзьям. Никому, даже медсестрам. Единственный, кому она обязана сознаться, что инфицирована вирусом СПИД, — Дик Франклин, хотя всегда была крайне осторожна и не подвергала его риску. С чисто этических позиций его необходимо предупредить, хотя она и не собирается впредь с ним спать. Ни с кем другим ей не хотелось делиться своей страшной новостью. Она решила утаить ее, как поступала со всеми своими прежними неприятностями. Зоя Филлипс не станет лить слезы на чужом плече!

По пути домой Зоя все же не удержалась от слез и вылезла из своего старенького «фольксвагена» в ужасном состоянии. Датчанка взглянула на нее с ужасом, даже малютка Джейд при виде матери разинула рот.

— Маме грустно? — спросила она озабоченно.

— Мама тебя любит, — ответила Зоя, прижимая девочку к себе. Теперь надо стараться не порезаться, а если это все же произойдет, ни в коем случае не появляться рядом с Джейд. Может, пользоваться дома перчатками и повязкой? Она упрекнула себя за идиотские мысли и паникерство. Даром, что ли, она врач? Но как выяснилось, если речь идет о своей собственной жизни, рационализм и объективность даются с трудом.

Как советовал ей Сэм, она легла в постель. К ней под одеяло заползла Джейд, и Зоя долго лежала неподвижно, прижимая к себе девочку. Казалось, ребенок чувствует беду и догадывается, что может лишиться матери. Зоя напомнила себе: дело не в том, что это случится, а в том, *когда* это случится. Для любого носителя вируса вопрос стоит именно так. Зое, учитывая способ заражения, отведено мало времени. При мысли, что ей некому доверить Джейд, ее снова охватила паника. Придется серьезно об этом поразмыслить и поскорее принять решение.

Спустя час к ней заглянула Инга и сообщила, что звонит доктор Франклин. Немного поколебавшись, Зоя покачала головой. Инге было велено ответить ему, что Зои нет дома. Вернувшись, Инга передала ей номер в Стинсоне. Зоя решила, что не будет беседовать с ним по телефону, а пошлет письмо. Куда проще исповедаться письменно. Ее совесть была чиста: она всегда соблюдала осторожность и не подвергала его опасности заражения. Однако считала своим долгом поставить его в известность о случившемся, надеясь, что ему можно доверять: вряд ли он разгласит ее тайну. В немногочисленной среде врачей любят посплетничать, и ей не хотелось превращаться в притчу во языцех. Хотя когда ей станет совсем худо, весть пойдет гулять по врачебным кабинетам. Если повезет, этого не произойдет еще долго. А пока ее единственным доверенным лицом станет доктор Франклин. У нее вызывала ужас мысль, что коллеги начнут перемывать ей косточки.

Зоя не считала и Дика близким человеком, но полагала, что у нее нет выбора: ему она попросту *обязана* сказать правду. Ощущая эту обязанность как обузу, она тут же написала ему короткое письмо. В нем сообщила только самое необходимое: анализ выявил наличие у нее в крови вируса СПИД, и она сочла необходимым поставить его в известность, хотя они всегда избегали риска. Какое-то время ей надо побыть одной. Все. Тема закрыта — она осторожно прервала их связь, отпустив Дика на все четыре стороны. Перечитав письмо, Зоя подумала, что вряд ли снова услышит в телефонной трубке его голос.

Доктор Франклин был интересным и умным человеком, но ему определенно недоставало душевного тепла, — невозможно его представить в роли утешителя. От него не дождешься и встревоженного звонка, не говоря о предложении помочь с Джейд. Амплуа Дика как поклонника умещалось в ограниченные рамки: кавалер за ужином, в театре или опере, партнер в постели, человек, к которому есть смысл обращаться в радости, но не в горе. Сейчас она хотела от него одного: чтобы он не разнес весть о ее беде по всему Калифорнийскому университету, а это, она считала, для него совсем необременительно.

Закончив писать, Зоя снова легла и повозилась с девочкой. Немного погодя Инга унесла Джейд, чтобы накормить ее ужином. Уходя, она встревоженно посмотрела на хозяйку. Девушка еще не видела Зою настолько опечаленной и безжизненной. Зоя тоже никогда прежде не чувствовала себя столь опустошенной, не считая того дня, когда скончался ее друг. Сейчас она испытывала не боль, а ужас. Ей хотелось удрать, спрятаться, забиться под гору одеял, прижаться к близкому, все понимающему человеку. Увы, такового у нее нет.

Несмотря на сумерки, она не захотела включать свет. Из соседней комнаты доносились милые звуки: Джейд лепетала, Инга кормила ее ужином. Зоя погрузилась в сон. Она проснулась от звука мужского голоса. Открыв глаза, с удивлением обнаружила, что к ней обращается Сэм Уорнер. Стоя над ней, он щупал ей шею, стараясь определить, есть ли у нее температура.

— Как самочувствие? — ласково спросил он.

Никогда еще она не была так ему благодарна. Неудивительно, что ее пациенты души не чают в этом докторе! Он мягок и добросердечен. Иногда это даже важнее, чем чисто профессиональные познания.

— Нормально, — искренне ответила она. Однако это прозвучало не очень убедительно.

— Не морочь мне голову! — отрезал он. Аккуратно присев на край ее постели, он вгляделся в нее. Выражение ее глаз и цвет лица показались ему такими неважными, что он, не дотрагиваясь до нее, заметил непорядок. Сэм недоумевал: «Жара нет, но вид отвратительный!» Она выглядела крайне расстроенной. Ему пришло в голову подозрение, которое он не стал от нее скрывать: — Ты, случайно, не беременна?

Зоя не удержалась от улыбки. Если бы все было так просто и хорошо!

— Боюсь, что нет, — печально ответила она. — Но мысль приятная. Хотелось бы мне, чтобы это оказалось правдой!

— Был бы счастлив тебе помочь, если бы это привело тебя в чувство. — Она засмеялась, он взял ее за руку. — Знаю, это выглядит так, словно я клянчу работу, но поверь: я думаю сейчас не о себе.

Она улыбнулась, зная, что он замещает сразу нескольких врачей, — многие мечтали о такой подмене. На ее практику он не покушался.

— Тебе необходим перерыв. Не знаю, что тебя гложет... — Он был склонен объяснять ее состояние эмоциональными, а не физическими причинами, но чувствовал, что ей все равно нужен отдых. — В любом случае тебе надо немного отвлечься от работы. Нельзя выкладываться на четыреста процентов и надеяться обойтись без срыва. Почему бы тебе не смотаться на время?

Она вспомнила приглашение Дика Франклина присоединиться к нему в Стинсоне. Нет, теперь это выглядело бы нелепо, да у нее и не было желания проводить время с ним. Но слова Сэма ее убедили: настало время позаботиться о себе. Ей предстоит бороться за выживание и тем самым попытаться продлить свою жизнь. В данный момент это означает предоставить себе отдых и набраться сил.

— Я подумаю об этом.

— Держи карман шире! Знаю я тебя. Уже завтра явишься в семь утра как штык, чтобы приняться за обходы. Почему бы тебе не переложить эту приятную обязанность на несколько дней на меня, а самой прибывать на работу, как все цивилизованные люди, — в девять утра?

Предложение звучало настолько соблазнительно, что она не знала, как ответить. Она бы благодарила всего за один отгул, чтобы отоспаться и собраться с мыслями.

— Заменишь меня сегодня вечером и завтра утром? — спросила Зоя, снова борясь со слабостью, еще не зная, чем она вызвана: страшной болезнью, притаившейся у нее в крови, или эмоциональной опустошенностью, спровоцированной вестью о заражении?

— Я готов.

От его безграничной доброты Зоя испытала соблазн довериться ему и поделиться своей тайной. Однако сейчас ей никого не хотелось ставить в известность, даже Сэма. Он ей еще понадобится. Рано или поздно она будет вынуждена закончить практику; возможно, он станет ее партнером. Но говорить об этом преждевременно — эта мысль ее крайне удручала.

— Буду очень тебе признательна, — тихо сказала она.

Он встал.

— Ладно, не болтай. Лучше поспи. Я все сделаю. Завтра утром, проснувшись, ты, возможно, почувствуешь себя лучше, но все равно чтоб я тебя не видел в больнице! Почему бы тебе не сменить меня только в десять?

— Ты избалуешь меня и превратишь в лентяйку, Сэм! — простонала Зоя, откидываясь на подушки.

— Вряд ли это кому-нибудь удалось бы, — отозвался он из дверей, улыбаясь. Ему многое хотелось ей сказать: об уважении, дружбе, профессиональной взаимовыручке. Но почему-то в нужные моменты язык отказывался повиноваться. Вернувшись в Сан-Франциско, он сотни раз порывался назначить ей свидание, но она всегда соблюдала дистанцию. Пару раз он замечал ее в обществе прославленного Дика Франклина. Вряд ли между ними было что-то серьезное, но Сэм, конечно, не задавал вопросов. Несмотря на длительную дружбу с ним, Зоя никогда не откровенничала о своей жизни. Но Сэм ею был восхищен, да так сильно, что не сумел бы передать словами. Ради нее он был готов действительно на все.

— Спасибо, Сэм, — прошептала она.

Он помахал ей и затворил за собой дверь. Зоя еще долго лежала, горестно размышляя о работе, дочери, здоровье, будущем... Мысли пронзали мозг, как молнии, в глазах плыл туман. Внезапно она подумала о Тане. Предложение подруги как раз то, что ей рекомендовал Сэм и чего она бы сама прописала своей пациентке.

Заглянув в записную книжку, она нашла нужный номер. Сначала никто не подходил, но потом Зоя услышала ее голос. Таня тяжело дышала, рядом звучала музыка — певица занималась физкультурой у бассейна.

— Алло! — Если судить только по голосу, то она будто и не покидала колледж. Поразительно ее постоянство в одном и разительные перемены в другом.

— Танни? — Поначалу голос Зои был тих, жалостлив. Ей хотелось броситься подруге на грудь, залиться слезами. Однако ей удалось справиться с собой. Таня не заметила состояние подруги.

— Не думала, что ты так скоро перезвонишь! — Таня удивилась и одновременно обрадовалась. Вчерашнему разговору предшествовал двухлетний перерыв. Зоя могла пропасть еще на два года, но вместо этого она объявилась через сутки! — Что случилось?

— Совершенно безумная вещь! — Это еще мягко сказано! Но Зоя обошлась без уточнений. — Врач, иногда подменяющий меня в больнице, выгнал на несколько дней. Говорит, что помрет без работы.

— Серьезно? — Таня еще не избавилась от удивления: она по-прежнему не понимала причину звонка.

— Вот я и подумала... Ты что-то говорила о поездке в Вайоминг. Вряд ли, конечно, ты... Мне бы не хотелось навязываться... Ты едешь не одна? Я было решила...

Только теперь до Тани дошло, в чем дело. Лучшей возможности для встречи нельзя и придумать. Но если Зоя узнает, что Мэри Стюарт тоже едет, то, чего доброго, откажется. Объяснить все можно будет потом, на месте. Таня была убеждена, что если она снова сведет подруг, те восстановят прежние отношения.

— Нет, одна, — солгала она, после скороговоркой сообщила подробности и предложила совершить прямой перелет в Джексон-Хоул. Надо избежать приезда Зои в Лос-Анджелес: Мэри Стюарт и она отказались бы, чего доброго, сесть в один автобус. Другое дело — встреча прямо на ранчо: только там могло состояться счастливое примирение. Задача пока в том, чтобы не дать им встретиться раньше времени.

— В моем распоряжении будет не больше недели, — твердо предупредила Зоя. Мысль о дезертирстве из больницы уже вызывала у нее ужас. Впрочем, забота о собственном здоровье не оставляла ей иного выбора. Неделя — это в любом случае такой долгий срок!

— Ничего страшного. Главное, чтобы ты приехала, а там, глядишь, мы уговорим тебя продлить отпуск! — радостно выпалила Таня. Ничто не привлекало ее сейчас больше, чем отдых в обществе подруг молодости.

— Уж не везешь ли ты с собой мужчину? — спросила Зоя, обратив внимание на Танино *мы*. Та ее успокоила: множественное число употреблено просто так. Зое и в голову не могло прийти, что Таня пригласила не только ее, но и Мэри Стюарт.

— Ты прихватишь свою малютку? — последовал вопрос. Таня согласилась бы с любым вариантом.

Зоя долго думала, прежде чем ответить.

— Вряд ли, Тан. Больно она мала. Радости она не получит никакой. Мне тоже будет полезно ненадолго вырваться на свободу. — В действительности Зоя не была уверена, правильно ли поступает. У нее не лежала душа покидать ребенка и пациентов.

— Сама-то ты как? — осведомилась Таня. Голос Зои звучал странно, и Таня ощутила смутное беспокойство, хотя ни за что не догадалась бы, в чем дело.

Зоя ответила, что у нее все хорошо. Таня припомнила, о чем напоминает ей тон подруги: точно так он звучал несколько лет назад, когда Зоя находилась в смятении, как когда-то Элли. Они так давно не виделись, что Таня не посмела донимать ее расспросами, тем более обвинять в неискренности.

— За меня не беспокойся, — заверила Зоя. — Просто я жду не дождусь, когда мы с тобой свидимся. — Она была отличной наездницей и образцовой подругой; Таня надеялась, что при благоприятном стечении обстоятельств Зоя и Мэри Стюарт помирятся в первый же вечер, после чего все получится у них, как когда-то в старые добрые времена.

— До встречи на ранчо! — Таня положила трубку. Звонок Зои так ее обрадовал, что она чуть не пустилась в пляс.

— Увидимся! — Зоя заложила руки за голову. Как ей ни претило бросать все, особенно больных, она знала, что обязана так поступить. Она должна сделать все возможное, чтобы продлить свою жизнь, которая была ей дорога и раньше, но теперь, когда появилась малютка Джейд, ценность ее возросла многократно. Понимая, какое сражение ей предстоит, она чувствовала, что поездка в Вайоминг станет важнейшим этапом в подготовке к бою.

Глава 9

На следующей неделе Сэм проработал с Зоей несколько часов, знакомясь с контингентом больных. Кое-кого он уже знал, так как время от времени ее подменял. Но, прочитав истории болезни самых запущенных пациентов, он поразился их числу. Количество безнадежных больных равнялось полусотне. Не проходило дня, а то и ночи, чтобы эта печальная когорта не пополнилась.

Несчастных привозили друзья, родственники, даже чужие люди, прознавшие о деятельности Зои. Все очень мучились — как носители вируса СПИД, так и больные. Зоя окружала их заботой, особенно детей. Дети растрогали Сэма больше всего. Слишком много зараженных малышей. Он был готов благодарить Всевышнего за каждого здорового ребенка. Теперь он понял, почему Зоя так привязалась к Джейд, замечательной и совершенно здоровой малютке.

— Поверить не могу, сколько пациентов ты принимаешь ежедневно, — не выдержал он. — Кажется, это превыше человеческих сил! Неудивительно, что ты так устаешь.

Было бы гораздо проще признаться ему, в чем дело. Но зачем? Это не его проблема. Она твердо решила, что никого не станет обременять, покуда у нее хватит сил. Зоя уже рассчитала, как будет откладывать деньги на свое лечение и дальнейший уход. Единственной проблемой оставалась Джейд: что с ней станет после смерти приемной матери? Как ни страшны были такие мысли, Зоя знала, что обязана все обдумать. Как ни сопротивлялась она своей ужасной участи, душа уже начала с ней примиряться. Блестящую карьеру ждал печальный финал, но Зоя отказывалась рвать на себе волосы, оплакивать свой злой рок. Раз в ее распоряжении осталось немного времени, надо использовать его с максимальной пользой и удовольствием. Она, впрочем, знала, что ей, возможно, удастся протянуть не один год, а то и с десяток: так бывает, хотя и редко. Со своей стороны она собиралась предпринять все возможное и невозможное, чтобы попасть в категорию вирусоносителей-счастливчиков. Именно поэтому она согласилась на путешествие в Вайоминг: отдых, красоты, высокогорье, свежий воздух, радость от встречи с Таней, старой подругой, — все это должно пойти ей на пользу.

— А этот? — Сэм прервал ее раздумья, протянув очередную историю. Речь шла о молодом человеке, находящемся на поздней стадии заболевания. У него уже развилось слабоумие, и Зоя понимала, что его дни сочтены. Борьба за его жизнь велась на протяжении нескольких месяцев, и теперь Зоя мало чем могла ему помочь, разве что заботилась о комфорте, утешала его возлюбленного и ежедневно навещала.

Выслушав ее объяснения, Сэм покачал головой. Ему никогда еще не приходилось сталкиваться со столь своеобразным контингентом и с такой изобретательностью по части лечения; Зоя обладала такой бездной сострадания, что он был готов упасть перед ней на колени, как перед святой. Она дела все, что в человеческих силах, и даже больше, применяя новые антибиотики, болеутоляющие средства, не брезговала даже новомодным *глобальным подходом*. Она пыталась взять болезнь и приступом, и измором и не сдавалась до самого конца.

— В конце концов нам повезет, — пообещала она грустно.

Многие не доживут до этого счастливого дня. Среди *многих* теперь находится и она.

— Один раз им уже повезло: ведь они набрели на тебя! — Он смотрел на нее с возрастающим восхищением. Сэм всегда был к ней неравнодушен, а теперь и подавно. Она воплощала в себе лучшие черты эскулапа и при этом была приятным человеком, чего нельзя сказать о многих их коллегах. Он подозревал, что причиной происшедшей с ней перемены стала смерть от СПИДа ее возлюбленного, после которой минуло немало лет. Любила ли она кого-нибудь с тех пор? Скорее всего нет. Дик Франклин менее других мог претендовать на ее любовь. Сэму очень хотелось с ней сблизиться. Она всегда была открыта и чрезвычайно дружелюбна с ним, но он не ощущал с ее стороны нежного интереса.

Сама она последнее время считала, что не может позволить себе никакой близости. Она тщательно соблюдала дистанцию между собой и остальным миром, даже Сэмом, которого знала со студенческих лет. Ей не хотелось водить за нос ни его, ни кого-либо еще, не хотелось обманывать. Она всем давала понять, что как врач она доступна, но как женщина — ни в коем случае. Такова была единственно правильная линия поведения в ее ситуации. Она даже подумывала о дешевом обручальном колечке, чтобы на нее никто не заглядывался. Но главная ее забота теперь — стараться не думать о своем одиночестве.

Копаясь вместе с ней в историях, Сэм косился на нее и собирался с духом. В нем крепла решимость пригласить ее в ресторан. Они еще далеко не все обсудили, и он не торопился домой.

— Может, сходим перекусим, когда закончим? В соседний итальянский ресторанчик. Хочешь? — Выпалив это, он затаил дыхание. Каким же глупцом он ощущал себя сейчас! С другой стороны, иногда чувствовал себя в ее присутствии мальчишкой и радовался этому чувству. В ней ему нравилось все без исключения. Так было всегда. С годами он стал ею восхищаться.

— Было бы неплохо, — отозвалась она. Ей и невдомек истинный мотив его предложения. Зоя тоже хотела его куда-нибудь пригласить в благодарность за предоставленную ей возможность взять короткий отпуск. Правда, ее не покидало чувство вины, что она оставляет Джейд, но он обещал приглядеть и за малюткой: каждый день по дороге из больницы домой будет ее навещать.

— Ты не врач, а настоящая палочка-выручалочка! — выпалила она, устраиваясь вместе с Сэмом за уединенным столиком в маленьком итальянском ресторанчике. Она приглядела это место несколько лет назад благодаря тишине и хорошей кухне. Впервые после совместной учебы им с Сэмом предоставилась возможность просто посидеть и поболтать. Оба не удержались от улыбки, когда речь зашла о том, сколько понадобилось времени, чтобы к этому прийти. На протяжении целых восемнадцати лет их пути регулярно пересекались, но они никогда не оставались с глазу на глаз — так обоих увлекала работа.

Оба заказали равиоли. Он предложил ей выбрать вино, но она отказалась. Разговор снова зашел о работе. Где-то к середине ужина она заметила его мальчишескую улыбку, теплое, дружеское выражение глаз. С ним ей было поразительно легко, даже легче, чем прежде.

— Ты хоть чем-нибудь занимаешься, кроме работы? — участливо спросил он. Сэм восхищался ею, но при этом жалел. Она так старается ради людей, а он знал не понаслышке, сколько это отнимает времени и душевных сил. Казалось, никто и ничто не в силах ее изменить. Он не мог себе представить, чтобы ей что-то давала связь с Диком Франклином или с кем-либо еще вроде него.

— В последнее время — нет. Не считая Джейд, конечно.

— Ты когда-нибудь была замужем?

Как он и думал, она отрицательно покачала головой:

— Никогда. — Казалось, ее это нисколько не удручает. Ее устраивает такая жизнь, она счастлива с приемной малышкой. Вроде бы Зою полностью удовлетворяло ее существование. Но Сэма продолжало разбирать любопытство.

— Почему? — настаивал он. — Если ты, конечно, не возражаешь против допроса.

Она улыбнулась. Какие могут быть возражения? Кроме смертельной болезни, ей нечего от него скрывать.

— В молодости мне не хотелось замуж. Единственный человек, с которым я бы не возражала соединить свою жизнь, умер более десяти лет назад, заразившись СПИДом при переливании крови. Благодаря ему я открыла клинику. Он занимался медицинскими исследованиями и многого достиг. В сорок два года ему сделали коронарное шунтирование, что его и погубило. После переливания крови он не прожил и года. Я тоже хотела заняться наукой. Меня всегда влекли неразгаданные загадки, сложные болезни. Но когда участились случаи СПИДа, я увлеклась уходом за больными.

— Если бы ты пошла другим путем, для многих это стало бы огромной потерей, — искренне заметил он. Как лечащий врач она действительно творила чудеса. Он знал о гибели ее друга, но от других людей. Пока Зоя рассказывала, он наблюдал за ней. Она выглядела грустной, но не убитой горем, и он чувствовал, что она пережила потерю, хотя с тех пор так и не нашла никого, кто сумел бы ее восполнить.

— До СПИДа меня увлекал диабет у малолетних. По-своему это тоже беда, ничуть не меньшая СПИДа, просто на него не так обращают внимание.

— Мне это тоже интересно. Только я все равно что стервятник: люблю наведаться к другим врачам, там и здесь урвать сведения, решить кое-какие проблемы, сделать то, что по силам, и продолжить полет. Наверное, это безответственность, но мне никогда не хотелось иметь собственную практику. Сплошная писанина и возня, не имеющая отношения к медицине и больным. Мне нравится конкретная работа. Не люблю терять время на контракты, страховки, собственность, политику, в которую вовлечены остальные врачи. Возможно, я так и не повзрослел. Все жду, когда наступит день и я смогу примкнуть к группе врачей, начать с ними работать, но этого почему-то не происходит. Большинство коллег производит на меня отталкивающее впечатление, и я готов разве что их подменять, как тебя. В этом случае мне достается только хорошее, а плохого удается избегать.

Его исповедь вызвала у нее улыбку. Его рассуждения походили на жалобы врачей из отделений неотложной помощи: им тоже хочется лечить, а не возиться с бумажками. Но ей этот путь был заказан: так у нее не появилась бы своя клиника.

— Ты напоминаешь мне одинокого всадника, прячущего лицо под маской. Мои больные тебя любят, ты отличный врач. Не стану тебя осуждать за нежелание заниматься всякой ерундой. Мне самой не хватает партнеров, отсюда такая загруженность. Но с другой стороны, я тоже не хочу головной боли, споров, мелочной ревности и прочих проблем. Как ни ужасно это звучит, смерть Адама позволила создать именно такую клинику, какую мне хотелось. Но я до сих пор мучаюсь от отсутствия помощи. Она есть, но только от случая к случаю... — поправилась она с улыбкой, имея в виду его.

Сэму не терпелось узнать, что означает для нее связь с Диком Франклином, но он не решался спросить.

— Ты собиралась за Адама замуж, прежде чем он заболел? — Все, что касалось ее, было ему интересно: она сама, ребенок, которого Зоя удочерила, причины, по которым она так поступила, почему ее устраивает одиночество. Эта женщина его заинтриговала.

— Собственно, нет. Это могло бы произойти, но мы не говорили об этом. Он уже был женат и имел детей. А я слишком увлеклась созданием собственной практики. У меня были два врача-партнера, но потом я от них ушла. Брак никогда меня не привлекал, как и длительная связь. Мы часто виделись, были близки, но не жили вместе, пока он не оказался на пороге смерти. Тогда я на три месяца прервала работу, чтобы за ним ухаживать. Вот такая грустная история.

Судя по ее виду, она сумела примириться со случившимся. Речь ее звучала серьезно, но не скорбно. Со времени смерти любимого утекло много воды. Иногда она встречалась с его детьми, но близости между ними не было. Только после появления Джейд она наконец поняла, какая это радость — иметь детей. Сэм просил подробнее рассказать о малышке. Матери Джейд было девятнадцать лет, мужа у нее не было, желания воспитывать ребенка — тоже. Узнав, что ребенок родился от азиата, семья отказала ей в приюте.

— Это — величайшее событие в моей жизни, — призналась Зоя, после чего перевела разговор на него. — А ты? — Она знала, что, работая в Чикаго, он был короткое время женат. — Что стало с твоим браком? — Во время резидентуры они потеряли друг друга из виду. В Сан-Франциско Сэм приехал уже разведенным и предпочитал об этом не говорить, тем более что им с Зоей нечасто доводилось вести такие откровенные беседы, как сейчас.

— Женитьба длилась два отвратительных года — столько же, сколько резидентура, — ответил он, погружаясь в воспоминания. — Бедняжка, она меня почти не видела! Сама знаешь, как это бывает. Ей это не могло нравиться. Она поклялась, что никогда больше не свяжется с врачом. Но что поделать — генетическая предрасположенность! Ее отец — известный хирург в Гросс-Пойнте, брат — спортивный врач в Чикаго, а после меня она вышла замуж за пластического хирурга. Она родила троих детей, живет в Милуоки и, кажется, вполне счастлива. Я не видел ее уже много лет. Приехав в Калифорнию, познакомился с одной женщиной и прожил с ней не один год, но ни я, ни она не проявляли интереса к браку. У обоих за плечами неудачный опыт, и оба не были готовы его повторить. Честно говоря, ты чем-то на нее похожа. Она тоже святая, как ты. Ей всегда хотелось совершить что-нибудь незаурядное, и она подбивала меня. И в конце концов своего добилась — стала медицинской сестрой в лепрозории в Ботсване. — Зоя кое-что слыхала об этой героине, еще до того, как Сэм стал ей помогать. Встретиться с ней Зое не довелось. — Но я за ней не последовал.

— Вот это да! Серьезный поступок! — Зоя восхищенно посмотрела на него. История вызвала у нее неподдельный интерес. — Неужели она не смогла тебя уговорить к ней присоединиться? — Зоя усматривала в этом соблазн, но Сэм явно придерживался иного мнения. Он в ужасе затряс головой.

— Еще чего! — И усмехнулся. — Я очень ее любил, зато ненавидел и ненавижу змей и паразитов. Я никогда не был бойскаутом и отношусь к походной жизни и к спальным мешкам как к изобретениям инквизиции. Я не создан для служения человечеству посреди джунглей. Мне подавай удобную постель, вкусную еду, уютный ресторан, бокал вина. Самая дикая чащоба, какую я когда-либо видел, — это парк Голден-гейт. Рэйчел приезжает сюда раз в год. Я по-прежнему люблю ее, но мы теперь только друзья. Она живет с директором лепрозория, у них ребенок. Она обожает Африку и твердит, что я многое потерял.

— Что не имеешь детей или что живешь здесь? — спросила Зоя со смехом. Рассказ Сэма ее увлек.

— То и другое. Она говорит, что никогда не расстанется с Африкой. Я бы не был так категоричен: мало ли что выкинут тамошние политики! В общем, все это не для меня. Она очень славная и достойна восхищения. Она уехала пять лет назад. Время бежит слишком быстро. Мне уже сорок шесть. Наверное, я просто забыл жениться.

— Я тоже! — подхватила она со смехом. — Раньше мне не давали об этом забыть родители, но теперь они умерли, и меня больше некому теребить. — Главное — она теперь знала, что уже не выйдет замуж.

Сэм, поведав о своей жизни, осмелел:

— А доктор Франклин? — Как он ни боялся задать ей этот вопрос, любопытство пересилило. Она определенно не пыталась подманивать мужчин, и ему хотелось узнать, почему: из-за доктора Франклина или кого-то еще, ему незнакомого? Трудно поверить, чтобы такая женщина, как Зоя, зациклилась только на работе и ребенке.

— При чем тут Дик? — искренне удивилась Зоя. — Мы хорошие друзья, и только. Он интересный человек.

Сэм не желал довольствоваться этим и искал в ее глазах более искреннего ответа.

— А ты не очень откровенна.

— Что вам, собственно, хочется выведать, доктор Уорнер? Серьезна ли эта связь? Нет. Если на то пошло, я уже перестала с ним встречаться. Больше ни с кем не встречаюсь и не собираюсь менять свои установки.

Решительность, с которой она произнесла эти слова, показалась ему удивительной. Пока что он не разобрался, где зарыта собака, но решил поднажать:

— Собираешься в монастырь? Или настолько ценишь свободу?

Она усмехнулась. Это новый для нее поворот. Ей следовало многое почерпнуть у пациентов. Как поступают в подобных случаях они? Что говорят? Она знала, что многие заранее предупреждают потенциальных партнеров, что больны СПИДом, но лично у нее не поворачивался язык сказать об этом. Ей просто хотелось одиночества, спокойной жизни с Джейд. Если бы в момент, когда это произошло, у нее кто-то был, ситуация стала бы иной, но раз никого не оказалось, она не собиралась распахивать двери.

— У меня нет времени для близких отношений, — просто ответила она.

Он удивился еще больше. Ответ прозвучал, как приговор, что шло вразрез с ее характером. Невыносимо думать, что такая теплая, милая женщина отказывается от мужчин.

Сэм не собирался отступать:

— Ты хочешь сказать, что сознательно приняла такое решение? В твоем-то возрасте? — Вот ужас!

— Вроде того.

Она действительно приняла такое решение, но не хотела его посвящать в причины. Разговор становился опасным. Однако Сэм упорно гнул свое.

— Я уже никому ничего не могу дать, Сэм. Я слишком занята работой и дочерью. — Она произнесла это извиняющимся тоном, и Сэм почувствовал, что она говорит правду.

— Глупости, Зоя! Напрасно ты вбила это себе в голову. Жизнь — не только работа и ребенок. — Откуда такое стремление к одиночеству? Неужели она оплакивает старую любовь? Вряд ли, иначе не стала бы встречаться с Диком

Франклином. Тогда чем вызвано это самоограничение? Почему она прячется? Ему не верилось, что все объясняется полной сосредоточенностью на ребенке и работе. — Ты еще молодая женщина, Зоя, — грозно произнес он. — Зачем тебе так замыкаться? Подумай хорошенько! — Глядя на нее и понимая, что она не ломается, а говорит серьезно, он испытывал чувство личной потери. Она же, несмотря на свою улыбку, не собиралась отступать.

— Ты рассуждаешь, как мой отец. Он твердил, что слишком образованные женщины отпугивают мужчин и что я сделала огромную ошибку, поступив в Стэнфорд. Колледж — еще куда ни шло, но медицинский факультет — зря. Раз меня так влечет медицина, надо было выучиться на медсестру. Заодно сэкономила бы ему деньги.

Как она ни смеялась, Сэм грустно покачал головой. Он хорошо знал таких, как она. Вся его родня, включая мать, занималась медициной.

— Тебе действительно надо было ограничиться медицинским училищем, раз, став врачом, ты в итоге пришла к такому дурацкому решению. Пойми, Зоя, это же совершеннейшая глупость! — Уж не случилась ли с ней какая-нибудь беда, не приведи Господи изнасилование? Или ее расстроил какой-то своей выходкой Франклин, и рана до сих пор свежа? А может, встречается с кем-то тайком — скажем, с женатым мужчиной? Или просто хочет дать понять, не обижая, что он ей не интересен? Однако надеялся, что все же не так. Он отказывался ее понимать, но она была тверда.

Зоя перевела разговор на другую тему, чем еще больше его огорчила. Оказалось, у них гораздо больше общего, чем он раньше считал: отношение к людям, планы, взгляды на медицину и страсть ко всему, что с ней связано. Более того, он почувствовал, что его влечет к ней еще сильнее, чем он подозревал. Он обнаружил в ней мягкое чувство юмора и редкую сообразительность, поразительную искренность и непосредственность. Она называла вещи своими именами, тонко анализировала ситуации. Стоило ей упомянуть пациентов — и становилось понятно, насколько она их любит.

Зоя была первой женщиной за долгое время, сводившей его с ума. Сэма влекло к ней не первый год, но раньше он робел что-либо предпринять. Ему хватило совместного ужина, чтобы почувствовать, до какой степени он увлечен Зоей. Еще больше его завораживало ее нежелание даже обсуждать возможность связи с мужчинами. Он не сомневался, что она скрывает истинную причину, и подозревал, что речь идет о романе. Чем больше он размышлял об этом, тем больше склонялся к мнению, что таким образом она защищает своего женатого возлюбленного. Непонятно, почему она отказывается признаться в этом ему? На роман с женатым мужчиной указывало многое: время, которое она посвящает работе, нежелание вступать в брак. Она влюблена и не хочет об этом говорить! Открытие огорчило его сверх всякой меры.

Наблюдая за ним в течение всего ужина, Зоя почувствовала, что Сэм ей нравится. Он остался тем же, кем был всегда: эдаким плюшевым медвежонком, умницей, добряком, человеком, на которого можно положиться. Его преданность медицине под стать ее. Зоину клинику он считает необыкновенным заведением и готов превозносить до небес.

— Я много чего повидал, но твоя клиника нравится мне больше всего. Как ты поставила уход за больными, особенно на дому!

— Это было труднее всего: найти людей, которым можно доверять, не подвергая их постоянной проверке. Я, конечно, держу их под наблюдением, но во многом у них развязаны руки. Большая ответственность ложится и на самих больных. — За многими ухаживали почти без всякой профессиональной подготовки едва ли не до самого конца любимые и родственники. Смерть от СПИДа не относится к разряду легких...

Потом они заговорили о том, чего она от него ожидает во время своего отсутствия. Слушая ее, он ласково улыбался, зная, как трудно ей расстаться с подопечными, и уверял ее, что они попадут в хорошие руки. Она не сомневалась в нем.

— Расскажи мне о Вайоминге, — попросил он за второй чашкой капуччино. Он заметил, что Зоя выглядит очень усталой. Последнее время Сэм замечал, что она быстро устает, но не придавал этому большого значения. Она взвалила на себя такой груз, что ее постоянной бледности не приходится удивляться. Недавно он обратил внимание на ее худобу. Все указывало на то, что ей необходим отдых, и он был рад, что она наконец-то вспомнила о себе. — С кем ты туда едешь? Это, часом, не турпоход? — Как бы ему хотелось составить ей компанию!

Она встретила его предположение смехом.

— Вряд ли. Меня пригласила подруга молодости. Потрясающая особа! Мы давно не виделись, и вдруг она звонит и приглашает. Сначала я отказалась, но потом так гадко себя почувствовала, что согласилась. Поверь, с ней турпоход с рюкзаками за спиной исключен. Она еще более избалована, чем я. — Зоя была склонна ночевать на природе еще меньше, чем Сэм, и еще больше боялась насекомых, пауков и змей. — Она живет в Лос-Анджелесе. Уверена, что это будет роскошный пансионат-ранчо, как в кино.

— Кто она? — небрежно спросил он, принимая у официантки счет и открывая бумажник. — Тоже врач?

Зоя улыбнулась, предвкушая его реакцию.

— Вообще-то нет. Певица. Мы были школьными подругами, и она с тех пор нисколько не изменилась, как ни трудно в это поверить. Пресса совершенно ее затравила. —

Она покачала головой. — Не люблю говорить, кто она такая: все тут же делают на ее счет миллион выводов, один другого хлестче.

— Я заинтригован, — сказал он, отдавая официантке счет и деньги. На самом деле его больше всего интриговали ее темно-зеленые глаза, ее облик, вся она. — Не томи!

— Таня Томас, — произнесла Зоя как ни в чем не бывало. Для нее это просто имя, для остальных — шикарная жизнь, ложь на лжи, сладкий голос, волшебные картины. Она давно превратилась в легенду.

Сэм прореагировал, как все: широко раскрыл глаза и разинул рот. Потом он засмеялся, устыдившись собственной глупости:

— Не могу поверить! Ты с ней знакома?

— В колледже мы были лучшими подругами, жили в одной комнате. Я привязана к ней больше, чем ко всем остальным. Мы редко видимся, но стоит нам встретиться — и к нам возвращается молодость. Поразительно, насколько ничего не меняется, что бы ни происходило с ней и со мной. Такая это удивительная женщина.

— Вот это да! — Его восторг был совершенно искренним. — Знаю, это звучит глупо, но меня удивляет, что кто-то с такими персонами знаком, запросто с ними общается, а сами они едят пиццу, пьют кофе, как простые смертные, моют голову, носят пижаму... Очень трудно представить их обыкновенными людьми.

— Именно от этого она и страдает. Кажется, в очередной раз разводится. По-моему, Таня находится под таким давлением, что никакая нормальная жизнь попросту невозможна. Сразу после колледжа она вышла за славного паренька, своего школьного возлюбленного, но не прошло и года, как к ней пришел громкий успех. Она выпустила золотой диск, стала знаменитостью, что нанесло по их браку сокрушительный удар. Бедняга Бобби даже не понял, в чем дело. Таня, по-моему, тоже. Потом она вышла замуж за законченного негодяя, своего менеджера, который ее обирал и мучил, что можно было предвидеть с самого начала. Кажется, в их кругу так происходит сплошь и рядом, но она страдала не на шутку. Три года назад она вышла замуж в третий раз — теперь за торговца недвижимостью из Лос-Анджелеса. Я думала, из этого что-то получится, но теперь они разводятся, и он не разрешает ей везти его детей в Вайоминг, как планировалось раньше. У нее уже заказан домик в пансионате-ранчо, вот она и пригласила меня составить ей компанию.

В изложении Зои все звучало так обыденно, что он расхохотался:

— Вот это везение! Представляю, как вы будете веселиться!

— Главное — снова увидеться с Таней. Мы обе не мним себя великими наездницами. Я вообще буду целую неделю отсыпаться.

— Это пойдет тебе на пользу, — сказал он, с тревогой ее рассматривая. Она заметила в его глазах непонятное выражение. — Как ты себя чувствуешь, Зоя? У тебя усталый вид. Знаю, последнюю неделю тебе нездоровится. Ты перенапряглась.

Это было сказано так нежно, что она была тронута. Она привыкла заботиться о других, и ей казалось удивительным, когда кто-то проявлял заботу о ней самой.

— Со мной все хорошо, поверь. — Но поверит ли? Что Сэм увидел на ее лице? Вдруг у нее по-настоящему больной вид? Да, она утомилась, но, глядя в зеркало, пока что не замечала перемен. Ни язв, ни каких-либо иных признаков. Ничто еще не указывало на заражение СПИДом. Она знала, что так может продлиться очень долго. Но может быть и по-другому — внезапное проявление нескольких признаков одновременно. Любая инфекция теперь для нее смертный приговор. Что ж, она знала, как уберечься. — Очень мило с твоей стороны, что ты об этом спрашиваешь.

В следующее мгновение он удивил Зою еще сильнее: потянулся к ней через стол и взял ее руку в свою.

— Ты мне небезразлична. Мне очень хочется тебе помочь, но ты так упряма! — Он произнес это таким проникновенным тоном, что она не могла не заглянуть ему в глаза — темно-карие, источающие нежность.

— Спасибо, Сэм... — От избытка чувств она отвернулась, а спустя секунду высвободила руку. Она понимала лучше, чем когда-либо, насколько важно все время оставаться настороже. Да, он бесконечно добр и мил, но она не имеет права распускаться.

С Диком все несравнимо проще. Сначала они были просто друзьями, потом дружба переросла в интимную связь, не приносившую никакого вреда. Она не питала иллюзий насчет его отношения к ней. Ему просто хотелось иметь время от времени удобную партнершу, спутницу для посещения театра, оперы, балета, дорогого ресторана. Он не требовал от нее ни на йоту более того, что она была способна предложить. Напротив, дай она ему даже чуточку больше, это вызвало бы у него испуг. Дик в точности знал, как далеко он готов с ней зайти, и никогда не забывал про дистанцию. Да, ей хотелось более серьезной связи с мужчиной, но на протяжении многих лет рядом не появлялось людей, к которым бы ее тянуло, а дешевых подделок лучше было избегать.

И только теперь, когда так трагически изменилась вся ее жизнь, она обнаружила, что могла бы обрести счастье с Сэмом Уорнером. Раньше она не сознавала, какой это глубокий человек, как он добр, сострадателен, умен. Она привыкла воспринимать его как хорошего врача и славного парня. Как оказалось, он не исчерпывался только этим, а ее чувство к нему — простым приятельством.

Увы, она уже лишена права воспользоваться этой возможностью. Дверь в эту область жизни для нее заперта навсегда. Что она может дать теперь близкому человеку? Несколько месяцев? Лет? Даже пять — десять лет до обидного мало и несправедливо по отношению к нему. К тому же как ни мал риск заражения, он все же существует. Она уже пережила все это с Адамом и не желала повторения. Меньше всего ей хотелось подкладывать свинью Сэму. Ни за какие посулы она не согласилась бы с ним сблизиться. Они коллеги и друзья — пусть все так и остается. Она ни за что не позволит ему нарушить возведенный ею барьер! Он наверняка чувствовал это и потому пребывал в расстроенных чувствах, выходя с ней из ресторана. Зоя слишком нравилась ему, чтобы спокойно воспринимать это отчуждение. Он не знал причину и злился, но чутье подсказывало, что не в его власти что-либо изменить.

Усаживая ее в свою машину, он задержал на ней взгляд.

— Мне понравился этот вечер, — признался он.

Она кивнула:

— Мне тоже, Сэм.

— Хочу, чтобы ты хорошо провела время в Вайоминге, — продолжил он, заглядывая ей в глаза. Его мысли были осязаемы, и она отвернулась. Она не хотела, чтобы он стал открывать ей душу, просил то же самое сделать ее или, того хуже, вынуждал признаться в сокровенном. Она полна решимости скрыть свое горе от всех.

— Спасибо, что согласился меня заменить, — сказала она. Переключение с чувств на работу принесло облегчение. Она понимала, что они ступили на тонкий лед. Он сидел рядом в твидовом пиджаке и серой водолазке, такой привлекательный! Ей потребовалось собрать всю силу воли, чтобы не дать волю чувствам.

— Знай: я всегда все для тебя сделаю, — ответил он, не заводя двигатель. Ему хотелось сказать ей еще что-то, но он не знал, какие употребить слова. — Когда ты вернешься, мы поговорим.

Она не осмелилась спросить, о чем. Ей вдруг стало страшно, что сейчас он начнет на нее давить. Будет несправедливо, если это произойдет теперь! Жаль, что их взаимное влечение дало о себе знать так поздно. Раньше она не догадывалась о его отношении, более того, не замечала, как он привлекателен.

— По-моему, кое-что из того, что сегодня было сказано, заслуживает дальнейшего обсуждения, — проговорил он. Можно подумать, что он взялся ее запугивать.

— Не уверена, что ты прав, — тихо ответила она, медленно поднимая голову. Ее глаза были полны неизбывной грусти. Он напрягся, чтобы удержаться и не обнять ее, ибо понимал: сейчас она этого не желает. — Кое-что лучше оставить недосказанным, Сэм.

— Не согласен! — Он впился в нее взглядом, умоляя дослушать. — Ты отважная женщина. Я много раз наблюдал, как ты смотришь в глаза смерти, бросая ей вызов. Зачем трусишь, когда речь идет о твоей собственной жизни?..

Это заявление прозвучало очень странно. Ее охватила паника. Неужели догадался? Но нет, у него не было возможности проникнуть в ее тайну. Образцы для анализов обозначались только цифровыми кодами.

— Не трушу, — печально возразила она. — Я сделала выбор, диктуемый обстоятельствами, не из трусости, а по здравому размышлению.

— Чушь! — Он был теперь слишком близко, и ей стало страшно.

Она отвернулась и стала смотреть в окно.

— Не надо, Сэм. Я не могу... — В глазах у нее стояли слезы, но она старалась, чтобы он их не увидел.

— Скажи одно! — взмолился он, глядя прямо перед собой. Ему так хотелось обнять ее и осыпать поцелуями, но он не делал этого из уважения к ней и ее бредовым соображениям. — У тебя кто-то есть? Ответь честно. Я хочу знать.

Она долго колебалась. Он давал ей прекрасную возможность выпутаться. Требовалось всего лишь ответить, что у нее есть мужчина, но честность не давала ей соврать. Она даже не купила обручального кольца, хотя собиралась. Зоя покачала головой и снова посмотрела на него:

— У меня никого нет. Но это ничего не меняет. Прошу, пойми! Я могу быть тебе другом, Сэм, но не более того. Все просто.

— Не понимаю! — Он пытался скрыть свое отчаяние, но слишком его удручил ее ответ. — Я не требую от тебя никаких обязательств, а просто прошу ничего не скрывать. Если я тебя не привлекаю, если ты не испытываешь интереса к продолжению отношений, я готов тебя понять, но ты твердишь, что эта часть жизни перестала для тебя существовать. Как прикажешь понимать? Может быть, дело в человеке, которого давно нет на свете? Может, ты по-прежнему по нему тоскуешь?..

Конечно, с тех пор прошло одиннадцать лет, и он счел бы утвердительный ответ неискренним, хотя, с другой стороны, кто он такой, чтобы раздавать оценки? Она опять покачала головой.

— Дело не в этом. Я давно примирилась со смертью Адама. Поверь мне, Сэм, и прими предложение дружбы. К тому же, — она улыбнулась и дотронулась до его руки, — со мной не просто ладить.

— Это точно, — согласился он, включая зажигание. Не ожидал, что она так его заворожит. Конечно, Зоя много лет казалась ему привлекательной, но раньше он контролировал свои чувства и был готов на нетребовательные приятельские отношения. Теперь он сражен наповал и негодует, что она пытается захлопнуть за собой дверь. Одна эта мысль сводит Сэма с ума.

Он вез ее домой, то и дело на нее поглядывая. Она сидела рядом, такая мирная, прекрасная, почти светящаяся, напоминающая святую. Достаточно одного взгляда на Зою, чтобы понять, какая она одухотворенная женщина. Он напоминал себе, что от жизни невозможно ждать исполнения всех желаний, но применительно к Зое эта аксиома выглядела огромной несправедливостью. Остановившись у ее дома, Сэм обошел машину и распахнул дверцу, чтобы помочь ей выйти. Зоя показалась ему невесомым перышком, ее рука выглядела как детская ручонка.

— Постарайся отъесться на ранчо, — посоветовал он озабоченно. — Тебе это необходимо.

— Будет исполнено, доктор! — Ее взгляд светился нежностью. Как ей хотелось, чтобы звонок в лабораторию оказался дурным сном! — Спасибо за чудесный вечер. Когда я вернусь, мы с Джейд пригласим тебя с нами поужинать. Я большая мастерица по части приготовления хот-догов.

— Лучше я сам отведу вас куда-нибудь поужинать. — Сэм улыбался, но на душе было печально: ему так и не удалось сокрушить крепостную стену, за которой она пряталась. Он чувствовал, что у нее есть какая-то тайна. Сэм бы не смог ответить, что наводит его на эту мысль, просто видел это в ее глазах. Как он ни пытался, ему не удавалось проникнуть в тайник. Но и предпринятых им попыток оказалось достаточно, чтобы вселить в нее новый страх.

— Я превосходно провела время. Спасибо, Сэм.

— Я тоже, Зоя. Прости, если проявил излишнюю навязчивость. — Он боялся, что своей настойчивостью только усугубил ее скрытность.

— Что ты! Я все понимаю. — Она понимала даже больше, чем ей хотелось. Зоя была польщена и тронута, но ее решимость не ослабла, а, наоборот, укрепилась.

— Не уверен, что ты понимаешь. Я и насчет самого себя не уверен, — грустно возразил он. — Долго ждал этого дня. Как выяснилось, с самого университета. Наверное, с ожиданием вышел перебор. — Он удрученно уронил голову.

— Не переживай, Сэм. Все в порядке. — Она потрепала его по руке, и он медленно проводил ее до двери. Ему очень хотелось поцеловать ее на прощание. На следующий день он не должен был появиться в клинике, но она знала, что еще увидит его перед отъездом, и утешалась этим. Что-что, а совместная работа не возбранялась.

— До встречи, — сказал он и чмокнул ее в макушку в тот момент, когда она отпирала дверь. Потом сбежал вниз по ступенькам и, стоя у машины, устремил на нее прощальный взгляд. Она обернулась, и их глаза встретились. Помахав ему рукой, она исчезла. Спустя мгновение до нее донесся шум отъезжающей машины.

Сэм тяжело дышал. Вечер получился совершенно не таким, как он себе представлял. Но и Зоя повела себя неожиданно. Старая знакомая превратилась в мучительную загадку.

Глава 10

В день своего отъезда из Нью-Йорка Мэри Стюарт оглядела напоследок свои апартаменты. Жалюзи были опущены, шторы задернуты, кондиционер выключен, и квартира медленно нагревалась. Последняя неделя выдалась жаркой. Накануне вечером ей звонила из Голландии Алиса. Она получала огромное удовольствие от путешествия с друзьями; Мэри Стюарт заподозрила, что дочь переживает первое в жизни серьезное увлечение. Она была счастлива за нее, хотя и продолжала печалиться, что не смогла совершить вместе с дочерью путешествие по Европе.

С Биллом она беседовала несколько раз. Он работал как вол. Узнав о ее предстоящей поездке в Вайоминг, очень удивился. Он думал, что жена побудет с друзьями в Хэмптоне, где уже как-то побывала на День независимости. Ее дружбу с Таней Томас муж никогда не одобрял, поездку в пансионат-ранчо считал чудачеством. Разве ее тянет к лошадям? В прежние времена его доводы заставили бы ее одуматься, но на сей раз они оставили ее равнодушной. Главным было желание провести две недели в обществе Тани, остальное отступало на задний план. Видеть подругу, беседовать с ней, любоваться по утрам горами...

Ей внезапно открылось, насколько необходимо сменить обстановку и переосмыслить свою жизнь. Если он этого не понимает, тем хуже для него. Он улетел в Лондон на целых два месяца и не пожелал взять ее с собой, поэтому теперь не имел никакого права нарушать ее планы. Запретив ей лететь с ним в Лондон, он сознательно отказался от этого права. За последний год он много от чего отказался — как сознательно, так и волей обстоятельств, и ей хотелось серьезно об этом поразмышлять.

Она больше не мечтала о возобновлении прежних отношений с ним и не могла больше существовать в созданной им атмосфере, лишенная радостей, любви, самого воздуха. Накануне своего отъезда он на какое-то мгновение оттаял, но из этого еще не следовало, что в конце лета она увидит его воспрянувшим. И вообще Мэри Стюарт сомневалась, что когда-нибудь муж станет таким, как раньше.

Мэри Стюарт все отчетливее сознавала, что их отношения с Биллом закончились. И даже за то, что оставалось, вряд ли стоит цепляться. Ее пугали собственные мысли, но она не могла себе представить, как они снова станут жить вместе, не разговаривая, даже не дотрагиваясь друг до друга. Они расстались не только с сыном, но и с мечтами, с прежней жизнью. Сейчас она ощущала это особенно явственно. Поездка в Вайоминг — способ окончательно расстаться с прошлым. Былое не вернется никогда. Мэри Стюарт не возвратится больше к человеку, заставившему ее прожить целый год в тягостном одиночестве, если только он не одумается. Она даже подумала о том, что надо предложить Биллу продать квартиру. Во всяком случае, об этом необходимо поразмыслить.

Она прошлась по длинному коридору, задержалась немного возле комнаты Тодда. Все. От сына в доме не осталось и следа. Место для него сохранится только в ее сердце, в ее воспоминаниях.

Мэри Стюарт взяла чемодан и пошла дальше по коридору, думая о своей семье, об их былом счастье... Как же быстро все закончилось! И как странно размышлять об этом сейчас! У нее возникло чувство, будто она долго барахталась в ледяной воде и чуть не пошла ко дну, а теперь снова поплыла. Конечно, она еще не отогрелась, онемение не прошло, раны не зажили, но в голове впервые забрезжила мысль, что участь утопленницы ей, возможно, больше не грозит. Появился шанс, пускай слабенький, покинуть опасные воды. Наконец, оторвав взгляд от безмолвного коридора, она тихо затворила за собой дверь.

Привратник усадил ее в такси. Не прошло и часа, как она вошла в терминал аэропорта Кеннеди. Перелет в Лос-Анджелес прошел без приключений.

По сравнению с тихим отъездом Мэри Стюарт сборы в дорогу Тани были хлопотными. Она упаковала шесть больших сумок, две коробки со шляпами и девять пар ковбойских сапожек разных расцветок из крокодиловой и змеиной кожи. Экономка загружала автобус едой. Таня приобрела дюжину новых видеокассет, чтобы было чем развлечься во время поездки по Неваде и Айдахо. Ее предупреждали, что переезд будет долгим и утомительным, поэтому Таня решила захватить, кроме прочего, полдюжины новых сценариев — как всегда, она рассматривала несколько предложений сниматься в кино.

Часы показывали одиннадцать; самолет Мэри Стюарт приземлялся в половине первого. Перед отъездом Таня наметила заехать за снедью в магазин «Гелсен». В автобусе уже не было свободного места, но ей все казалось мало.

Водитель терпеливо ждал, пока Таня поцелует на прощание собаку, поблагодарит экономку и напомнит ей о мерах безопасности, заберет шляпу, сумочку и записную книжку. Она взбежала по ступенькам огромного автобуса с развевающимися волосами, в белой маечке и джинсах в обтяжку, в ярко-желтых ковбойских сапожках — самая старая пара, какая только у нее нашлась. Она купила их еще в Техасе на свое шестнадцатилетие, что подтверждал их вид, и не снимала их в колледже. Все знакомые знали ее пристрастие к этим сапогам.

— Спасибо, Том, — кивнула она водителю, и тот медленно вывел гигантский дредноут из ворот.

Внутреннее пространство колоссального автобуса было разделено на два отсека. Один представлял собой гостиную, отделанную тиковой древесиной и обтянутую синим бархатом, с удобными креслами, двумя диванами, длинным столом на восемь человек и несколькими уголками для приватной беседы. Вторая комната была выдержана в зеленых тонах; она легко трансформировалась из гостиной в спальню. В промежутке располагались большая кухня со всем необходимым оборудованием и ванная под белый мрамор. Таня приобрела этот автобус много лет назад, когда вышел ее первый платиновый диск. Убранством он смахивал на яхту или большой частный самолет и не уступал им по цене.

По пути в Вайоминг Таня и Мэри Стюарт могли ночевать в автобусе, останавливаясь рядом с мотелями и размещая там Тома. Благодаря сложной системе охраны им не грозила опасность. Иногда Таня брала с собой в дорогу телохранителей, но на этот раз решила, что обойдется без них. Она предвкушала два долгих дня в задушевных беседах с Мэри Стюарт. Находясь в дороге по десять часов в день, они смогут поужинать в Джексон-Хоуле вечером второго дня.

За десять минут до посадки самолета Мэри Стюарт автобус подъехал к зданию аэропорта. Таня встречала подругу в темных очках и черной ковбойской шляпе. Мэри

Стюарт предстала перед ней в джинсах и блейзере, с большой сумкой на плече. Как всегда, она выглядела безупречно — можно подумать, что за время полета ей выгладили всю одежду и сделали прическу.

— Знать бы, как это тебе удается! — воскликнула Таня, стискивая ее в объятиях. — До чего же ты всегда чистенькая и аккуратная!

— У меня это врожденное. Дети этого не переваривают. Тодд всегда пытался меня немного помять, чтобы я выглядела «нормальной». — Она произнесла это извиняющимся тоном.

Они взялись за руки и пошли к багажному транспортеру, где уже стоял Танин водитель, пришедший подсобить. Несмотря на все старания Тани остаться незамеченной, не прошло и нескольких минут, как на них стали оглядываться, люди зашептались, появились робкие улыбки. До появления ватаги подростков с блокнотами и ручками оставались считанные секунды.

— Можно получить ваш автограф, мисс Томас? — посыпались вопросы, сопровождаемые смехом и возней.

Таня привыкла к осаде и никогда не отказывалась давать автографы. Правда, она знала, что, если они не поторопятся, кучка поклонников вырастет в толпу. Опыт подсказывал, что от узнавания до возникновения давки проходит всего несколько минут. Через головы детей она посматривала на Мэри Стюарт, с улыбкой наблюдавшей за ней. Поставив закорючку на последнем клочке бумаги, она прошептала:

— Пора сматываться! Через минуту здесь такое начнется... — Она что-то сказала Тому, тот взял у Мэри Стюарт квиток на ее единственный чемодан, получив его короткое описание.

Затем Таня потащила подругу к выходу. Увы, к ним уже спешила орава женщин разных возрастов. Двое грубоватых типов схватили знаменитость за руки, один сунул ей под нос ручку.

— Ну-ка, Таня, распишись! Хорош же у тебя лифчик! — Оба ухмылялись, довольные своим юмором.

На счастье, Том заметил происходящее.

— Спасибо, ребята, в другой раз.

Не успела Мэри Стюарт и глазом моргнуть, как они выскочили наружу, опередив поклонниц. Две женщины уже приготовили фотоаппараты, но Том вовремя успел отпереть автобус и втолкнуть внутрь обеих подопечных.

Поспешное бегство произвело на Мэри Стюарт тягостное впечатление. Она — в который раз! — представила себе, до чего несладко живется подруге. Ведь то же самое грозит ей повсюду: в магазине, в приемной врача, в кино. Она нигде не могла появиться, не привлекая внимания. Что бы она ни делала, чтобы спрятаться, поклонники находят ее повсюду.

— Ужас! — вздохнула Мэри Стюарт.

Таня достала из холодильника две банки кока-колы и дала одну водителю, другую подруге.

— К этому привыкаешь. Почти... Спасибо, Том. Ты нас спас.

— Всегда пожалуйста. — Он сказал, что еще должен принести вещи Мэри Стюарт, и напомнил Тане запереть дверь.

— И не подумаю! Наоборот, высунусь и стану продавать билетики. — Она осталась в ковбойской шляпе. В ней и в ковбойских сапожках у нее был техасский вид.

— Все равно поосторожнее. — С этими словами водитель покинул автобус.

На тротуаре уже собралась толпа. Зеваки фотографировали автобус, тыкали в него пальцами, хотя ни заглянуть внутрь, ни опознать его не могли. Это был просто длинный блестящий черный автобус без единой надписи. Но знатокам надписи ни к чему: они и так все знают.

Вернувшись с чемоданом, Том был вынужден пройти сквозь кордон из полусотни галдящих и толкающихся людей. Когда он открыл дверцу, они попытались оттеснить его и забраться в автобус, но парень был не робкого десятка и никого не пропустил внутрь. Толпа не успела опомниться, а он уже сидел за рулем и заводил мотор.

— Боже, как они агрессивны! — Таня недовольно косилась на беснующуюся толпу.

Поклонники до сих пор ее пугали. Она была объектом непрерывного, изнурительного преследования, безжалостной охоты. Глядя на нее, Мэри Стюарт исполнилась жалостью.

— Не представляю, как ты все это терпишь, — молвила она.

Автобус поехал, обе уселись.

— И я не представляю. — Таня поставила баночку с колой на белый мраморный столик. — А что делать? Никуда не денешься, обязательное приложение. Объяснил бы мне кто-нибудь в самом начале, что микрофон не только средство излить душу, но и способ заработать головную боль! Сперва ты думаешь, что находишься наедине с музыкой. Но где там! Проходит совсем немного времени — и ты понимаешь, что жестоко просчиталась. Пожалуйста, пой себе — хоть в чистом поле, хоть в ванной, — но помни о последствиях. Если им позволить, они сожрут тебя с потрохами. Они готовы все тебе отдать: свои сердца, души, тела, если тебе этого захочется, — но взамен требуют всю тебя, до последней клеточки. Стоит раз оплошать — потом не соберешь костей. — Таня отлично знала, о чем говорит.

Она долго и упорно шла к признанию и уплатила за него высокую цену — много того, чего уже не вернуть. Она доверяла, любила, но больше всего трудилась — так, как никто. Мэри Стюарт хорошо это знала. В итоге подруга покорила вершину и осталась на пике славы в одиночестве — местечко оказалось не слишком уютным. Мэри Стюарт только догадывалась, каково ей, Таня же испытала все на собственной шкуре.

— Рассказывай, как дела. Как долетела? Как Алиса? — Таня уселась в большое удобное кресло — до Уиннемакки, что в штате Невада, где им предстояло провести первую ночь, путь неблизкий.

— Алиса в полном порядке. Она в Голландии. Кажется, влюбилась. У нее до того счастливый голос, что мне ее больно было слушать. Билл тоже не жалуется. — Про Билла ее еще не спросили. Назвав его, она тут же помрачнела. — Судя по всему, он очень занят. — Главное, не захотел, чтобы она была с ним, и этого Мэри Стюарт не могла ему простить. Она умолкла, но вид у нее был совершенно несчастный.

— Ладно, не темни.

— Я еще ни в чем не уверена. — Она долго молчала, глядя в окно. — Я все думаю...

Заглянув подруге в глаза, вспомнила их задушевные беседы в Беркли. Они доверяли друг дружке все свои мечты и не скрывали своих желаний. Тане хотелось тогда одного — выйти замуж за Бобби Джо. Мэри Стюарт собиралась работать, удачно выйти замуж, родить детей. Она вышла за Билла через два месяца после выпуска и какое-то время не сомневалась, что обрела желаемое. Теперь уверенности сильно поубавилось.

— Не знаю, захочу ли я вернуться, когда кончится лето, — тихо сказала она.

Таня вздрогнула.

— В Нью-Йорк? — Она не могла представить Мэри Стюарт калифорнийкой. Кроме Тани, у нее не было на западном побережье друзей, да и вся она принадлежала восточным штатам. Для такого решения требовалась большая смелость. Мэри Стюарт покачала головой. Ее ответ поразил Таню еще больше.

— Нет, к Биллу. Я еще не разобралась до конца, но когда он уехал, во мне что-то оборвалось. Он, видимо, считает, что ему теперь все позволено. Захотел — и поехал на два месяца в Лондон без меня, хотя я могла бы его сопровождать: его фирма оплатила бы мое пребывание. Но он этого не пожелал. У меня другая стезя: следить за его квартирой, принимать для него звонки, готовить ему еду. А он не считает нужным разговаривать со мной, заботиться обо мне, развлекать. Молча винит меня в гибели Тодда — во всяком случае, в том, что я его не остановила. Ведет себя так, словно мы перестали быть мужем и женой. Вот оно, наказание: я состою в браке, а он — нет. Это как приговор на пребывание в чистилище. Я позволила ему меня карать, потому что сама чувствовала себя виноватой. Но потом случилась странная вещь: стоило мне по твоему совету убрать вещи Тодда — и я вырвалась на волю. Конечно, мне грустно, я чувствую потерю, скорблю. — Вот и в последнюю ночь она проливала слезы по сыну и по своему замужеству. Недаром она чувствовала перед отъездом, что уже не вернется, а если вернется, то совсем другой. — Но виноватой я больше себя не считаю. Это произошло не по моей вине. Ужас, конечно, но Тодд поступил так по собственной воле. Я бы не смогла его остановить. Он не послушал бы даже мать.

— Ты действительно в это веришь? — спросила Таня с облегчением. Именно это она и пыталась внушить подруге в Нью-Йорке, но тогда Мэри Стюарт еще не была готова ее услышать. Видимо, Танины слова оказались не напрасны. Ей хотелось надеяться, что это так.

— Теперь верю, — спокойно ответила Мэри Стюарт. — А Билл, наверное, нет. Боюсь, он никогда не перестанет меня наказывать. — Глядя в окно на пейзажи округа

Лос-Анджелес, она вспоминала мужа. — Мы с ним больше не женаты, Тан. Все кончено. Если бы я задала ему прямой вопрос, он не смог бы этого признать. Но между нами все равно ничего не осталось, и он, по-моему, тоже так считает. Иначе я была бы сейчас не здесь с тобой, а в Лондоне с ним.

— Может, он просто еще не готов посмотреть тебе в лицо? — Тане хотелось быть к нему справедливой, но она подозревала, что Мэри Стюарт права. То, что она услышала от подруги в Нью-Йорке, звучало сущим кошмаром. Молчание, одиночество, боль отторжения... Даже для Тани его нежелание взять жену в Лондон выглядело признаком окончательного разрыва.

— По-моему, возвращаться некуда и не к кому. Мне потребовалось много времени, чтобы взглянуть правде в лицо. Особенно трудно это оказалось потому, что раньше я считала наш брак необыкновенно удачным. Больше двадцати лет — это о чем-то говорит! Раньше все было хорошо, даже очень... Мне казалось, что мы — близкие и счастливые люди. Просто поразительно, что так случилось в результате трагедии. Казалось бы, мы должны еще больше сблизиться, а тут...

— Как раз нет, — искренне отозвалась Таня. — Браки обычно не выдерживают потерю детей. Супруги либо начинают обвинять друг друга, либо замыкаются каждый в своей скорлупе. Сама я этого, конечно, не испытывала, зато много читала. Так что ваш случай — не исключение, а правило.

— Получается, все эти годы не в счет. Раньше я думала, что это все равно как деньги в банке: накапливаются, чтобы пригодиться при необходимости. А у нас получилось наоборот: крыша обвалилась, а свинья-копилка оказалась пустой. — Как ни печальна была ее улыбка, она уже смирилась со своей участью, хотя на это ушло всего несколько последних недель. Времени, истекшего после его отъезда в Лондон, ей хватило, чтобы разобраться в себе. — Если жизнь останется такой же, какой была весь последний год, я бы предпочла к ней не возвращаться. Вряд ли мы сможем что-то исправить.

— А ты попыталась бы, если бы он тебя об этом попросил? — осведомилась Таня. Подобно самой Мэри Стюарт, она всегда считала ее брак образцовым.

— Не уверена, — осторожно ответила Мэри Стюарт. — Пока что не знаю в точности. Мы прошли через такие мучения, что обратно идти я не хочу — только вперед. — Несколько минут они сидели молча, глядя на холмы возле Сан-Бернардино. Потом Мэри Стюарт задала Тане свой вопрос. Обе уже успели растянуться на диванчиках. Таня наконец-то сняла шляпу и сбросила сапоги. Путешествовать так очень удобно. — Что происходит у Тони?

— Ничего особенного. Он обратился к адвокату. Мои интересы тоже защищает адвокат. Так все обычно и бывает, но от этого не становится менее противно. Он требует дом в Малибу, а я не соглашаюсь его ему отдавать. Я сама его купила, вложила в него почти все деньги. В конце концов мне придется заплатить за дом немало отступного. Вот такие дрязги. Заграбастал «роллс-ройс», а теперь требует еще алименты и соглашение о разделе имущества и, видимо, добьется того и другого. Он твердит, что мой образ жизни причинял ему боль и страдания и теперь ему нужна компенсация. — Таня пожала плечами, Мэри Стюарт побледнела от негодования.

— Я думала, он постесняется... — Она всегда переживала за Таню, когда узнавала, как по-свински с ней обращаются. Казалось, люди считают возможным не церемониться с ней — звезда все стерпит. Даже Тони повел себя в конце концов как остальные. Все как будто забывают, что имеют дело с живым человеком. Так им проще — иначе было бы трудно заглатывать желанные куски.

Тане тоже не могло все это нравиться, однако она давно поняла, что иначе невозможно, и прекратила сопротивление. Такова цена славы.

— Он стесняться не привык, как, впрочем, и остальные. — Таня заложила руки за голову. — Так уж повелось. Иногда мне кажется, что я привыкла, иногда начинаю беситься. Мой юрист твердит, что это всего лишь деньги, мелочь, из-за которой не стоит расстраиваться. Но ведь это мои деньги, моя жизнь, за это я пашу как лошадь. Не могу понять, почему любой, кто появился вдруг в твоей жизни и какое-то время делил с тобой постель, получает право оттяпать половину твоего состояния. Слишком высокая цена за тройку лет в обществе типа, который просто запрограммирован на то, чтобы рано или поздно сделать тебе гадость. Как быть с моей болью, с моими страданиями? Очень просто: о них нет речи. Через месяц начнется бракоразводный процесс. То-то пресса порадуется!

— Неужели туда будут допущены журналисты?! — ужаснулась Мэри Стюарт. Сколько же можно ее терзать? Ответ ясен: сколько влезет. Так продолжается скоро уже двадцать лет.

— Куда они денутся? Газетчики, телевизионщики — милости просим! *Первая поправка* не разрешает вытолкать их в шею. — Это не цинизм, а знание законов своей профессии.

— Это не первая поправка к конституции, а выдумки и сплетни. Ты же знаешь!

— Скажи об этом судье. — Таня закинула ногу на ногу. Выглядела она потрясающе, но сейчас на нее никто не мог глазеть. Ей редко удавалось скрыться от жадных глаз.

Водителю Тому она доверяла безгранично. Он возил ее уже много лет и проявил себя воплощением деликатности. Отец четверых детей, он никому не рассказывал, на кого работает, а знай себе бубнил: «На междугородном автобусе». Он искренне уважал хозяйку и был готов ради нее на все.

— Ума не приложу, как ты умудряешься так жить! — восхищенно молвила Мэри Стюарт. — Лично я обезумела бы уже через два дня.

— Ничего подобного! Привыкла бы, как я. В этом деле есть свои преимущества. Они-то и манят, а когда ты начинаешь видеть истинное положение вещей, оказывается, что уже поздно, ты увязла по шею, да и вообще тебя не покидает мысль, что ты сможешь вытерпеть и досмотреть представление до конца. Честно говоря, я до сих пор не уверена, стоило ли все это начинать. Иногда у меня появляются сильные сомнения. А иногда мне очень даже нравится. — Она ненавидела давление, прессу, атмосферу вранья. Однако то, чем она занималась, доставляло ей удовольствие, и она делала выбор в пользу музыки. Когда музыка переставала звучать, она уже не понимала, что ее здесь удерживает.

Они надолго умолкли. Через некоторое время они приготовили сандвичи, один Таня дала Тому с чашкой кофе. Остановились они всего раз, чтобы Том мог размяться, а остальное время болтали и читали. Таня смотрела новый фильм, Мэри Стюарт спала — снимала с себя психологическое напряжение последних дней в Нью-Йорке.

С момента отъезда Билла Мэри Стюарт раздумывала над принятым ею ответственным решением, которое должно полностью изменить ее жизнь. Это вызывало одновременно и грусть, и облегчение. Таня не стала ее разубеждать. Зато Алиса расстроится, когда узнает о решении матери. О реакции Билла она даже не отважилась гадать. Возможно, он тоже испытает облегчение. Вдруг он весь год только об этом и мечтал, но не мог набраться храбрости ей признаться? Она, видимо, скажет об этом мужу, когда он вернется из Лондона, в конце августа или в сентябре, а пока она как следует обдумает свое будущее. После двухнедельного отдыха на ранчо Мэри Стюарт намеревалась пожить недельку у Тани в Лос-Анджелесе, потом провести несколько недель в Хэмптоне, где у нее хватало друзей, чтобы не соваться в Нью-Йорк, пока не спадет жара. Лето могло получиться интересным.

Проснувшись, Мэри Стюарт увидела, что Таня улыбается ей. Они давно оставили позади Южную Калифорнию и теперь пересекали Неваду.

— Где мы находимся? — Мэри Стюарт села на диване и посмотрела в окно. Даже сон не сказался на ее прическе и всем облике. Таня не вытерпела и растрепала ей волосы, как когда-то в колледже. Обе расхохотались.

— Тебе не дашь больше двадцати, Стью. Знала бы ты, как я тебя ненавижу! Я провожу полжизни на пластических операциях, а у тебя такой свежий вид. — В действительности обе выглядели прекрасно, гораздо моложе своих лет. — Между прочим, на прошлой неделе я опять говорила с Зоей, — как бы между делом вспомнила Таня. — Она все геройствует в своей клинике для больных СПИДом в Сан-Франциско. — Обе согласились, что это ей очень подходит. Таня пожалела вслух, что Зоя так и не вышла замуж.

— Я почему-то всегда подозревала, что так оно и получится, — задумчиво произнесла Мэри Стюарт.

— Почему, собственно? Она ведь не знала недостатка в кавалерах.

— Это-то да, но ее заботливость имела планетарный масштаб. Камбоджийские сироты, голодающие дети Эфиопии, беженцы из слаборазвитых стран — это ее всегда волновало больше всего. Клиника для больных СПИДом нисколько меня не удивляет, наоборот, как раз то, что я от нее ждала. А вот удочеренная крошка — это удивительно. Никогда не представляла ее матерью! Для материнства в ней слишком много идеализма: умереть ради дела, в которое она верит, — одно, а подтирать за конкретным ребенком — несколько другое...

Таня усмехнулась. Описание поразительно точное. Скажем, уборкой их жилища занимались исключительно Мэри Стюарт и Элли. Зоя постоянно пропадала на демонстрациях, а Таня либо болтала по телефону с Бобби Джо, либо репетировала предстоящее выступление. Домашнее хозяйство никогда ее не занимало.

— Как бы мне хотелось с ней повидаться! — Интересно, сильно ли разозлится Мэри Стюарт? Таня надеялась, что не очень. Если одна из подруг сбежит с ранчо, она умрет от горя. Мэри Стюарт — более вероятная кандидатка в беглянки: ведь это она смертельно обиделась на Зою, а не наоборот.

Однако слова Тани о желании повидаться с Зоей не вызвали у Мэри Стюарт никакой видимой реакции. Она просто отвернулась к окну, вспоминая былое.

Размолвка произошла перед самым выпуском из колледжа и здорово испортила всем настроение. С тех пор они никогда не собирались вместе. Мэри Стюарт с тех пор ни разу не виделась с Зоей, хотя иногда ее вспоминала. Зато Таня встречалась и с той и с другой. На встречи выпускниц в Беркли никто из них не ездил.

Следующие несколько часов они посвятили чтению. Мэри Стюарт взяла с собой целую стопку книг, Таня листала журналы и радовалась, не находя в них ничего про себя. В девять вечера они достигли Уиннемакки — маленького, но шумного городка, полного ресторанов и казино вдоль главной улицы, вернее, отрезка трассы. Том поставил автобус на стоянке мотеля «Красный лев», где заказал номер. Тане и Мэри Стюарт предстояла ночевка в автобусе, но вначале они собирались поужинать и поиграть в игральные автоматы. Ресторан оказался скорее забегаловкой, зато в него было понапихано больше полусотни игральных автоматов, а также столы для игры в «очко».

Таня натянула сапоги, надела ковбойскую шляпу и темные очки. У нее был с собой черный парик, но в жару она избегала его носить, хотя он часто оказывался кстати. Зайдя вместе с Мэри Стюарт в мраморную ванную, она вымыла лицо и покрасила губы. Мэри Стюарт выглядела как всегда отменно. Обе смущенно захихикали, понимая, какая это глупость — играть на деньги в какой-то Уиннемакке.

— Прекрати, детка! — прикрикнула Таня на подругу. — Дело-то серьезное. Нам светит крупный выигрыш. Главное, ничего не говори Тони. — Таня подмигнула. Удивительно, как быстро он ушел из ее жизни и как безболезненно был положен конец всем чувствам. Можно подумать, что они являлись просто знакомыми, а не мужем и женой. За истекшие дни он сумел так сильно ее разозлить, что она совершенно по нему не скучала. Иногда, конечно, кое-что вспоминалось и воспоминания вызывали грусть, но через минуту грусть проходила без следа. Этот брак был ошибкой: обычная связь, которую она по глупости возвела в неподобающий ранг. Теперь она испытывала боль, но не такую сильную, как опасалась сначала, и сама этому удивлялась. Одно из двух: или она стала толстокожей, или брак с ним никогда не был тем, чем она воображала. Как странно — супружество превращается в дым, словно его не было вовсе! Единственное, о чем она по-настоящему горевала, — дети.

Они вышли из автобуса. На вопросительный взгляд Тома Таня попросила его не беспокоиться за них и разрешила отдыхать, играть, спать — в общем, делать, что заблагорассудится. Он отправился в мотель занять номер и поужинать, а они поспешили разменять две бумажки по пятьдесят долларов на двадцатипятицентовые монеты. Для такой горы монет потребовалось целое ведерко. Им доставляли наслаждение игра, ерундовые выигрыши и наблюдение за публикой.

Автоматы вызывали интерес главным образом у женщин, очень похожих друг на друга: одинакового цвета волосы, свободные цветастые кофты, сигареты в зубах. Мужчины отдавали предпочтение игре в «очко» и спиртному. Когда Таня зааплодировала вывалившимся из автомата десяти монетам, мужчина, прилипший к соседнему, приветствовал ее ухмылкой. У него были длинные, как жерди, ноги и зад с кулачок. Трудно понять, как с него не сваливаются штаны. Физиономия его была покрыта двухдневной щетиной, руки — мозолями, зато на голове — шляпа почти как у Тани.

— Много выиграли? — поинтересовался он дружеским тоном.

Мэри Стюарт бросила на Таню испуганный взгляд. Обе не стремились к контакту с уиннемаккскими пьянчугами.

— Нет, пару долларов, — ответила Таня, хмурясь и делая вид, что увлечена игрой сразу на двух автоматах.

— Вам говорили, что вы похожи на Таню Томас? Только вы, конечно, повыше и помоложе.

— Вот спасибо! — Она старалась не смотреть ему в глаза. Шер, такая же, как она, известная певица и актриса, учила ее, что люди не узнают знаменитость, если не встречаются с ней глазами. Иногда это помогало, иногда нет. Может, сейчас поможет?

— Мне всегда это говорят. По сравнению со мной она коротышка.

— Я и говорю! Вы будете повыше. Но вообще-то она ничего. Нравится вам, как она поет?

— Ничего себе, — ответила Таня с сильным техасским акцентом. Мэри Стюарт чуть не покатилась со смеху. — Но сами песни глупые. — Кажется, получилось! Она изображала безразличие, дергая ручки.

— А вот и нет, — возразил мужчина. — Мне нравится.

Таня пожала плечами. Через некоторое время он отошел и уселся за игральный столик. Мэри Стюарт наклонилась к Тане и прошептала:

— А ты смелая!

Таня в ответ засмеялась и выиграла сразу двадцать долларов. Пока что у них был равный счет. Выходя из автобуса, они договорились, что прекратят игру, как только исчерпается их общая сотня.

— Иначе с ними нельзя, — весело отозвалась Таня.

Через некоторое время до них донесся женский голос:

— Глядите, Таня Томас!

Мужчина, разговаривавший с Таней, заверил, что это простое сходство; настоящая Таня гораздо ниже. Женщина тотчас согласилась, и продолжения не последовало.

— И моложе, — пробурчала Таня себе под нос и получила от Мэри Стюарт пинок.

От сотни осталась ровно половина. В десять часов они переместились в ресторан, чтобы утолить голод гамбургерами. Несколько человек уставились на Таню, но она сделала вид, что не обращает на них внимания. Особенно разволновалась официантка, но все же сомневалась, а задать прямой вопрос не осмелилась, поэтому им удалось поужинать спокойно, что для Тани являлось большой редкостью. Вернувшись к автоматам, они не отходили от них до полуночи. Под конец они разделили на двоих оставшиеся сорок долларов.

— Гляди, мы выиграли сорок долларов! — воскликнула Мэри Стюарт, как только за ними захлопнулась дверца автобуса.

— Ты что, дурочка? — засмеялась Таня. — Наоборот, проиграли целых шестьдесят! Начинали-то мы с сотней.

— Ой! — Мэри Стюарт изобразила удрученность, но ее хватило ненадолго. Раздеваясь и готовясь ко сну, обе хохотали как заведенные. Две длинные кушетки, разделенные столом, превратились в удобные кровати.

— Знаешь, ты — вылитая Таня Томас! — сообщила Мэри Стюарт подруге, когда та расчесывала в ванной густые светлые волосы.

Обе вспомнили юность и совместное проживание в общежитии колледжа. Таня гордо задрала подбородок. Несколько лет назад ей вставили имплантат с маленьким жиропоглотителем, благодаря чему у нее была шея молоденькой женщины.

— Только повыше и помоложе! — произнесли они дуэтом и дружно засмеялись.

— Самое ценное — «помоложе»! — проговорила Таня. — Недаром я, выходит, плачу такие деньжищи.

— С тобой не соскучишься, — сказала Мэри Стюарт, натягивая ночную рубашку. Много лет она так не веселилась; впервые за несколько месяцев совершенно забыла про Билла. Каким-то чудом у нее появилась собственная жизнь; то, что он ее отверг, конечно, печально, но уже не так важно. — Ты ведь почти совсем не изменилась. — Она внимательно разглядывала Таню в зеркале. Впрочем, то же самое можно сказать и о ней, а ведь она не прибегала ни к каким ухищрениям для сохранения облика.

— Меня интересует, как тебе удается оставаться такой же? Говоришь, ты ничего для этого не делаешь? А по-моему, вранье. — В действительности она не сомневалась в правдивости заверений подруги. Просто Мэри Стюарт повезло с костяком, с лицом, с генами. Красивая женщина — и этим все сказано. Они обе — красавицы.

Они улеглись, стрекоча, как девчонки, и проговорили с выключенным светом до двух ночи, после чего уснули и не просыпались до девяти утра. Том был предупрежден, что они позвонят ему в номер, когда соберутся.

Пока Мэри Стюарт принимала душ, Таня сварила кофе и приготовила в микроволновой печи сладкие рулеты. Потом душ приняла Таня. К половине десятого обе натянули джинсы и ковбойские сапожки, косметику наносить не стали.

— Знаешь, я так никогда не делаю, — призналась Таня, удивленно глядясь в зеркало. В Лос-Анджелесе она не позволяла себе выходить ненакрашенной. Другое дело — здесь. Еще одна ступенька к свободе показалась восхитительной роскошью. — Вечно я боюсь столкнуться с фотографом или репортером. А тут мне на все наплевать! — Она широко улыбнулась. Ей было просто хорошо, как и Мэри Стюарт. Обе свалили с плеч тяжкую ношу.

Через несколько минут они вернулись в казино. Прежде чем выйти из автобуса, Таня позвонила Тому и сказала, что они почти готовы. Они убрали постели, ему оставалось закончить уборку и заправить баки. У женщин еще было время скормить игральным автоматам по двадцать долларов. Однако на сей раз обе удвоили свой капитал. Вчерашний знаток куда-то подевался, его место заняли десяток таких же забулдыг, но никто не обратил на Таню внимания, что удивило Мэри Стюарт.

— Наверное, тебе стоит почаще разгуливать без косметики, — посоветовала она, залезая в автобус.

Том успел поставить кофейник.

— Спасибо, Том, — поблагодарила Таня водителя, обнаружив, что автобус приведен в полный порядок.

Мэри Стюарт была согласна, что лучшего способа путешествовать просто не существует. Теперь она понимала, почему Том называет автобус «сухопутной яхтой».

В десять часов с минутами они выехали из Уиннемакки и весь день мчались по Неваде. Пустыня угнетала их безжизненностью, но штат Айдахо, куда они въехали вечером, оказался настоящим зеленым сюрпризом. Они продолжали читать, разговаривать, спать. Таня связалась со своим офисом и сделала несколько звонков. На сей раз обошлось без сюрпризов. Никто ничего от нее не требовал, новые травмы и иски были отложены на потом.

— Вот тоска! — шутливо пожаловалась она Джин, сообщившей о полном штиле.

Разумеется, Таня благодарила судьбу за передышку. Новостью оказалось только послание от Зои — она прибывала в Джексон-Хоул вскоре после них. В аэропорту ее должна была встретить машина из отеля. Таня предполагала приехать на ранчо примерно в половине шестого, переодеться и поспеть к ужину. Она утаила от Мэри Стюарт сообщение Зои, хотя подумывала, что подругу стоило бы предупредить. Однако Мэри Стюарт так наслаждалась поездкой, и Тане не захотелось портить ей настроение. Последние часы в автобусе обе спали. Проснувшись, они задохнулись от величественного вида гор Титон — ничего подобного обе раньше не видели. Мэри Стюарт любовалась молча, Таня невольно стала напевать.

Это мгновение обеим суждено было запомнить на всю жизнь. Заслушавшись, Мэри Стюарт взяла Таню за руку. Так, рука в руке, они проехали Джексон-Хоул и устремились в Вайоминг, в городок Муз.

Глава 11

— Постоянно проверяй, хватает ли у нас АЗТ, — предупредила Зоя Сэма, передававшего ее багаж носильщику в аэропорту. — Ты не представляешь, как быстро все расходуется. Я стараюсь раздавать как можно больше АЗТ, одноразовых шприцев и так далее. Получается недешево. — Она отдала носильщику чаевые и билет, чтобы он зарегистрировал багаж. — Главное — постоянно подгоняй лабораторию. Если дать им волю, они будут тянуть целую вечность. Особенно это касается анализов детей: их результаты нужно знать немедленно!

Провожая ее к выходу, он видел, как она волнуется, пытаясь ничего не упустить.

— Может быть, это тебя удивит, — проговорил он, пропуская ее через металлоискатель, — но я тоже изучал медицину. У меня и диплом, и лицензия. Клянусь! — Он поднял ладонь.

Она нервно засмеялась.

— Знаю, Сэм. Прости. Ничего не могу с собой поделать.

— Понимаю. Но ты обязательно сделай над собой усилие и расслабься, а то прямо здесь у тебя произойдет сердечный приступ, и ты не доберешься до Вайоминга. Терпеть не могу заниматься реанимацией в людных местах. Мое дело — замещать врачей, уходящих в отпуск. — Он пытался поднять ей настроение. Ей хотелось прислушаться к его совету и расслабиться, но ничего не получалось.

Зоя чувствовала себя кругом виноватой: ведь она бросала на произвол судьбы своих больных и Джейд и уже сожалела, что согласилась ехать. Она готова была остаться, но это значило подвести Таню. Она обещала ей приехать и, конечно же, нуждалась в отдыхе. Иначе она поехала бы не в аэропорт, а к себе в клинику. Перед отъездом она исчерпывающе проинструктировала Ингу. Когда Джейд, чувствуя, что мать уезжает, залилась слезами, она чуть было не отказалась от поездки. Сэму пришлось тащить на лестницу чемодан и ее саму.

— Теперь я понимаю, почему ты никуда не ездишь, — сказал он, дожидаясь с ней вместе самолет. Он видел, как она бледна, и гадал, в чем причина — в плохом самочувствии, стрессе, нервах? Скорее всего и в том, и в другом, и в третьем. Сэм был рад, что она наконец-то сделает передышку, к тому же он любил ее замещать. Ему вообще нравилось приходить ей на помощь. Сейчас он добровольно жертвовал ее обществом, понимая, насколько ей нужны отдых и смена обстановки.

Они больше не возвращались к теме ее личной жизни. После памятного вечера в ресторане Зоя старалась, чтобы их разговоры не касались иных тем, кроме работы. Однако он не собирался складывать оружие. Он пообещал собственноручно приготовить ужин для нее и Джейд в честь ее возвращения из Вайоминга, и она была вынуждена на это согласиться. Ей виделась в этом возможность перевести их отношения в разряд чисто дружеских. Но он смотрел на это по-другому.

— Ты не забудешь осмотреть Квинна Моррисона? Я дала ему слово, что ты будешь его навещать в конце каждого рабочего дня. — Этому больному она очень симпатизировала, больше чем остальным: милейший человек семидесяти с лишним лет, он заразился СПИДом во время операции и сдавал на глазах.

— Обещаю, — заверил Сэм. В клинике она дала ему несколько тысяч поручений. Глядя на нее с нежной улыбкой, он обнял ее за плечи. — Еще я буду навещать твою дочку, чтобы помешать твоей помощнице поднимать на нее руку и заниматься в твоей спальне сексом, пока девочка смотрит телевизор.

— Что ты болтаешь? — замахала руками Зоя. Она не ждала от Инги ничего подобного.

Сэм засмеялся:

— Если ты будешь так нервничать, я заставлю тебя принять успокоительное.

— Отличная мысль! — Она уже начала принимать для профилактики АЗТ. Своим пациентам тоже рекомендовала делать это, не дожидаясь появления симптомов. Сэм получил от нее соответствующую инструкцию. — Напрасно я еду.

Видя, как она терзается, он предложил ей выпить кофе.

— Вряд ли кто-нибудь на свете заслужил отдых больше, чем ты, — серьезно сказал он, заказав два капуччино. — Остается только пожалеть, что ты едешь всего на одну неделю, а не на две. — Впрочем, оба знали, что о двух неделях не может быть и речи.

— Может быть, на будущий год...

— Я поражен! Ты действительно думаешь, что станешь теперь брать отпуск, как все нормальные люди? Я думал, эта поездка — исключение.

Возможно, он ошибается, но причина его ошибки совсем не та, что он мог бы подумать. Она смолчала.

— Посмотрим. Все будет зависеть от того, понравится ли мне эта поездка.

— Что же там может не понравиться? — Он однажды побывал в Йеллоустонском парке и вынес самые восторженные впечатления.

— Главное, чтобы ковбои были посимпатичнее.

Ему не нравилось, когда она его дразнила, но он готов стерпеть от нее и не такое.

— Что я слышу? То ты намекаешь, что собираешься стать монахиней, то несешься в Вайоминг соблазнять ковбоев. Здорово! Не знаю, соглашусь ли подменять тебя в следующий раз. Возьму и напою всех твоих пациентов плацебо.

— Не смей! — Она погрозила ему пальцем.

— Между прочим, я тоже иногда ношу ковбойские сапоги. Могу даже купить идиотскую ковбойскую шляпу, если это тебе нравится. А вот Дика Франклина я в роли ковбоя совершенно не представляю.

Она засмеялась.

Ему нравилось в отместку дразнить ее напоминаниями о Дике Франклине, который ему совершенно не по душе: напыщенный, заносчивый сноб. На одном медицинском совещании в Лос-Анджелесе они заспорили о методе хирургического вмешательства при раке груди, и Франклин обошелся с Сэмом как с несведущим новичком. Сэм, даже не будучи хирургом, полагал, что его мнение стоит принять во внимание. Дик Франклин так не считал.

— Я привезу тебе в подарок ковбойскую шляпу, — пообещала Зоя, вызвав у него улыбку. Она так и не убедила его в том, что у нее есть основания для одинокой жизни, и он не собирался признавать себя побежденным.

— Главное — не привези ковбоя.

— Я тебе позвоню, — пообещала она, когда самолет подъехал к рукаву. Она летела в Солт-Лейк-Сити, а там пересаживалась в маленький самолет, который должен доставить ее в Джексон-Хоул. Она подгадала так, чтобы оказаться там примерно в одно время с Таней.

— Передай от меня привет своей подруге. Хотелось бы мне с ней познакомиться!

— Я попрошу ее тебе позвонить, — пошутила она. В мире не найдешь ни одного человека, который не мечтал бы познакомиться с Таней — героиней всемирных грез.

Когда она взяла сумку, готовая скрыться в самолете, он внезапно посерьезнел.

— Позаботься о себе. Вам нужна передышка, мисс Зет. Используй это время себе на пользу. Ты этого заслужила.

Она кивнула, растроганная его взглядом и расстроенная тем, что не может ответить ему взаимностью.

Сэм вдруг прищурился.

— Я только сейчас спохватился. Ты взяла с собой аптечку?

— Да, а что? Она в чемодане, но чемодан сдан в багаж. Тебе понадобилось лекарство? — Зоя оглянулась, решив, что он заметил что-то, ускользнувшее от ее внимания. Она оказывала медицинскую помощь незнакомцам, только когда считала, что это действительно необходимо. — Где пострадавший?

— Пострадавшая. Речь о тебе. Не забывай, что у тебя отпуск. Так и знал, что ты сделаешь эту глупость. Постарайся не вынимать ее из чемодана.

— Вот еще! Я и не собиралась бегать с ней по ранчо. Взяла так, на всякий случай. — Пристально на него посмотрев, она спросила: — Ты хочешь сказать, что не берешь с собой аптечку, когда куда-то отправляешься? Лично я чувствовала бы себя без нее как без рук. — Она отлично знала, что он поступает так же. Такова привычка всех врачей.

— Это другое дело. Я — палочка-выручалочка. — Он смутился, и она подбодрила его улыбкой. Он обнял ее и хотел прижать к себе, хотя знал, что она избегнет поцелуя. —

Посвяти эту неделю себе. Забудь всех нас. Если ты мне понадобишься, я сам тебе позвоню.

— Честно? — Это было для нее очень важно.

Он кивнул.

Она недаром предпочитала его всем прочим подменяющим врачам: Сэм умел слушать, проявлял заботливость, в точности выполнял все инструкции. Оставаясь вместо нее, он не предпринимал попыток все переделать, поставить вверх дном. К тому же он был превосходным врачом, и Зоя ценила его способности. Она придерживалась мнения, что Сэм мог бы добиться в медицине гораздо большего, если бы захотел.

— Даю тебе слово: если что-нибудь случится, я немедленно поставлю тебя в известность. Ты тоже дай мне слово, что постараешься отдохнуть и возвратиться с румяными щечками и не такой худющей. Я даже разрешаю тебе посвятить всю неделю заигрыванию с ковбоями. Попробуй загореть и отоспаться.

— Попробую, доктор. — Она с улыбкой поблагодарила его за помощь и медленно побрела по рукаву к самолету.

Он махал ей рукой, пока она не скрылась из виду. Потом наблюдал, как самолет отъезжает на взлетную полосу.

Через минуту запищал пейджер, и Сэм бросился к автомату позвонить Зоиному пациенту. Для него наступила нелегкая неделя. Зоя тем временем взмыла к облакам и устремилась в сторону Вайоминга.

Полет в Солт-Лейк-Сити продолжался немногим более двух часов. Потом она два часа дожидалась следующего самолета. Ее подмывало позвонить Джейд, но она решила, что девочка расстроится, услышав ее голос так скоро и не понимая, где она находится. Лучше дотерпеть до ранчо. В аэропорту она пила кофе, читала газету и размышляла. Ей редко выдавалось время как следует поразмыслить. Из головы не выходил вчерашний разговор с Диком Франклином.

К удивлению, он позвонил, получив ее письмо, ставшее для него ударом. Поблагодарив ее за откровенность, Дик заверил, что не испугался за себя и сохранит все в тайне. Он не предложил продолжить встречи, но просил обращаться к нему, если ей что-нибудь потребуется. Узнав, как это произошло, Дик не удивился. Когда разговор закончился, Зоя подумала о том, что больше не услышит его голос.

Но ей все равно: в ее жизни нет больше места ни для него, ни для остальных мужчин.

Ей понравилось просто лететь в самолете, не отвечая на звонки телефонов и пейджеров, не осматривая пациентов, никому не приходя на помощь и не ломая голову, как помочь. Зоя любила свою работу, но уже сейчас чувствовала, что ей понравится и в отпуске. Ей требовалось подзарядиться энергией, накопить сил, которые очень понадобятся. Ведь она твердо решила, что будет продолжать лечить больных до последнего вздоха, отдаст пациентам все, что сможет, пока не исчерпает себя до конца. Так же щедра она будет по отношению к Джейд. Впрочем, о Джейд следовало подумать особо. У нее нет родных, которым можно было бы доверить дочь, и друзей, которые бы о ней как следует позаботились. Приятные знакомые есть, но детей она бы им не доверила. Можно бы поговорить на эту тему с Таней, но она еще не успела прикинуть, чем обернется такой разговор. Но по крайней мере не исключала и этот вариант. Что-то все равно надо будет предпринять.

Самолет в Джексон-Хоул вылетел вовремя и так же без опоздания приземлился. Часы показывали половину шестого. Зоя не знала, где сейчас может находиться Таня. Ближе к вечеру она должна нагрянуть на своем гастрольном автобусе. Им предстояло встретиться на ранчо, а сейчас за ней должны приехать из отеля. Багаж прибыл среди первых чемоданов, водитель уже поджидал ее. Все прошло как нельзя лучше.

Отель прислал за ней молодого человека в джинсах, сапогах и ковбойской шляпе, похожего на всех жителей Вайоминга сразу. Это был худой долговязый блондин по имени Тим, уроженец Миссисипи, студент университета Вайоминга, что в городе Ларами, подрабатывающий летом на ранчо. Главной его страстью оказались лошади. Всю дорогу эта тема не сходила у него с языка. Однако Зое, околдованной горным пейзажем, было трудно следить за его рассказом. Такой красоты она не видела никогда в жизни. В свете предзакатного солнца одни склоны отливали синевой, другие горели огнем. Вершины, увенчанные снежными шапками, можно сравнить лишь с видом Швейцарских Альп.

— Правда красиво, мэм? Задохнуться можно!

Она с ним полностью согласилась.

Следующие полчаса он взахлеб разглагольствовал о красоте гор. У Тима оказался дядя-ортопед, однажды лечивший ему сломанную руку. Рука срослась отменно: в прошлом году Тим участвовал в родео, и рука уже совершенно его не беспокоила, зато он сломал другую, а заодно и ногу. Ничего, в этом году его ждет новое родео.

— Здесь устраивают родео? — спросила она с любопытством.

— Еще бы! По средам и субботам. Скачка на бычках всех возрастов, метание лассо, полная программа. Вы уже бывали на родео?

— Пока нет, — ответила она с улыбкой. Таня — вот кто захочет поприсутствовать на представлении! Когда-то она увлеченно рассказывала о техасских родео. — Зато у меня подруга из Техаса.

— Знаю. — Он прикусил губу, словно сказал что-то неприличное. — Я знаю, кто она, но нам на ранчо не разрешается об этом болтать. Миссис Коллинз гневается, если персонал доставляет знаменитостям малейшие неудобства. Иногда нас посещают большие шишки! Кого я только не повидал за время работы здесь!.. — В его взгляде читалась верность профессиональному долгу. Наверное, поэтому Таня и выбрала именно это ранчо. — Мы никому ничего не рассказываем.

— Представляю, как высоко она это оценит, — сказала Зоя.

— Их автобус прикатит с минуты на минуту, — поведал Тим.

Она не знала, почему он сказал *они*; скорее всего имелись в виду Таня и водитель. Зоя не удосужилась задать уточняющий вопрос. Спустя пять минут они съехали с шоссе, миновали несколько ворот и потащились по извилистому проселку, который Тим назвал *дорожкой*, но которому не было видно конца. Минут через десять они достигли нескольких домиков у подножия холмов; рядом стояли огромный сарай и несколько просторных загонов с лошадьми. Повсюду — чудесные деревья, домики в образцовом порядке. Высящиеся над ними Титонские горы создавали картину поистине сказочную!

При регистрации Зое сказали, что мисс Томас еще не приехала, однако это не повлияло на оказанный ей самой теплый прием. Сама усадьба оказалась старой и уютной. Стены были украшены головами антилоп и бизонов, полы покрыты роскошными шкурами, из окна открывался захватывающий вид на горы. Камин был таким огромным, что в нем мог бы поместиться, не сгибаясь, рослый мужчина. В таком уютном местечке, наверное, здорово греться долгим зимним вечером. В углу мирно переговаривались постояльцы. Зоя узнала, что в этот час большинство переодевается в своих домиках к ужину. Ужин подавали в семь.

Ей вручили кипу рекламных листков и брошюру. Тим проводил ее в домик. *Домиком* это можно было назвать разве что из скромности: в нем могла бы комфортабельно разместиться состоятельная семья из пяти человек. Зоя одобрила большую, удобную гостиную с камином и пузатой печкой, отгороженный кухонный отсек, диваны с удачно подобранными покрывалами. Здесь царила атмосфера американского юго-запада с привкусом стиля племени навахо. В целом же обстановка очень походила на разворот в журнале «Аркитекторал дайджест», где недавно поместили репортаж об этом ранчо-пансионате. Спален в домике три, все огромные, с чудесным видом из окон. Вокруг дома — раскидистые деревья.

Зоя поняла, что здесь ее будут баловать. Тим принес чемодан и поинтересовался, какую спальню она предпочитает. Зоя решила дождаться подругу и предоставить выбор ей. Одна спальня была чуть больше, две другие — меньше, но хороши все три комнаты: с огромными кроватями, нарочито грубой мебелью, камином. Ей даже захотелось попрыгать на какой-нибудь из кроватей, как на батуте, и повизжать, как в детстве. После ухода Тима она не сдержала восторженного смеха. Зоя долго бродила из комнаты в комнату, не удержалась и полакомилась нектарином из огромной вазы с фруктами на кофейном столике. Здесь же стояла корзина со свежим печеньем и коробка с шоколадом. Секретарша Тани поведала менеджеру ранчо о вкусах хозяйки, и убранство гостиной полностью им соответствовало: повсюду цветы, содовая вода и пиво из корнеплодов в холодильнике, Танино любимое печенье, крекеры, йогурты... Бесчисленные полотенца и ароматное мыло во всех трех ванных комнатах...

— Ух ты! — громко восхитилась Зоя, набродившись вдоволь. Потом она села на диван и стала ждать. Скрасить ожидание помогал телевизор.

Минут через десять послышалось тихое урчание мотора. Автобус прибыл без опоздания. Зоя подошла к входной двери, как хозяйка дома. Увидев ее, Таня выскочила из автобуса и бросилась ей на шею. Обнимаясь с подругой, Зоя увидела, что из автобуса выходит кто-то еще. Она удивилась, но ее удивление не шло ни в какое сравнение с тем, что испытала Мэри Стюарт. Та словно приросла к месту, не зная, что делать: вернуться в автобус или все же войти в дом, затем в нерешительности перевела взгляд на Таню. Ее разбирала ярость.

— Просто не верится, что вы посмели это устроить, — выдавила она, впрочем, вынужденная признать, что Зоя удивлена не менее. Видимо, для нее это тоже стало сюрпризом.

— Она ни при чем, — поспешила объяснить Таня. Том уже выносил из автобуса чемоданы. — Бейте меня. Только сначала дайте объяснить, как все получилось.

— Не трудись, — резко бросила Мэри Стюарт. — Я уезжаю!

Том удивленно посмотрел на Таню, слишком занятую подругами, чтобы что-то ему объяснять.

— Перестань, Мэри Стюарт. Давай сначала попробуем. Мы так долго не собирались вместе, вот я и подумала...

— Напрасно. Я пережила такой тяжелый день, а ты еще... Не надо было этого делать. — Мэри Стюарт стояла бледная от гнева.

Слушая ее, Таня боролась со слезами, понимая, что поступила как эгоистка. Ей просто захотелось оказаться в обществе обеих подруг. Впрочем, пригласив их, она не переставала беспокоиться, что из этого получится. После их размолвки прошло двадцать два года. Казалось бы, за этот срок старые раны должны затянуться, однако...

— Прости, Мэри Стюарт, — тихо молвила Зоя. — Я не должна была приезжать. В Сан-Франциско у меня по горло дел плюс маленькая девочка. Будет разумнее, если уеду я. Я и не собиралась приезжать... Поужинаем, и я вас покину.

Зоя говорила спокойно, мягко, за два десятилетия привыкла вразумлять больных, несчастных, часто взбудораженных, а то и обезумевших людей и научилась сохранять спокойствие, даже когда ее обуревала горечь.

— Это лишнее. — Мэри Стюарт пыталась взять себя в руки, понимая, что допустила бестактность. Слишком велико было ее изумление, и она сорвалась. — Я запросто могу улететь утром в Нью-Йорк. — Говоря это, она чувствовала огромное разочарование.

— Что за идиотки! — воскликнула Таня, чуть не плача. — Не могу поверить, что вы способны упираться по прошествии двадцати с лишним лет. Боже, нам скоро по сорок пять! Вам что, нечем больше заняться, кроме как вспоминать детские обиды? На меня ежедневно вываливается столько грязи, и я не помню, что происходило даже неделю назад, а вы что-то лепечете... — Она жгла взглядом обеих.

Мэри Стюарт и Зоя смущенно переглядывались, Том знай себе заносил в дом их вещи. Он собирался поселиться в отеле в Джексон-Хоуле и приезжать только в случае, если Тане захочется совершить экскурсию. Нелепая сцена перед домом привела его в недоумение.

— Может, все-таки войдем и обсудим все в нормальной обстановке?

Все трое вошли в гостиную. Том занес в дом съестное и удалился. Женщины застыли, не зная, как быть. Таня завладела инициативой.

— Сядьте! Нечего меня нервировать. — Она взволнованно расхаживала по комнате. Таня и Мэри Стюарт были одногодками, Зоя — на год старше, но всем трем ни за что нельзя было дать их возраст. — Значит, так, — продолжила Таня, когда подруги уселись. — Примите мои извинения. Наверное, я не должна была этого затевать. Но мне так хотелось снова собраться! Я очень по вас соскучилась. Таких подруг, как вы, у меня нет и не было. Всем остальным на свете на меня наплевать. Мужа у меня нет, детей тоже, теперь даже приемных. Все, что у меня осталось, — это вы. Мне захотелось возродить былое. Наверное, это кретинизм. Но давайте хотя бы попробуем!

— Мы обе тебя любим, — спокойно проговорила Мэри Стюарт, стараясь держать себя в руках. — За себя я могу говорить со всей ответственностью. Уверена, что то же самое относится к Зое, иначе ее бы здесь не было. Ведь не ради красот природы и не ради ковбоев мы сюда явились! — Слушая ее, Зоя улыбалась и кивала. — Просто мы с ней друг друга не выносим, вот в чем дело. Думаю, провести две недели в таком обществе затруднительно. — Зоя снова кивнула.

Таня совершенно отчаялась. Конечно, первого изумления и вызванного им негодования, она понимала, не избежать, но никак не ожидала, что обеим захочется бежать без оглядки. Теперь она увидела, как глуп ее замысел. Надо было пригласить либо Мэри Стюарт, либо Зою.

— А один вечер? Мы весь день ехали и не чувствуем под собой ног. — Говоря о себе и Мэри Стюарт, она умоляюще смотрела на Зою. — Ты тоже добиралась сюда на двух самолетах. Вон какой усталый у тебя вид! То есть выглядишь отлично, — поправилась она, — просто утомилась. Три усталые женщины! Мы ведь больше не дети... — Никто не улыбнулся. Все трое ломали головы, как теперь быть. — Давайте побудем вместе хотя бы один вечер, а потом пускай каждая решает, как ей поступить. Я не стану выкручивать вам руки: если вы захотите смотаться, я пойму, что совершила непоправимую глупость. И конечно, тоже уеду. Торчать здесь одной две недели слишком тоскливо. — Ее слова звучали нелепо, учитывая прелесть этого уголка.

Зоя первой откликнулась на ее призыв. Переводя взгляд с Тани на Мэри Стюарт, она молвила:

— Сегодня я не уеду. Ты права. Обратный путь слишком долог, к тому же я не уверена, что сегодня есть обратный рейс. Здесь не аэропорт Кеннеди. — Она улыбнулась Тане и неуверенно покосилась на Мэри Стюарт: — Так тебя устраивает, Стью? — Оказалось, что ей ничего не стоит назвать ее прежним именем.

— Вполне, — вежливо ответила Мэри Стюарт. — Я улечу в Нью-Йорк завтра утром.

— Ты это брось! — одернула ее Таня. — Кто обещал провести неделю со мной в Лос-Анджелесе? — Их упрямство начало ее раздражать. Поведение Мэри Стюарт казалось ей неразумным, хоть она и знала, что старые раны порой заживают с большим трудом.

— Я тоже улечу завтра, — убежденно произнесла Зоя.

Таня решила больше не настаивать. Хорошо, хоть проведут здесь ночь. Для начала сойдет и это. Вдруг до утра произойдет чудо и они передумают?

— Выбирайте себе спальни, — предложила Таня, снимая шляпу и вешая ее на крючок.

В доме имелись всевозможные приспособления: вешалки, рожки для обуви, даже перчатки на случай утренней прохлады. На случай дождя в шкафах были заготовлены плащи. Хозяева позаботились об удобствах и не поскупились на роскошь. Таня и та никогда не видела ничего похожего.

— Мне здесь нравится, — призналась она и осторожно улыбнулась.

На сей раз подруги улыбнулись с ней за компанию. Как ни странно им снова оказаться вместе, все трое вынуждены были согласиться, что попали в удивительное место, а *домик* — просто чудо!

— Тебе предоставили нечто особенное, Тан, или здесь всех встречают одинаково? — поинтересовалась Зоя. Она сомневалась насчет равенства, так как слишком многое указывало на особый прием, включая специально подобранные в соответствии с их возможными наклонностями журналы.

— Думаю, что хороши все домики, — ответила Таня, наливая себе пиво. — Неделю назад отсюда звонили и у моей секретарши узнали, что́ я люблю есть, пить, читать, каким мылом моюсь, сколько кладу под голову подушек, сколькими одеялами укрываюсь, какие видеофильмы смотрю, нужен ли мне факс, дополнительные телефонные линии. Я ответила, что хватит одного номера, но настояла на факсе и трех видеомагнитофонах и позволила себе пофантазировать насчет ваших вкусов по части съестного и выпивки. Если вам хочется еще чего-нибудь, выкладывайте без стеснения.

— Потрясающее место! — согласилась Мэри Стюарт, изучив все спальни. На обратном пути она чуть не натолкнулась на Зою.

— Как твои дела? — спросила та участливо.

Взгляд бывшей подруги заставил Мэри Стюарт смешаться: в глазах стояли грусть и боль.

— Неплохо, — тихо ответила Мэри Стюарт. Ей очень хотелось расспросить Зою, как она сама прожила все эти годы. Впрочем, про клинику она знала от Тани.

— Я слышала о твоем сыне, — Зоя инстинктивно дотронулась до ее руки. — От Тани. Это такая несправедливость... Я все время сталкиваюсь с ней и никак не могу привыкнуть, особенно когда человек уходит в таком молодом возрасте. Так жалко!

— Спасибо, Зоя, — ответила Мэри Стюарт, смахивая слезы и отворачиваясь. Ей не хотелось, чтобы Зоя видела ее заплаканной, но Зоя все равно чувствовала, каково ей. Она отошла, чтобы не усугублять горе матери.

— Ну, разобрались, кто где спит? — Вернувшись в гостиную, Таня догадалась, что Мэри Стюарт только что всплакнула. Уж не вышло ли у них новой ссоры? Впрочем, обе выглядят вполне мирно. Она поняла, что разговор коснулся Тодда, и приподняла бровь, взглянув на Зою. Та утвердительно кивнула.

В конце концов женщины выбрали себе комнаты. Та, что побольше, имела, помимо душа, ванну и джакузи, и Зоя с Мэри Стюарт настояли, чтобы ее заняла Таня, хотя та с радостью отказалась бы от привилегии в их пользу. Посопротивлявшись, она согласилась, но сказала, что они могут в любой момент воспользоваться джакузи. Подруги ответили, что это лишнее, потому что утром их все равно здесь не будет. Таня едва не упрекнула их в ослином упрямстве, но в последний момент сдержалась и молча прошла к себе переодеться к ужину. Подруги поступили так же.

Зоя позвонила из своей комнаты домой, там еще не успело произойти ничего из ряда вон выходящего. Инга сказала, что все в порядке, и позвала к телефону Джейд, которая даже не расплакалась от звука маминого голоса. Она хотела было вызвать по пейджеру Сэма — узнать, как обстоят дела в клинике, но не стала: у него и так достаточно хлопот без ее вопросов.

Незадолго до семи вечера все трое сошлись в гостиной. Таня надела черные замшевые брюки в обтяжку и ковбойскую рубаху с бисером; волосы она убрала назад и закрепила черной лентой. На ногах высокие ковбойские сапоги, тоже из черной замши, купленные специально для этой поездки. Зоя надела джинсы, бледно-голубую кофточку и туристские ботинки; Мэри Стюарт — серые брюки, бежевый свитер и мягкие мокасины от Шанель. Они остались такими же, какими были всегда: поразительно дополняя друг друга, совершенно друг на друга не походили. Все-таки их соединяло что-то большее, неподвластное суетным раздорам, и даже давняя ссора двух подруг ничего не могла изменить. Таня знала честность и порядочность обеих, и они должны махнуть рукой на глупую размолвку. Ее влекло к подругам так сильно, словно существует незримый канат, не позволяющий ей от них отдаляться. Вернувшись в гостиную, она застала подруг за разговором о Зоиной клинике: Зоя с жаром что-то рассказывала, Мэри Стюарт завороженно слушала ее.

— Потрясающее подвижничество! — восхищалась Мэри Стюарт по дороге в ресторан.

После этого обе умолкли, словно внезапно вспомнили, что давно не разговаривают. Но стоило им сесть за стол, как разговор возобновился. Таня рассказала о своем предстоящем концертном турне, о кинофильме, в котором она как будто соглашалась сниматься. Подруги пожелали ей всяческих успехов. Им предложили занять столик в углу ресторана. Конечно, все присутствующие беспрерывно крутили головами, любуясь Таней, но никто не посмел клянчить автограф или заговаривать со знаменитостью, за исключением хозяйки ранчо Шарлотты Коллинз, остановившейся возле них и пожелавшей приятного отдыха.

Шарлотта — интересная женщина с широкой улыбкой и проницательными голубыми глазами, от которых ничто, казалось, не может ускользнуть. У нее все под контролем: каждое помещение, каждый отдыхающий. Она в точности знает, что делает в любой момент каждый ее служащий и что требуется клиенту. Организация пансионата вызывала восхищение и у Тани, и у всех остальных. На Шарлотту со всех сторон сыпались благодарности и комплименты.

— Надеюсь, вам у нас понравится, — искренне пообещала она.

Ни Зоя, ни Мэри Стюарт не осмелились спросить ее о рейсах и признаться, что утром уезжают.

— Спрошу в администрации после завтрака, — сказала Мэри Стюарт, когда Шарлотта Коллинз прошла к другим столикам. Она решила, что полетит в Лос-Анджелес и переночует в «Биверли Уилшер». Можно также полететь в Денвер. Зоин маршрут и того проще: она отправится домой тем же путем, каким прилетела.

— Сейчас я не желаю об этом говорить, — оборвала обеих Таня. — Лучше подумайте хорошенько о своем поведении. У вас столько подруг, что вы можете себе позволить расплеваться с теми, кого знаете полжизни?

Увы! Причина их раздора достаточно серьезна, и Тане это хорошо известно. Просто ей хотелось положить этому конец. Двадцать один год — вполне приличный срок и можно наконец покончить со старым. Они слишком необходимы друг другу, чтобы так легкомысленно расстаться.

Речь зашла об Алисе, Джейд, только не о Тодде. Ни Мэри Стюарт, ни Таня не упомянули мужей. Говорили о чем угодно: о путешествиях, музыке, общих знакомых, книгах, запавших в память, Зоиной клинике. Потом стали вспоминать о колледже, людях, которых терпеть не могли и которых обожали, о смешных субъектах, однокашниках, заставивших о себе говорить в последнее время, о дураках, слюнтяях, тупицах, вульгарных девицах, героях девичьих грез. Многие из бывших знакомых погибли во Вьетнаме перед самым подписанием мира, и это было самой большой несправедливостью — лишиться друзей в последние часы. Но что было, то было...

Многие умерли в мирные годы, некоторые — от рака. Зоя знала истории всех болезней от коллег и друзей, а также потому, что жила в Сан-Франциско, откуда многие их однокурсники так и не уехали, так как город находится недалеко от Беркли. На протяжении всего разговора подруги ни разу не упомянули Элли. Возвращаясь в дом, они продолжали обсуждать старых друзей, и только в гостиной Таня впервые произнесла запретное имя. Она знала, что Элли не выходит у подруг из головы, и решила доставить им облегчение.

— Представляете, столько лет прошло, а я по-прежнему по ней тоскую.

Воцарилось долгое, тягостное молчание. Потом Мэри Стюарт кивнула.

— Я тоже, — тихо призналась она.

Элли была душой и сердцем их маленькой компании. Она всегда оставалась самой внимательной, чуткой, нежной. Это была веселая, даже дурашливая девушка, готовая на что угодно, лишь бы рассмешить остальных, вплоть до появления на вечеринке в чем мать родила, размалеванная белой краской. Поступив так однажды, заработала соответствующую репутацию. Она откалывала безумные номера, вызывая всеобщий смех. А потом из-за нее пролились горькие слезы. Ее смерть стала страшным ударом для всех, особенно для Мэри Стюарт — ведь она и Элли были закадычными подругами. Все трое думали о ней, когда Зоя нарушила молчание.

— Жаль, тогда я не ведала того, что знаю сейчас, — мягко сказала она Мэри Стюарт. Таня молча ждала. — У меня нет права говорить тебе все. Сейчас просто не верится, какой я была глупой. С тех пор часто об этом думаю. Однажды я села писать тебе письмо — тогда у меня впервые покончил с собой пациент. Я восприняла это как кару свыше за то, что так жестоко обошлась с тобой. — Казалось, это послужило ей напоминанием о том, что случилось с Элли и как она была несправедлива к Мэри Стюарт. — Ведь в таких вещах некого винить, и мы не смогли бы ей помешать, даже если бы попытались. Поначалу вмешательство, безусловно, помогло бы, но потом она все равно бы это сделала, раз появилась такая склонность. В молодости я была слишком невежественна: думала, кто-то из нас должен был заметить грозные симптомы, и в первую очередь ты, раз была с ней наиболее близка. Я не могла поверить в то, что ты не знаешь, как она глотает таблетки и пьет. Теперь понимаю: это продолжалось не один месяц; наверное, она научилась скрывать свои пороки. Элли могла остановиться, если бы захотела, но вся беда в том, что она не хотела и поступила по собственному желанию и разумению.

От Зоиных слов Мэри Стюарт расплакалась. Ей казалось, что речь идет не об Элли, а о ее Тодде. Зое это, конечно, невдомек. Таня обняла Мэри Стюарт.

— Жалко, что я тогда так и не написала тебе, Стью, — сожалела Зоя. Теперь и у нее глаза были на мокром месте. — Я никогда не могла простить себя за то, что тебе наговорила. Кажется, ты тоже меня не простила. Я не осуждаю.

Ссора положила конец их союзу. Зоя обошлась с ней жестоко, несколько дней не давая ей спуску, и даже на похоронах отказалась сесть рядом. Обвиняя Мэри Стюарт в том, что та не смогла схватить подругу за руку. Мэри Стюарт страшно переживала из-за несправедливых слов, хотя тогда поверила в их обоснованность. Ей потребовались годы, чтобы преодолеть чувство вины из-за неспособности спасти подруге жизнь. Она долго еще ощущала себя убийцей...

А потом история повторилась с Тоддом. Казалось, ужас так никогда и не прекращался. Только теперь стало еще хуже: прокурором выступил муж.

— Прости меня! — произнесла Зоя, подсев к ней. — Я весь вечер хотела сказать тебе эти слова. Даже если мы обе завтра утром уедем — тем более если мы так поступим, — я не смогу успокоиться. Просто обязана сказать тебе, что была тогда не права, показала себя настоящей дурой. Ты правильно делала, что все эти годы меня ненавидела. Прости, если сможешь. — Она говорила все это сквозь слезы. Сейчас ей важнее всего покаяться и примириться с людьми, которых когда-то обидела, а у Зои таких наберется немного.

— Спасибо тебе за эти слова, — проговорила Мэри Стюарт, рыдая и обнимая подругу. — Только я всегда считала, что ты права. Я сама не могла понять, как не раскусила, что она затевает? Как я могла быть такой слепой? — Те же вопросы она задавала себе, лишившись сына. В некотором смысле гибель Тодда очень напоминала гибель Элли — как возврат старого кошмара, только проснуться нет никакой возможности. Кошмар длится без конца...

— Она струсила и захотела умереть, — просто заявила Зоя. Двадцать лет практики многому ее научили. — Ты не смогла бы помешать.

— Хотелось бы мне в это поверить! — грустно отозвалась Мэри Стюарт. Она уже не знала, о ком они толкуют — о подруге или сыне.

— Уж я-то знаю! — Зоя так же твердо стояла на своей новой позиции, как когда-то на противоположной. — Ведь Элли не хотела, чтобы ты узнала, чем она занимается. В противном случае ты бы еще сумела ее остановить. А так все было бы бесполезно.

— Жаль, что я даже не попыталась. — Мэри Стюарт смотрела на свои руки, безжизненно лежащие на коленях. Две женщины не сводили с нее глаз. Тане стало тревожно. — Жаль, что в обоих случаях я ничего не знала. — Она подняла глаза, и подруги прочли в них муку.

— В обоих?.. — переспросила Зоя, не понимая, о чем речь.

Мэри Стюарт не торопилась отвечать. Затем она подняла голову — и Зоя поняла, что готова умереть за обеих подруг. Только сейчас она осознала, *что* пережила Мэри Стюарт!

Сколько бы лет ни минуло со дня смерти Элли, она переживала ее снова и снова, с каждым разом все мучительнее. Зоя догадалась, *что* имела в виду подруга, когда говорила об *обоих*.

— Боже! — Она обняла ее и зарыдала с ней вместе. — Боже, Стью, какой ужас!

— Хуже! — всхлипнула Мэри Стюарт. — Это было невозможно вынести. Билл говорил то же самое и еще почище. — Казалось, от рыданий у нее вот-вот разорвется сердце. Но сама Мэри Стюарт знала, что этого уже не произойдет: от ее сердца уже давно остались одни осколки. — Билл по-прежнему считает меня виноватой. Он меня ненавидит! Сейчас он в Лондоне, без меня, потому что не может меня видеть, и я его не осуждаю. Он считает меня убийцей его сына; самое меньшее, что я, по его мнению, совершила, — это позволила сыну умереть. Помнишь, ты считала то же самое насчет Элли...

— Я была тупицей, — ответила на это Зоя, продолжая обнимать Мэри Стюарт. Какое же слабое утешение — ее слова! — Мне было всего-то двадцать два года. Что ожидать от желторотой кретинки? А вот Биллу должно быть стыдно.

— Он убежден, что я могла остановить Тодда.

— Значит, кто-то должен открыть ему глаза, что такое самоубийство. Учти, Стью: если он этого захотел, его не оттащил бы от пропасти целый табун диких лошадей и ты бы не увидела никаких предупредительных сигналов.

— Я их и не видела, потому что он их не подавал. — Мэри Стюарт высморкалась в платок, протянутый Таней.

Зоя откинулась, не убирая руки с ее плеча.

— Тебе не за что себя винить. Остается смириться со случившимся. Как это ни ужасно, ты уже ничего не изменишь. Ведь даже тогда ты не имела власти над событиями. Теперь у тебя одна возможность — продолжать жить, иначе погубишь себя и всех своих близких.

— Это и происходит. — Мэри Стюарт снова высморкалась и улыбнулась сквозь слезы обеим подругам. — От нашего брака не осталось ничего. Абсолютно ничего!

— Если дело в том, что он тебя обвиняет, еще не все потеряно. Кто-то должен его вразумить.

— Пусть этим занимается мой адвокат. — Мэри Стюарт грустно улыбнулась, подруги ответили ей улыбками. Она уже начала приходить в себя. Зоя держала ее за одну руку, Таня за другую. — Я почти окончательно решила поставить на этом точку. Когда он приедет из Лондона, то услышит, что все кончено.

— Что ему там понадобилось? — полюбопытствовала Зоя. Семья подруги как будто жила в Америке, а не в Англии.

— Занят на крупном судебном процессе. Это работа на два-три месяца, но он не позволил мне его сопровождать.

Зоя приподняла одну бровь. На ее лице появилось давнее *циничное* выражение, так памятное подругам. За прошедшие десятилетия она здорово смягчилась, но такой характер трудно переделать.

— У него, случайно, никто не завелся?

— Вряд ли. Со времени смерти Тодда мы с ним ни разу не были близки. Он вообще перестал до меня дотрагиваться. Это как безмолвное наказание. Наверное, я вызываю у него такое отвращение, что прикоснуться ко мне превыше его сил. Но в появление другой женщины я не верю. Это было бы слишком просто.

— Что-то я сомневаюсь!.. — бросила Зоя. Сейчас и в тоне ее цинизма было больше, чем сочувствия.

— Некоторые люди после подобных травм превращаются в лед, — молвила Таня. — Типичная реакция. Я уже о таком слыхала. Но сохранению брака это, конечно, не помогает.

— Вот именно! — Мэри Стюарт попыталась улыбнуться. — Я уже знаю, как поступить. Он все равно не сможет простить, так что с этим лучше покончить. Жить с ним — все равно что ежеминутно вспоминать о своем прегрешении. Я так больше не могу.

— И не надо, — поддержала ее Зоя. — Пускай посмотрит правде в глаза, в противном случае ты будешь вынуждена от него уйти. По-моему, ты на правильном пути. Но как к этому отнесется твоя дочь?

— Боюсь, она сочтет меня виновницей развода, — ответила Мэри Стюарт со вздохом. — Вряд ли поймет, как меня замучил отец. С ее точки зрения, он просто очень занят. Сначала я тоже так считала. Но со временем он перестал скрывать подлинное отношение. Я больше этого не вынесу, даже ради Алисы или его самого. Я ему больше не жена. Мы не разговариваем, никуда не ходим, он от меня шарахается. Видели бы вы, как он на меня смотрит! Я бы предпочла побои.

— Тогда уходи! — решительно произнесла Зоя. Они не виделись двадцать лет, но сейчас всем троим казалось, что они перевели стрелки назад, в самое начало.

— Раз он причиняет тебе такие страдания, значит, без него тебе будет лучше, — подхватила Таня. — Я через это проходила, ты тоже выдержишь. Все мы через это проходим.

— Мы прожили в браке двадцать два года. Трудно самой все это перечеркнуть.

— Скорее всего все и так давно отмерло, — откровенно молвила Зоя.

Таня согласно кивнула. Мэри Стюарт нечего было им возразить. Муж улетел далеко и надолго, но звонил ей крайне редко. Даже когда это происходило, он торопился поскорее бросить трубку — настолько неловко себя чувствовал. В последнее время Мэри Стюарт взяла за правило отправлять ему факсы, как сегодня, уведомляя о своем местонахождении. Он даже не считал нужным на них отвечать.

— Ты еще молода, — подбодрила ее Таня. — Можешь встретить другого и начать с ним новую жизнь. Найди человека, который захочет быть с тобой.

Мэри Стюарт согласно кивала. Как бы ей хотелось согласиться! Но в том-то и беда, что она не могла себе представить, чтобы кто-то проявил к ней интерес. Билл почти полностью ее растоптал.

— Такое впечатление, что тебе пора встряхнуться, — заявила Зоя.

Мэри Стюарт была готова согласиться и с этим. Просто она не могла смириться с крахом по прошествии двадцати с лишним лет. Ей страшно представить, как она скажет ему, что все кончено, как соберет вещи, как поставит в известность об их разводе Алису. Все это слишком сложно, не говоря уж о новых знакомствах. Вряд ли она выдержит. Конечно, у Тани схожая ситуация, с той лишь разницей, что она — Таня Томас. Мэри Стюарт так и сказала.

— Шутишь? После ухода Тони я ни с кем не встречалась, — ответила Таня. — Все меня до смерти боятся. Меня никто никуда не пригласит, разве какой-нибудь парикмахер, чтобы сделать себе рекламу. Я так же недосягаема, как гора Эверест. Жить там никто не хочет, но кто не мечтает похвастаться, что покорил вершину?

Вся троица прыснула. Мэри Стюарт еще не разобралась, полегчало ли ей. Не предательство ли это по отношению к Биллу? Ведь он даже не подозревает, что она задумала! Сейчас, пока он в Англии, у нее есть время все как следует обдумать.

Беседа была долгой. Решений они не нашли, зато возродилась старая дружба. Разговоров об отъезде на следующее утро не возникло. Извинения Зои значили для Мэри Стюарт очень много. Для Зои тоже полезно было узнать, что подруга столько лет переживала от ее необдуманных слов, тем более что ее собственный сын поступил так же, как

Элли. Как жестока бывает порой жизнь! К Зое она так беспощадна. В шесть утра зазвонил телефон. Трубку сняла Зоя — привыкла поспешно хватать трубку по ночам. Подруги даже не успели проснуться.

— Зоя? — Она узнала голос Сэма. Первая ее мысль была о Джейд. Ее охватила паника: аппендицит, удушье, землетрясение...

— Как Джейд? — Она любила девочку, как родную, может, даже сильнее.

— Джейд в полном порядке. Прости, если напугал. Просто я счел необходимым позвонить. Уверен, тебе нужно знать о том, что произошло. — Как ни жестоко было сообщать ей дурные вести, он не сомневался, что она не простила бы его, если бы он этого не сделал. — Час назад умер Квинн Моррисон. Он умер спокойно, в присутствии семьи. Жаль, не было тебя. Я сделал все, что мог. Отказало сердце.

Это можно назвать счастливой развязкой. И все же ей стало грустно, Зоя даже всплакнула. Она провожала слезами всех: старых, молодых, особенно детей. Квинну Моррисону было семьдесят четыре. Он успел прожить целую жизнь, СПИД испортил ему только последний год. Он прожил почти столько же, сколько другие люди, которых сводят в могилу другие болезни. Эти мысли все равно не избавляли ее от чувства потери и поражения. Чувство было знакомым: болезнь-убийца день за днем вырывала у нее из рук пациента за пациентом.

— Как ты сама? — взволнованно спросил Сэм.

— Хорошо. То есть плохо: мне надо было быть там.

— Я знал, что ты так скажешь, потому и позвонил. Он радовался, что ты уехала в Вайоминг.

Зоя улыбнулась, услышав это. Как это похоже на старика! Он целый год твердил, что ей надо выйти замуж и родить.

— А остальные?

— Питер Уильямс плохо провел ночь. Прежде чем поехать к Квинну, я провел возле него целый час. У него опять пневмония. Утром я его госпитализирую.

Уильямсу всего тридцать один год, но ему осталось жить совсем немного. О нем трудно думать без боли в сердце: так молод и...

— Я вижу, у тебя выдалась веселая ночка.

— Как обычно, — ответил он с улыбкой. — А ты? Развлекаешься? Укладываешь ковбоев штабелями?

— Пока на моем счету один. Он забрал меня в аэропорту. Молокосос из Миссисипи. А вообще тут так хорошо, аж дух захватывает!

— Как поживает твоя подружка?

— Блестяще. Преподнесла мне сюрприз — еще одну старую подругу по Беркли. Это долгая история. Одним словом, мы с ней двадцать лет не разговаривали. Увидела меня — и собралась упорхнуть в Нью-Йорк первым же дирижаблем. Но ничего, мы в первый же вечер заключили мир. Двадцать лет назад я наплевала ей в душу и все время корила себя за это. Наконец-то на этом поставлен крест.

— Ты там тоже не теряешь времени зря.

— А ты как думал?

— Спи дальше. Прости, что поднял тебя ни свет ни заря. — В его часовом поясе было только пять тридцать утра, и он еще не ложился. Он знал, что обязан сообщить ей о Квинне Моррисоне, как только это произошло.

— Спасибо за звонок, Сэм. Очень тебе благодарна. Знаю, ты старался ради него, как мог. Не вздумай винить себя в его смерти. Я тоже не смогла бы его спасти. — Она нашла самые лучшие слова.

Он не знал, как ее благодарить. Никогда еще не встречал таких славных женщин, как она.

— Спасибо, Зоя. Отдыхай на здоровье. Я буду держать тебя в курсе дел.

Он неохотно повесил трубку. Думать о ней было грустно. Он так восхищался ею, так к ней тянулся, но она оставалась недосягаемой. При этом он чувствовал, насколько она одинока и слишком уязвима. Но все равно пряталась. Сэм уже подозревал, что никогда не проникнет в ее тайну.

В тот самый момент, когда он устало закрыл глаза, Зоя приветствовала из окна домика солнце, появившееся из-за гор Титон. Такое восхитительное зрелище, что по щекам у нее потекли слезы! Она думала о Квинне Моррисоне, о прожитой им жизни, оплакивала его смерть, как и смерть многих его предшественников. Сколько в жизни горя! Элли, Тодд, все горести, свидетельницей которых она становилась день за днем... И одновременно — такая красота! Ей было горько и в то же время радостно, что она приехала сюда. Что бы ни произошло дальше, у нее в памяти останется восход в горах Титон.

Бог есть, если есть на земле такая красота! Она на цыпочках вернулась в свою комнату и легла, думая о Сэме и не спуская глаз с гор.

Глава 12

Зое после разговора с Сэмом удалось уснуть, но вскоре Мэри Стюарт вышла из своей комнаты, и Зоя снова открыла глаза. Они встретились на кухне, где Мэри Стюарт варила кофе. Обе были в ночных рубашках. Мэри Стюарт улыбнулась первой. У Зои был более свежий вид, чем накануне. Этим утром она выглядела удивительно молодо.

— Хочешь, я и тебе сварю кофе? Тут есть и чай. Может, чаю?

Зоя отказалась от чая и налила себе полную чашку кофе.

— Таня еще не встала? — спросила она. Обе усмехнулись. — Сдается, кое-что остается по-прежнему.

Мэри Стюарт серьезно посмотрела на старую подругу. Они провели врозь столько времени!

— Это точно. Я очень рада, что приехала. — Она заглянула Зое в глаза.

— И я рада, Стью. Жаль, что была тогда так глупа. Жаль, что мы с тобой полжизни проиграли в молчанку. Хорошо, хоть теперь этому конец. Вот ужас, если бы мы так и не помирились! — Ссора давно уже исчерпала сама себя. Элли покинула этот мир больше двадцати лет назад, и им давно следовало прекратить бессмысленную вражду. Обе, оглядываясь назад, понимали, какую глупость совершили, напрасно растратив драгоценное время. — Я перед Таней в долгу: она молодец, что пригласила тебя, не поставив меня в известность.

— Представляешь, какая хитрость? — Мэри Стюарт радостно улыбнулась. — За всю дорогу и словечком не обмолвилась! Правда, у меня были основания что-то заподозрить. До того как я дала согласие приехать, она дважды произнесла *мы*, ее секретарша тоже, кажется, болтала о *них* и трех заказанных комнатах. Я подумала, что речь о детях. Мне и в голову не могло прийти, что она еще кого-то пригласила. Все сложилось очень удачно: Алиса отменила наше с ней путешествие, и мне все равно нечем было заняться.

— Для меня это тоже дар свыше. — Зоя вспомнила встающее среди горных вершин солнце и звучавший в те же секунды рассказ Сэма о кончине Квинна Моррисона. Сидя вместе с Мэри Стюарт в кухонном алькове и попивая кофе, она рассказала ей о звонке Сэма.

— Трудно сохранять присутствие духа, занимаясь таким делом, — тихо произнесла Мэри Стюарт. — Я восхищена тобой. Но ведь ты знаешь, что обречена на проигрыш. — Она вспомнила, как ужасно все было, когда не стало Тодда! Повторять то же самое изо дня в день?.. С другой стороны, она лишилась сына, а здесь речь шла о пациентах.

— Иногда удается одерживать победы — временные. И как ни странно, чаще всего это вовсе не тоскливо. Я привыкла праздновать маленькие победы, научилась решимости и воле к выигрышу. Иногда, конечно, приходится терпеть поражение. — Зоя много раз оказывалась побежденной, но это было неизбежно. Порой причиной поражения становились обстоятельства, иногда — настрой самого больного и его близких. Иногда точку ставило время, как в случае с Квинном Моррисоном. Больше всего она ненавидела терять детей и молодых людей, которым еще бы жить и жить, учиться, дарить себя другим. К таким она относила и саму себя. Впрочем, с собственной участью она еще не успела примириться.

— Ты счастливица — давно встала на верный путь. — Мэри Стюарт по-хорошему завидовала подруге и наслаждалась ее обществом. Сейчас им очень легко понять, почему они так крепко дружили. Ссора совершенно забылась. Откровенность и доброта смели все преграды. — Я активно занимаюсь благотворительностью, заседаю в комитетах и так далее, но все равно мечтаю о конкретной, постоянной работе. И не знаю, чем заняться. Всю жизнь я была только женой и матерью своих детей.

— Тоже недурно, — ответила Зоя с улыбкой. Только сейчас она поняла, как ей не хватало подруги. Ее жизнь несвоевременно стала клониться к закату, и это подсказало, до чего необходимы друзья. Прежде она воображала, что у нее в запасе еще уйма времени, а сейчас оказалось его в обрез. — Жена и мать — тоже дело.

— Что ж, в таком случае я уволена с прежнего места. — Мэри Стюарт поставила чашку на стол. — Тодда не стало, Алиса выросла, Биллу я больше не жена. Просто мы продолжаем проживать по одному адресу, и мое имя значится в его налоговой декларации. Я вдруг почувствовала себя совсем ненужной.

— Ничего подобного. Просто пришло время сняться с насиженного места.

Она права, конечно, но проблема в том, куда податься. Именно этому и были посвящены все мысли Мэри Стюарт.

— Я все ломаю голову, чем заняться, где жить, что сказать Биллу, когда он вернется. Правда, сейчас у меня нет желания с ним разговаривать, он тоже не хочет говорить со мной. Почти мне не звонит. Возможно, переживает то же самое, что и я, но не хочет в этом признаваться. Наверное, тоже понимает, что к старому возврата нет.

— А ты возьми и спроси его. — Зоя посмотрела на часы. Когда соизволит подняться Таня? — Когда завтрак? — спросила она у Мэри Стюарт.

— Кажется, в восемь. — Часы уже показывали семь тридцать. Им еще предстояло одеться. Мэри Стюарт испытующе взглянула на подругу. — Собираешься уехать? — ласково осведомилась она.

Зоя долго молчала, потом покачала головой.

— Я останусь, если ты меня не выгонишь. Решать тебе: ты преодолела наибольшее расстояние. Если кому-то придется уехать, пусть это буду я.

— Я хочу, чтобы ты осталась, Зоя, — ответила Мэри Стюарт с улыбкой. — Сама я тоже никуда не денусь. Давай махнем рукой на старое. Мы обе любили Элли. Ее все любили. Она хотела бы, чтобы мы были вместе. Она больше всех нас умела любить, отдавала себя другим без остатка. У нее разорвалось бы сердце, если бы она узнала, что из-за нее мы с тобой не разговаривали двадцать один год.

Зоя хмурилась, обдумывая услышанное.

— Она этого заслужила, так жестоко с нами поступив! Я потому тогда на тебя и взъелась, что обезумела от потери и не нашла другого способа, чтобы разрядиться.

— Я прошла через то же самое, когда не стало Тодда. Первые полгода на всех злилась: на Алису, ее подруг, саму себя, служанку, собаку, Билла. Билл так и не перестал злиться. Боюсь, он таким и останется.

— Может, он просто попал в порочный круг? Со мной было то же самое. Я долго сходила с ума, а когда очнулась, тебя уже не было рядом. Все мы разбрелись. Ты вышла замуж за Билла, я поступила на медицинский факультет.

Проще было пустить события на самотек. Напрасно я так сделала. Может, и с Биллом так же?

В ее словах был смысл. Мэри Стюарт кивнула.

— Кажется, он уже давно выскользнул в дверь, а я и не заметила. — Она улыбнулась и, взглянув на часы, спохватилась. Было уже без двадцати восемь — время готовиться к завтраку. — Может, растолкаем нашу спящую красавицу?

Они засмеялись, на цыпочках прокрались в Танину спальню и залезли на ее огромную кровать с двух сторон. На ней была атласная ночная рубашка, глаза закрывала специальная повязка. Когда они растолкали ее, она повела себя как мертвец, пробужденный от вечного сна.

— Господи, прекратите! Что за напасть? Хватит! — Зоя дергала ее за ноги, Мэри Стюарт колотила по голове подушкой. Они резвились, как девчонки; как Таня ни цеплялась за одеяла, отбиться от них не было никакой возможности. — Довольно! Перестаньте! Ночь на дворе! — Она всегда ненавидела утреннее пробуждение, и подругам приходилось стаскивать ее с кровати, чтобы она не пропустила утренние занятия.

— Разуй глаза! — резонно предложила Мэри Стюарт. — Через пятнадцать минут начинается завтрак. На столе стоит табличка, а на ней черным по белому написано, что без пятнадцати девять нам надо быть в загоне, чтобы выбрать себе лошадей. Немедленно вставай! — У нее прорезались сержантские нотки.

Зоя тащила Таню из кровати за руку. Таня сняла с лица маску и изумленно оглядела подруг.

— Что я слышу! Загон?! Значит, вы не уезжаете?

— Что же нам еще остается? — Зоя бросила ее руку и покосилась на Мэри Стюарт. — Если за тобой не приглядывать, ты продрыхнешь целую неделю и будешь выползать из комнаты только к ужину. Мы решили тобой заняться.

Знаем, как ты любишь лошадок! Того и гляди, запрешься на целый день и будешь смотреть из джакузи телевизор.

— А что, неплохая мысль! — Таня гордилась подругами. Они помирились! Через столько лет сделали над собой усилие и восстановили старую дружбу. — Лучше загляните ко мне ближе к обеду. Пока что я сделаю себе косметическую маску.

— Слезайте-ка с постели, мисс Томас! — скомандовала Мэри Стюарт. — В вашем распоряжении ровно двенадцать минут на чистку зубов, приведение в порядок волос и одевание.

— Господи, неужто меня загребли в морскую пехоту? Знала ведь, что вас нельзя брать в приличное место. Надо было пригласить вместо вас нормальных людей, которые знают, как со мной обращаться, и не мешают мне спать. Все-таки я — важная персона.

— Ладно, важная персона, — одернула ее Мэри Стюарт, улыбаясь, — хватит валяться! Душ можешь принять потом.

— Здорово! Хотите, чтобы от меня воняло, как от табуна лошадей? Давно не читали ничего интересного в прессе?

Мэри Стюарт и Зоя, уперев руки в бока, наблюдали, как она выбирается из-под одеяла, потягивается, зевает. По пути в ванную она издала стон.

— Я сварю тебе кофе, — предложила Зоя, устремляясь в кухню.

— Очень любезно с вашей стороны, доктор. — Включив в ванной свет, Таня снова застонала, увидев в зеркале свое заспанное лицо и всклокоченные волосы. — Господи, мне можно дать двести лет! Вы только посмотрите, как я выгляжу! Немедленно вызывайте пластического хирурга.

— Вид что надо! — Мэри Стюарт смеялась от удовольствия, любуясь ею. Она была фантастически красива, но, как ни странно, сама не разделяла этой оценки. Она считала себя неинтересной и всегда подвергалась за это от подруг осмеянию. Мэри Стюарт знала, что это не притворство. — Полюбуйся, что я представляю собой в восемь утра, без косметики. — Она нахмурилась, глядя в зеркало. Мэри Стюарт успела до блеска расчесать волосы, ее кожа по-прежнему была безупречной, на губах лежал тонкий слой бледно-розовой помады. На ней была голубая мужская рубашка, свежевыглаженные джинсы и новехонькие коричневые сапожки из змеиной кожи от Билли Мартина.

— Нет, вы только на нее посмотрите! — взвыла Таня. Чистя зубы, она испачкала пастой всю ночную рубашку. — Ты выглядишь, как модель из «Вог»!

— Она это специально, чтобы нас уесть, — подхватила Зоя, подавая Тане кофе. Они давно привыкли к фокусам Мэри Стюарт. Та даже в колледже всегда выглядела образцово. Таков был ее стиль, и в действительности это доставляло им удовольствие. Она была для других вдохновляющим примером. А как на нее смотрел противоположный пол!

Зоя облачилась в джинсы с дырками на коленях, ковбойские сапоги, купленные давным-давно, и старый, удобный свитер. Ее темно-рыжие волосы были зачесаны назад, она выглядела чистенькой и полностью соответствовала обстановке. Впрочем, обе прикусили языки, когда спустя пять минут увидели появившуюся из ванной Таню. Даже без косметики, выдернутая из кровати, она выглядела сногсшибательно. Для того чтобы быть звездой, ей не требовалось прилагать никаких усилий. Достаточно одного взгляда на ее густые светлые волосы ниже плеч: она не успела их зачесать, но казалось, они сами знают, как лучше лечь. Она надела тесную белую маечку, в которой вовсе не выглядела вызывающе, хотя любой мужчина, наделенный зрением, оценил бы ее привлекательность; джинсы сидели на ней, как на манекенщице: не слишком облегали, но и не свисали, и демонстрировали все, что положено: округлость ягодиц, изящную линию бедра, тонкую талию, длинные, стройные ноги. На ней были старые желтые сапоги, шею обвивала красная бандана, в мочках ушей сверкали золотые серьги-обручи. В джинсовой куртке, ковбойской шляпе и темных очках она выглядела попросту как реклама пансионата-ранчо.

— Я бы тебя возненавидела, если бы так сильно не любила, — призналась Мэри Стюарт, восхищенно ее рассматривая.

Зоя усмехнулась. Все три, несомненно, красавицы, но Таня, конечно, настоящий бриллиант.

— Никогда не могла догадаться, как это тебе удается, — сказала Зоя, испытывая то же теплое чувство, что и Мэри Стюарт. Ни о какой ревности между ними никогда не было и речи. Даже много лет назад, в колледже, в их четверке царили отношения родственной привязанности, как у сестер. — Раньше я думала, что достаточно понаблюдать, как ты одеваешься, — и секрет будет разгадан, — продолжала Зоя, выходя вместе с подругами из гостиной. — Но оказалось, что это настоящий фокус: сколько ни смотри, не подловишь момент, когда из шляпы появляется кролик. Ты единственная из тех, кого я знаю, способна запереться в ванной и появиться через три минуты настоящей кинозвездой. Я бы могла проторчать там хоть неделю — и все равно вылезла бы прежней: вполне приемлемой, причесанной, с чистым личиком, косметика на месте, но все равно самой собой. Ты же преображаешься в сказочную принцессу.

— Пластические операции творят чудеса. — Таня блаженно улыбалась. Она наслаждалась их обществом, но не верила ни единому слову похвалы. Хотя, конечно, они молодчины, что балуют ее комплиментами. — Подтянешься как следует — и можно обходиться без косметики.

— Не мели вздор! — воскликнула Мэри Стюарт. — Ты выглядела точно так же и в девятнадцать. Вставала поутру гусеница гусеницей, а из ванной вылетала бабочкой. Отлично понимаю Зою! Ты не умеешь важничать, поэтому не можешь понять, какое счастье тебе привалило. За это мы тебя и обожаем.

— А я-то думала, что все дело в моем акценте! — Она по-прежнему сохранила южную манеру говорить. Поклонники особенно любили улавливать акцент в ее пении. — Просто не верится, что я позволила вам вытащить меня из постели в такой ранний час! Это вредно для здоровья, особенно на такой высоте. Сердце вот-вот выскочит. — Взбираясь на холмик, где высился главный корпус, она задыхалась и отчаянно ловила ртом воздух.

— Наоборот, это страшно полезно, — возразила Зоя, подмигивая Мэри Стюарт. — К вечеру ты привыкнешь к высоте. Главное — не напиться.

— Почему? — удивилась Таня. Она не была привержена спиртному, просто ей было любопытно.

— Потому что окосеешь от первых же трех глотков и превратишься во всеобщее посмешище, — ответила Зоя со смехом.

Ей пришлось напомнить, как Таня однажды опьянела на танцах и подругам пришлось тащить ее домой, где ее вырвало на Зоину кровать; тогда Зоя была готова ее убить. Зоя и Мэри Стюарт покатывались со смеху, а Таня и по прошествии двадцати с лишним лет умудрялась выглядеть виноватой. Она твердила, что то было не опьянение, а грипп, однако Зоя настаивала, что она перебрала.

Они влетели в ресторан — и завтракающие забыли про еду от потрясающего зрелища.

Одни сидели за столиками, другие накладывали себе вкусную еду на общем столе. Все выглядели сонными и смирными, за исключением нескольких постояльцев, чье оживление говорило о привычке рано вставать.

По ранчо уже пронесся слух, что среди гостей находится Таня Томас, но то, как она выглядит в действительности, стало для многих сюрпризом. Таня, хохочущая вместе с подругами, оказалась такой беззаботной и молодой, такой красавицей, что все как один вытаращили глаза. Зоя пожалела подругу. Прикрывая ее, Зоя и Мэри Стюарт отвели Таню к столику в дальнем углу. Мэри Стюарт села ее охранять, а Зоя отправилась за едой. Ресторан зашумел как улей. Танина доля была незавидной.

— Как ты думаешь, что произойдет, если я вдруг встану и выставлю себя на обозрение? — шепотом осведомилась Таня, сидя спиной к залу, но все равно не снимая темных очков. Шляпу она повесила сзади на стул, но и со спины выглядела великолепно. Все в ней вопило о том, что она — звезда, и в зале не было ни одного человека, который бы этого не чувствовал.

— Думаю, произведешь фурор, — ответила Мэри Стюарт.

Они дожидались Зою, мирно переговариваясь. Зоя принесла еду — бекон и целых три йогурта.

— Я заказала для нас яичницу и овсянку, — сообщила она.

Таня ужаснулась:

— После этого мне придется полгода сидеть на диете! Я не могу поглощать столько всего за завтраком.

— Ничего, тебе полезно, — ответила Зоя. — Ты привыкаешь к высокогорью, к тому же тебя ждет большая физическая активность. Хороший завтрак — это то, что прописал доктор.

Она сама следовала этому предписанию. Таня послушно взялась за йогурт.

— Хочешь, чтобы я набрала лишний десяток фунтов? — Но несмотря на свое ворчание, она вдруг ощутила голод. Йогурт оказался только началом. Зое пришлось вторично отлучиться к общему столу. Таня встретила ее возвращение суровым взглядом. Ей не обязательно было оглядываться, чтобы знать, что творится вокруг. — Ну как?

— Ты о еде? Лучше не придумаешь, — удивленно ответила Зоя. Ей все казалось очень вкусным; только что поданная яичница источала головокружительный аромат. Но оказалось, что Таню интересует не завтрак, а завтракающие.

— При чем тут еда, глупышка? Я о людях. Чует мое сердце...

— Вот оно что! — Зоя покосилась на Мэри Стюарт, принявшуюся за яичницу. Ей не хотелось расстраивать Таню. — По-моему, все нормально.

— Опиши. Должна же я знать, к чему готовиться! Как настроены местные индейцы? Дружелюбны ли они? — Она надеялась, что к ней постепенно утратят интерес. Иногда так и было в местах, где она появлялась, но чаще ей приходилось спасаться бегством, что сейчас не входило в ее планы. Очень хотелось перестать привлекать внимание, смешаться с толпой, но на это, видимо, нельзя уповать.

— Сейчас разберемся. — Зое было чудно, что люди при виде подруги начинают ходить на головах. — Две дамы интересуются, натуральные ли у тебя волосы, их мужья спорят насчет груди: силикон это или мясо. Одному приглянулась твоя попка. Три женщины утверждают, что у тебя подтянутое лицо, но пять других твердят, что это чушь. Куча девчонок подросткового возраста до смерти хотят взять у тебя автографы, но матери обещают их казнить, если они к тебе пристанут. Официанты влюбились все как один и не находят в тебе изъянов. Вот, собственно, и все. Да, еще мексиканец, жаривший нам яичницу: ему захотелось узнать, верно ли говорят, что ты наполовину мексиканка. Я ответила, что вряд ли, и он расстроился.

Таня ухмылялась, слушая Зою. Возможно, подруга несколько преувеличивает, но в целом верно передает ситуацию. Так происходит всегда и всюду. Главное — чтобы ей не слишком досаждали. В противном случае отпуск пойдет насмарку.

— Скажи любителю моей попки, что она настоящая. Я попрошу секретаршу отправить ему ксерокопию.

— А грудь? — серьезно спросила Зоя. — Мы готовы выступить с заявлением на эту тему?

— Пускай читают журнал «Пипл». На следующей неделе там будет материал на эту волнующую тему.

— Да, вот еще: одна особа желает узнать, под каким знаком Зодиака ты родилась. Клянется, что ты — Рыбы, как ее сестра. Рвется показать тебе ее фотографию.

— Не могу поверить! — не выдержала Мэри Стюарт. — Как ты все это выносишь?

— Я этого не выношу. Ты не заметила, что я уже тронулась рассудком? — Таня с улыбкой попробовала овсянку. — Говорят, к этому привыкаешь. Может, я тоже привыкла, только сама не в курсе. — В действительности многое она принимала без возражений и бесилась только тогда, когда поклонники перебарщивали или становились грубы. Чаще всего тем все и кончалось, в этом и заключалась проблема. Мелочи вроде знака Зодиака, беспардонных вопросов и автографов были так безобидны, что она готова была их терпеть со снисходительной улыбкой.

— Меня бы это превратило в психопатку, — призналась Зоя. — Всякий раз, когда твое имя появляется в проклятых журналах, у меня ползут мурашки по коже.

— И у меня, — подхватила Мэри Стюарт. — Веришь ли, иногда я хватаю в супермаркете целую пачку и куда-нибудь прячу. — В ее голосе звучала гордость.

Таня тепло улыбнулась подругам: так приятно сознавать, что после двух десятилетий в Голливуде у нее есть близкие люди, которые думают и заботятся о ней, хотя и на расстоянии. В их присутствии она чувствует себя как за каменной стеной.

— Не знаю, как можно к такому привыкнуть! — вздохнула Таня. — Порой мне бывает очень больно: обо мне такое пишут, столько врут! Хочется сбежать, спрятаться и не высовываться. Иногда подумываю вернуться в Техас. Но мой агент твердит, что теперь мне никуда не деться. Даже если я прерву карьеру, меня не перестанут осаждать. Для чего тогда убегать? Так по крайней мере у меня остается возможность петь и зарабатывать кое-какие деньги.

Мэри Стюарт улыбнулась. «Кое-какие» деньги были на самом деле астрономическими суммами. Увидев, как на нее смотрят подруги, Таня усмехнулась:

— Хорошо. Кучу денег. Черт возьми, должна же существовать хоть какая-то компенсация!

— Все это — тоже компенсация. — Зоя с улыбкой огляделась. Она была благодарна ей за приглашение. — Если бы не ты, я бы не брала отпуск еще одиннадцать лет. Все случилось так неожиданно...

— Что заставило тебя согласиться? — поинтересовалась Таня, которая давно хотела спросить об этом подругу.

Зоя решительно ответила:

— Я подцепила грипп, чувствовала себя отвратительно. А тут подвернулся очень надежный сменный врач. Ему я полностью доверяю. Собственной практики у него нет, и он в основном подменяет других докторов. Сэм пообещал позаботиться о моих больных и буквально вытолкал меня в шею — у меня уже было твое приглашение приехать в Вайоминг.

— Какой молодец! — сказала Таня. — Он женат?

— Нет. Не волнуйся, Сэм не назначает моим пациентам свидания — он их лечит. — Зоя засмеялась: иногда Таня проявляла способности в сводничестве — ей всегда нравилось знакомить соучеников.

— Я не о пациентах, а о тебе самой. Ты с ним встречаешься? — Таня была наделена безошибочным чутьем.

— Нет. Некоторое время я встречалась с одним хирургом, оперирующим рак груди, но это была несерьезная связь. Теперь я одна.

Мэри Стюарт знала про Адама, а больше ни о ком не слышала.

— Неужели врачи встречаются только с коллегами? — удивилась Таня. — Ведь это так сужает кругозор! То же самое происходит у актеров. Скука!

— Просто другим людям трудно понять наши нагрузки, то постоянное давление, под которым мы живем. У нас очень ограниченные интересы.

— Так что же твой *заместитель*? Он ничего? — спросила Таня.

— Перестань! — Зоя покраснела, что не укрылось от Тани. — Он врач, только и всего.

— Брось! Мы же видим, как ты краснеешь! — Мэри Стюарт смеялась над обеими. Зоя ерзала на стуле, испытывая смущение от Таниного допроса. — Видимо, очень привлекательный мужчина, к тому же неженатый. Какой он из себя?

— Плюшевый медвежонок. Здоровенный, неуклюжий кареглазый шатен. Довольны? Да, я раз с ним поужинала, но больше не собираюсь встречаться. Он это знает. Удовлетворены?

Однако Таня не унималась:

— Почему не собираешься? Он часом не гетеросексуал? В Сан-Франциско их, кажется, меньшинство. — Она виновато развела руками.

Зоя застонала:

— Ты неисправима! Гетеросексуал — привлекательный и одинокий. Но я все равно не заинтересована. Все, закрыли тему!

Зоя была очень тверда. Для Тани это баловство, тогда как для нее... Однако Таня решила, что Зое он нравится, несмотря на все ее протесты.

— Почему? Почему ты не заинтересована? У него что, какой-то неисправимый изъян? Запах изо рта, дурные манеры, судимость, пороки, вызывающие всеобщее осуждение? Или с тобой просто трудно поладить? — Зоя действительно всегда отличалась огромной требовательностью к своим кавалерам.

— У меня ни для кого не остается времени. Я с головой погружена в работу, к тому же у меня есть дочь.

— Ужасно! — всплеснула руками Таня. — Ты не можешь прожить до конца жизни одна. Это попросту вредно для здоровья.

— Ничего подобного! Я уже не молодая женщина и могу себе позволить одиночество. Для свиданий-то я староввата. Что делать, если мне не хочется?

— Ну, спасибо за предостережение. — Таня отодвинула пустую тарелку. — Ты на год старше меня, следовательно, в моем распоряжении есть еще год, а потом все — занавес! Кстати, если ты кому-нибудь проболтаешься, что я такая старуха, я тебя прибью.

— Не бойся, — усмехнулась Зоя, — мне все равно никто не поверит.

— Поверили бы. Но я не позволю и буду утверждать, что ты прирожденная врунья. Хватит ломаться! Как его зовут? Ты меня заинтриговала.

— Сэм. А по тебе плачет психбольница.

— Чего же ты тут сидишь с такими сведениями? Скорее в редакцию самой желтой из всех желтых газетенок! А он мне понравился. Ты очень ярко его обрисовала.

— Ты ровным счетом ничего о нем не знаешь. — Зоя старалась не нервничать. Таня уже вывела ее из себя, что всегда умела делать.

— По крайней мере я знаю, что ты смертельно его боишься, — значит, дело серьезное. Ты бы так не переживала, если бы речь шла о каком-нибудь идиоте. По-моему, ты сама понимаешь, что он тебе подходит. Давно вы знакомы?

— С медицинского факультета. Вместе учились в Стэнфорде.

Зое не верилось, что она послушно отвечает на все эти вопросы. Мэри Стюарт знай себе ухмылялась, подводя губы помадой. Все как в юные годы: точно так же они болтали за завтраком в Беркли. Таня, до чертиков влюбленная в своего Бобби Джо, воображала, будто весь остальной мир тоже должен быть влюблен и помолвлен. С тех пор она почти не изменилась.

— С самого медицинского факультета! Почему же ты столько времени тянула? — не успокаивалась Таня.

— Потому что мы оба интересовались тогда другими людьми. У каждого была собственная жизнь. Я на какое-то время потеряла его из виду, а теперь он помогает мне по работе. Сэм — славный человек, и только. Что-то я не пойму, каковы наши дальнейшие планы: ездить верхом или весь день перемывать бедняге Сэму косточки?

— В общем, ты должна дать ему шанс, — проворчала Таня, вставая. Давно она не получала такого удовольствия от беседы, подруги — тоже. — Я голосую за Сэма. Предлагаю вернуться к этой теме позднее.

— Обязательно! — пообещала Зоя, закатывая глаза.

Мэри Стюарт поторопила подруг в загон. Как они ни спешили, все равно прибыли туда последними. Танино появление снова произвело сенсацию: все шептались и пялили на нее глаза, дети толкались и показывали на нее пальцами. Двое достали фотоаппараты, но она успела отвернуться. Таня привыкла позировать перед поклонниками, но терпеть не могла вторжения в свою частную жизнь, — сейчас она в отпуске.

— *Звезда* закатилась, — прошептала она Зое.

Подруги усердно заслоняли Таню от зевак, и вскоре вся троица заняла места в дальнем углу. Женский голос называл фамилии отдыхающих и клички лошадей. Накануне подруги заполнили анкеты, ответив на три вопроса: ваше умение ездить верхом, отношение к лошадям и желание кататься. Таня в своей анкете написала: «Хорошее. Терпеть не могу. Иногда, с подругами». Мэри Стюарт и Зоя были средними наездницами, правда, Мэри Стюарт поопытнее, но уже несколько лет не занималась выездкой. Зоя же всего несколько раз в жизни ездила верхом, причем с последнего раза минуло много времени. Так что ни одна из них не собиралась демонстрировать высокий класс верховой езды, ограничиваясь прогулочной. Администрация ранчо заранее предупредила, что из-за наплыва гостей им не смогут устраивать поездки отдельно от остальных. Но Таня особенно и не возражала. Если ей станет невмоготу из-за приставаний поклонников и их желания беспрерывно ее фотографировать, она вообще прекратит верховые прогулки. А пока что можно попытаться.

Подруг вызвали одними из последних. Кроме них оставалось всего трое гостей ранчо. Старшая по загону подошла к Тане, высокий ковбой показал ее лошадь.

— Мы хотели немного рассеять толпу, — объяснила Лиз Томпсон, худая высокая особа на шестом десятке, с обветренным лицом и крепким рукопожатием. — Вряд ли вам доставило бы удовольствие позировать перед полусотней фотографов-любителей, ставя ногу в стремя. — Таня поблагодарила за столь предусмотрительную любезность. — Я прочла в анкете, что вы — небольшая любительница лошадей, потому могу предложить смирного старичка.

О ком она: о ковбое или о коне? Впрочем, мужчину, проверявшего седло, к разряду старичков никак не отнесешь: это был сильный, широкоплечий человек лет сорока. Когда ковбой обернулся, она отметила про себя, что он симпатичный и смотрит на нее с любопытством. Приглядевшись, Таня отнесла его к категории приятных мужчин. Правда, скулы широковаты и подбородок слишком выпирает, но в целом ничего. К тому же у него оказался такой же выговор, как и у нее: он тоже уроженец Техаса, хотя из противоположного конца штата. Он не стал развивать эту тему. В отличие от большинства людей, стремившихся коснуться ее, хоть каким-то образом потрогать знаменитость, ковбой ограничился подтягиванием шпор и подпруги и помощью ее подругам. Как только она уселась на Большого Макса — так звали жеребца, — он тут же исчез, даже не представившись, и Таня узнала его имя случайно. Ковбоя звали Гордон.

Зое досталась резвая пятнистая кобыла. Лиз обещала, что животное будет вести себя смирно, и Зоя устроилась в седле очень удобно. Мэри Стюарт подвели пегую лошадку с белой гривой.

Большой Макс — рослый черный конь с длинной гривой и хвостом — еще в загоне проявил норов. Таня заподозрила, что животное на самом деле не такое уж смирное, как утверждала Лиз. Та заверила ее, что конь успокоится, как только покинет загон: просто ему не по себе в замкнутом пространстве.

Старшая по загону уделяла Тане много внимания, гораздо больше, чем Гордон, который перешел к другим своим подопечным — паре средних лет из Чикаго. Мужчина и женщина представились как доктор Смит и доктор Вайман, но состояли, судя по всему, в браке. Они были даже похожи друг на друга, что очень развеселило Таню, и она поделилась своими наблюдениями с Зоей.

Затем Гордон помог мужчине лет пятидесяти пяти. Мэри Стюарт готова была поклясться, что где-то его видела. Высокий, худощавый, с гривой седых волос и проницательными голубыми глазами — даже Таня вынуждена была признать, что внешность его незаурядна и он весьма привлекателен. Он узнал ее и улыбнулся, но не сделал попытки познакомиться. К тому же Танины подруги вызвали у него не меньший интерес.

Уже за пределами загона Мэри Стюарт подъехала к Тане и шепотом спросила:

— Знаешь, кто это? — Наконец-то она вспомнила, что однажды его видела, но здесь узнала не сразу. Таня покачала головой. — Хартли Боумен.

Тане потребовалось время, чтобы догадаться, о ком речь. Потом она обрадованно кивнула. Ей приходилось делать над собой усилие, чтобы не оглядываться через плечо.

— Писатель? — прошептала она. Мэри Стюарт кивнула. В данный момент две книги Боумена числились среди бестселлеров: одна в твердой и одна в мягкой обложке. Он пользовался большим уважением критиков и читателей. — Он женат? — Подруга из Нью-Йорка просто обязана знать подробности. Мэри Стюарт закатила глаза: Таня и впрямь неисправима.

— Вдовец. — Мэри Стюарт помнила сообщение то ли в «Тайм», то ли в «Ньюсуик» примерно двухлетней давности о смерти его жены от рака груди. Писатель был очень привлекателен. Мэри Стюарт с удовольствием поболтала бы с ним, но не хотела уподобляться праздной толпе, превращающей в ад жизнь известных людей.

Некоторое время Мэри Стюарт и Таня ехали рядом, Зоя завязала разговор с врачами из Чикаго. Таня права: врачей тянет друг к другу. Супруги оказались онкологами; жена слышала о деятельности Зои и ее клинике. Они оживленно беседовали, доверившись своим лошадям. Вокруг простирались необозримые дали синих и желтых цветов; на огромной высоте сверкали снежные шапки гор.

— Невероятно! — Мужской голос заставил Мэри Стюарт вздрогнуть. Таня уехала вперед: Большой Макс замешкался, и она пришпорила его, оставив подругу одну. Одиночество Мэри Стюарт длилось недолго: рядом с ней сразу очутился Хартли Боумен. — Вы бывали здесь раньше? — спросил он ее, словно старую знакомую — на ранчо культивировалась атмосфера непринужденности.

— Нет, не бывала, — тихо ответила Мэри Стюарт. — Очень красиво! — Она покосилась на него и продолжала смотреть как завороженная. Писатель выглядел очень подтянутым и одновременно каким-то уютным, домашним. Ей понравились его руки, державшие поводья, и английский стиль верховой езды. Она сказала об этом. В ответ на ее слова он засмеялся.

— В западных седлах я чувствую себя неудобно. У себя в Коннектикуте часто езжу верхом. — Мэри Стюарт кивнула. — А вы с западного побережья? — Его очень заинтересовала эта женщина. Он недоумевал, но смущался спросить, что она делает в обществе Тани Томас, которую узнал сразу.

— Нет, из Нью-Йорка. Вырвалась на две недели.

— И я. — Его улыбка свидетельствовала, что ему с ней легко. — Приезжаю сюда каждый год. Раньше мы любили бывать на ранчо с женой. Сейчас я здесь впервые после ее смерти.

Мэри Стюарт догадывалась, что у него тяжело на душе, хотя он не собирался в этом признаваться. Она могла представить себе, как ему одиноко.

— Сюда приезжает множество народу из восточных штатов. Место того стоит. Меня влекут горы. — Он восторженно обвел глазами хребет. То же самое влекло сюда многих людей. — В них есть что-то целительное. Я не собирался больше сюда возвращаться и в прошлом году не приезжал. Но в этом почувствовал, что больше не могу. Мое место — здесь, — проговорил он задумчиво. — Обычно меня тянет на океан, но Вайоминг и эти горы — что-то волшебное.

Она хорошо его понимала. То же чувствовала со вчерашнего дня и сама. Именно поэтому Джексон-Хоул приобрел в последнее время такую популярность. Горожан тянет сюда, как магометан в Мекку.

— Забавно слышать от вас это, — призналась она. С ним ей было удивительно спокойно и уютно, а ведь они друг другу совершенно чужие! — Я ловлю себя на том же ощущении с первой же минуты, как мы тут оказались. Такое впечатление, словно горы только тебя и дожидались. Им можно поведать обо всех своих бедах. Они для того и существуют, чтобы утешать и исцелять. — Она боялась, как бы он не принял ее за восторженную дурочку, но напрасно: он отлично ее понял и согласно кинул.

— Представляю, как тяжело вашей подруге! — посочувствовал он. — Я наблюдал за публикой во время завтрака: стоило ей появиться — и люди преобразились: сами не замечают, какими становятся дураками в ее присутствии. Похоже, у нее нет ни минуты покоя: на нее реагируют, хотят быть с ней рядом, снимать, урвать кусочек ее ауры.

Мэри Стюарт понравилось, как просто он обо всем этом говорит.

— Нелегко быть знаменитостью, — ответила она, не желая признаваться, что узнала его, прочла шесть его последних книг и осталась о них самого лучшего мнения. Не хватало, чтобы он увидел и в ней любительницу знаменитостей! Зная Танину жизнь, она понимала, что подобная публика вызывает только головную боль.

— Да, это имеет свои недостатки. — Он посмотрел на Мэри Стюарт с улыбкой, сразу догадавшись, что она знает, с кем говорит. — Но я к этой команде не отношусь. В нее входят очень немногие. В мире наберется всего лишь горстка людей, которым приходится переживать то же самое, что ей. Она держится превосходно.

— Еще бы! — отозвалась Мэри Стюарт, верная подруга.

— Вы с ней работаете? — Он не собирался совать нос в чужие дела, просто хотел убедиться: действительно ли женщины, не отходящие от Тани Томас ни на шаг, — ее ассистентки.

— Мы дружили в колледже, — с улыбкой ответила Мэри Стюарт.

— И сохранили дружбу с тех самых пор? Восхитительно! Это же отличный сюжет! Для книги — не для газет, — поспешно уточнил он.

Оба рассмеялись.

— Спасибо. Обычно с ней поступают очень немилосердно. Это так несправедливо!

— Превратившись в звезду, вы перестаете быть для простых смертных нормальным человеком. На вас можно плевать, вас можно пинать, как мусор под ногами, — грустно проговорил он.

Мэри Стюарт кивнула.

— Она говорит об этом: жизнь как предмет. По ее словам, человек превращается в вещь, с которой можно обходиться как угодно. Чего ей только не приходится выносить! Не знаю, как она все это терпит.

— Наверное, сильная натура, — проговорил он с улыбкой. Мэри Стюарт вызывала у него восхищение. Ему очень нравилась эта женщина, но пока он не смел в этом признаться. — Еще ей повезло с друзьями.

— Это нам повезло с подругой, — возразила Мэри Стюарт с улыбкой. — То, что мы сюда попали, — счастливая случайность. Все устроилось в последнюю минуту.

— Счастливая и для вас, и для всех остальных, — сказал он. — Ваша троица — хорошее дополнение к здешнему пейзажу. — Он перевел взгляд на Таню, грациозно гарцующую бок о бок с ковбоем. Мэри Стюарт заметила, что они молча едут рядом. — Потрясающая женщина! — Хартли Боумен, как и другие, не мог ею не восхищаться.

Мэри Стюарт с улыбкой кивнула. Ей и в голову не пришло бы ревновать.

— Я — большой поклонник ее как певицы, собрал все ее диски. — Он почему-то смутился, и Мэри Стюарт подбодрила его улыбкой.

— А я — все ваши книги. — Говоря это, она покраснела.

— Неужели? — Он с удовольствием протянул руку и представился, хотя этого требовала не ситуация, а разве что хорошие манеры: — Хартли Боумен.

— Мэри Стюарт Уолкер. — Они протянули друг другу руки над головами своих коней и обменялись рукопожатием, после чего продолжили прогулку.

Таня и ее ковбой сильно их обогнали, врачебное трио замыкало процессию: там обсуждались статьи о последних медицинских достижениях, в частности в области онкологии.

Мэри Стюарт и Хартли говорили о книгах, Нью-Йорке, литературных новинках, других писателях, Европе. Они затронули массу тем и не успели глазом моргнуть, как ковбой-сопровождающий медленно развернулся и жестом пригласил возвращаться обратно в загон — подошло обеденное время.

Даже спешиваясь, Хартли и Мэри Стюарт продолжали беседовать. Тем не менее Мэри Стюарт обратила внимание на странное выражение на Танином лице, когда та слезала с Большого Макса и отдавала ковбою поводья.

— Ты хорошо себя чувствуешь? — поинтересовалась она у Тани, представив ее Хартли.

— Лучше не бывает. У нас очень странный ковбой. Ни словечка не проронил! Мы просто ехали — сначала туда, потом обратно. Он вел себя так, словно я могу заразить его бубонной чумой. Наверное, он меня ненавидит.

Эти слова вызвали у Мэри Стюарт улыбку. Она еще не встречала людей, у которых Таня вызвала бы ненависть, тем более при первой встрече.

— Может, он робеет? — предположила она.

Ковбой был хорош собой, но разговорчивостью определенно не отличался.

— С ними это часто бывает, — вмешался Хартли. — Поначалу они разве что удостаивают вас приветствием, но ко времени прощания вы с ними становитесь братьями. Они незнакомы с манерами жителей больших городов и не так болтливы, как мы.

Таня взглянула на него с улыбкой:

— Вдруг я чем-то его обидела? — Она все еще переживала.

— Скорее всего Лиз велела ему вам не досаждать и стараться помалкивать. Для этих парней присутствие такой звезды, как вы, — большое событие. — Он усмехнулся. Несмотря на седину, он был сейчас похож на юношу. — Я и то весь дрожу. Я собрал все ваши компакты, мисс Томас, и обожаю все до одной ваши вещи.

— А я читала ваши книги и тоже их одобряю, — ответила она. Ей до сих пор льстило, когда ею восхищались уважаемые люди. — Очень удачные книги!

Они стеснялись друг друга. Дело было в ее и его успехе. Каждый блистал в своей сфере. Ему проще иметь дело с Мэри Стюарт, чем с Таней. Потом к ним присоединилась Зоя, восторженно отозвавшаяся о прогулке. Беседа с коллегами доставила ей огромное удовольствие. Мэри Стюарт представила ее Хартли.

— Чем вы занимаетесь? — спросил он ее по дороге к домикам, где им предстояло умыться перед обедом.

— СПИДом и смежными проблемами, — выпалила Зоя. — Я заведую клиникой в Сан-Франциско.

Он давно подумывал написать на эту тему книгу, но медлил, боясь большого объема специальной информации, неспособной принести ничего, кроме уныния. С другой стороны, ее деятельность не могла не восхищать. Хартли засыпал ее вопросами и с сожалением расстался с тремя подругами на пороге их дома. Беседу решили продолжить за обедом. Он удалился к себе, погруженный в свои мысли. Таня проводила его взглядом.

— Какой интересный мужчина! — не выдержала она. Платок на шее явно стал лишним: воздух успел сильно нагреться.

— Он обожает твое пение, — сказала Мэри Стюарт ободряюще. Ей очень бы понравилось, если бы у Тани завелся такой кавалер, как Хартли, хотя она была вынуждена признать, что у них маловато общего. Хартли очень обходителен, как и подобает джентльмену с восточного побережья, выглядит утонченным интеллектуалом и одновременно светским человеком. В Тане, напротив, фонтаном бьют чувства. Назвать ее дикой нельзя, но в ней кипит жизнь. Чтобы ее обуздать или по крайней мере сделать счастливой, требуется более сильная натура.

— Может, он и обожает мое пение, — возразила Таня, более умудренная в таких делах, чем Мэри Стюарт, — но нравишься ему ты, детка. Это написано на его физиономии. Он же глаз от тебя оторвать не может!

— Глупости! Его заинтересовала вся наша троица.

— Держу пари, он распластается у твоих ног еще до того, как мы отсюда уберемся, — убежденно произнесла Таня.

Зоя закатила глаза и ушла в кухню мыть руки.

— Снова за свое? Неужели это все, о чем вы способны думать? Одни мужики на уме!

— А как же! — Таня задорно улыбнулась. — Секс! Ты что, не читаешь газет? — В действительности Таниным подругам известно лучше, чем кому-либо, насколько она нормальна и даже превосходит этим остальных. В колледже вообще прослыла однолюбкой. — Я знаю, что говорю. Этот тип сходит по Мэри Стюарт с ума.

— Откуда же взяться сумасшествию? Мы только познакомились.

— Его жена умерла пару лет назад. Представляю, как он соскучился по женщинам. Гляди в оба, Стью: он, видать, бешеный.

Мэри Стюарт и Зоя не удержались от смеха: вещая Таня не глядя заколола волосы на макушке, отчего приобрела еще более сексуальный вид, чем за завтраком.

— Лучше бы ты надела себе на голову мешок, — посоветовала Мэри Стюарт с деланным отвращением. — Мы мучаемся, причесываемся, а ты вон как выглядишь, даже не заглядывая в зеркало.

— А что толку? Даже какой-то ковбой не удостоил меня разговором. Господи, я уже подумала, что у него зашит рот! Так и не дождалась от него ни словечка. Вот мерзавец!

— Открываешь охоту на ковбоев? — Зоя погрозила ей пальцем.

Таня возмутилась:

— Надо же хоть с кем-то разговаривать! Этот Толстой или Чарлз Диккенс впился в Мэри Стюарт, как клещ, ты обсуждаешь с чикагскими эскулапами всякие гадости, от которых меня тошнит, вот я и оказалась в обществе Роя Роджерса, а у него неуд по ораторскому искусству.

— Лучше пусть молчит. Представляешь, что было бы, если бы он в тебя вцепился? Или оказался бы психом-поклонником и засыпал дурацкими вопросами?

— Наверное, ты права, — согласилась Таня. — Но скука-то какая!

Раздался гонг, созывающий гостей на ленч. Троица потянулась к двери, но тут зазвонил телефон. Женщины переглянулись. Брать трубку не хотелось ни одной. Зоя не выдержала первой. Вдруг это Сэм с дурным известием о ком-то из пациентов или, того хуже, о Джейд?

Оказалось, что звонит Джин, Танина секретарша. Речь шла о контрактах. По требованию юриста она высылает ей для ознакомления условия концертного турне; Беннет хотел поговорить с ней, как только она прочтет контракты. Слушая Джин, Таня занервничала:

— Ладно, взгляну, когда их доставят.

— Беннет просит сразу же вернуть ему их обратно.

— Ладно, ладно, я все поняла! Какие еще срочные новости? — Уволенный служащий письменно отказался предъявлять иск, что было редкой хорошей вестью. «Вог» и «Харперс базар» хотели изобразить ее на разворотах. Один из киношных журналов готовит неприятную статейку. — Спасибо за информацию, — прошипела Таня.

Лучше бы этого звонка не было! Здесь, в безмятежном Вайоминге, он напомнил ей о существовании большого, суетного мира. Она с облегчением повесила трубку и догнала подруг.

— Все в порядке? — обеспокоенно поинтересовалась Мэри Стюарт. Таня снова выглядела расстроенной, что, в свою очередь, передалось ее подругам.

— Более или менее. В кои-то веки истец отказывается от иска, зато подлый журнальчик готовит новый грязный материал. Надеюсь, ничего страшного — старые сплетни.

Она храбрилась, хотя каждая очередная пощечина приводила к омертвению кусочка ее души. А душа уже превратилась в черствое обгрызенное печенье. Настанет день, когда они сожрут ее всю, до последней крошки. Что ж, им на это наплевать.

— Не обращай внимания, — посоветовала Зоя. — Не читай всякую гадость, и дело с концом.

Когда Зоя открыла клинику, про нее тоже писали мерзости, но это все-таки не одно и то же. То, что пишут про Таню, слишком личное, причиняет слишком сильную боль. Это грязь, скребущая по сердцу, как наждак.

— Забудь, — мягко сказала Мэри Стюарт.

Она и Зоя обняли Таню за талию и повели в ресторан, пытаясь отвлечь беззаботным щебетанием. Им и невдомек, какое сильное впечатление производят они на окружающих своей красотой и грацией.

Со своего порога за Мэри Стюарт незаметно наблюдал Хартли Боумен.

Глава 13

Послеобеденная верховая прогулка получилась такой же приятной, как утренняя, и в том же составе. На все время пребывания к ним были приписаны постоянные лошади и ковбой. Лиз, ответственная за загон, осведомилась, довольны ли гости лошадьми и сопровождающими, и не услышала жалоб.

Зоя продолжила беседу с врачами; Таня старалась не слушать их разговор про трансплантации, который немногим лучше их утренней темы — оторванных конечностей. Мэри Стюарт тоже лучше оставить в покое, пусть вволю наговорится с Хартли Боуменом о какой-то книжке. Самой Тане ничего не оставалось, кроме как снова присоединиться к ковбою. Опять они проехали несколько миль в гробовом молчании. В конце концов чаша Таниного терпения оказалась переполненной, и она стала рассматривать своего спутника в упор. Это не произвело на него ни малейшего впечатления: казалось, он не имеет никакого понятия, кто едет рядом с ним. Настолько не обращал на нее внимания, что рядом они ехали только благодаря ее усилиям.

— Вас что-то во мне не устраивает? — спросила она наконец, окончательно выйдя из себя. Поездка уже не доставляла ей удовольствия, а сам ковбой не нравился с самого начала.

— Нет, мэм, нисколько, — ответил он невозмутимо.

Она боялась, что сопровождающий снова надолго умолкнет, и была готова пнуть его носком сапога. Ей еще не приходилось встречать настолько неразговорчивых людей, и это сильно действовало ей на нервы. Она привыкла, что к ней обращаются, на нее смотрят. Реакция Гордона — для нее неприятный сюрприз. Впрочем, у него наготове оказался еще один, который он преподнес ей через полмили. Она размышляла, стоит ли еще раз попытаться вывести его из ступора, как вдруг услыхала:

— А вы хорошая наездница!

Таня не сразу поверила своим ушам. Неужели ковбой к ней обратился? Он исподтишка взглянул на нее и поспешно отвел взгляд. Можно подумать, она источает какое-то ослепительное сияние, что, видимо, и являлось причиной его неразговорчивости. Но где уж ей догадаться!

— Спасибо. Вообще-то я не люблю лошадей. — А также людей, которые с ней не разговаривают, а главное — его самого.

— Я читал вашу анкету, мэм. Почему не любите? Приходилось падать?

Она заподозрила, что такой длинной тирады он не произносил уже с год. Что ж, когда-то надо начинать тренироваться. Ей попался любитель тишины. Или Хартли прав и бедняга просто робеет, побаиваясь городских? Раз так, ему надо бы податься в сапожники, а не сопровождать гостей пансионата-ранчо.

— Нет, Бог миловал. Просто лошади, по-моему, глупы. В детстве я много ездила, но не любила это занятие.

— А я вырос в седле, — пробубнил он. — Только и делал, что ловил арканом бычков. Мой отец работал на ранчо, я ему помогал.

Он умолчал, что отец погиб, когда ему было всего десять лет, и ему пришлось содержать четырех сестер, пока все они не повыходили замуж. У него осталась мать, а еще есть сын в Монтане, которого Гордон время от времени навещает. Что бы о нем ни думала Таня, Гордон Уошбоу — человек славный и далеко не глупый.

— Люди, приезжающие сюда, по большей части утверждают, что умеют ездить верхом, и сами в это верят. На самом деле они просто опасны. Ничего не соображают! Уже к исходу первого дня валятся с седла. Вы — другое дело, мэм. — Она заслуживала и более восторженной похвалы. Он робко взглянул на нее. — Никогда еще не сопровождал таких знаменитостей, оттого и теряюсь.

Его откровенность произвела на нее впечатление. Она вспомнила, как за обедом жаловалась на него подругам, и пристыдила себя.

— Чего же тут теряться?

Ей стало забавно. Редко приходится смотреть на себя чужими глазами. Таня до сих пор не понимала, чем приводит людей в восхищение, и тем более не могла взять в толк, что кто-то испытывает в ее присутствии страх.

— Вдруг ляпну не то? А вы рассердитесь.

Она рассмеялась. Они выехали на опушку. Солнце озаряло вершины, вдали трусил койот.

— Я действительно на вас рассердилась, но совсем по другой причине: ведь вы отказывались со мной разговаривать!

Он опасливо покосился на нее, еще не зная, как вести себя в ее присутствии: быть настороже или наслаждаться ее обществом. Искренняя ли она, можно ли ей доверять?

— Я уже решила, что вы меня возненавидели.

— За что мне вас ненавидеть? Все ранчо спит и видит, как бы с вами познакомиться. Все накупили ваши компакты и мечтают об автографах, один даже раздобыл видеозапись с вашим участием. Нас предупредили, чтобы мы к вам не приставали, не задавали вопросов, вообще не досаждали.

Вот я и решил, что лучше вообще к вам не обращаться. Не люблю надоедать. Другие выставляют себя болванами. Я просил, чтобы к вам приставили вместо меня кого-нибудь еще. Какой из меня собеседник?

Ее тронула его открытость, и она уже забыла свое прежнее мнение о нем и испытывала к нему симпатию. К тому же для ковбоя он поразительно чист и изъясняется понятно и учтиво.

— Простите, если я вас обидел.

Она уже приготовилась ответить, что нисколько не обижена, но запнулась: в действительности он ее задел, в том-то и загвоздка. Ее покоробило, что он не соизволит с ней разговаривать. Для Тани Томас это что-то новенькое.

— Я решил, что вы лучше отдохнете, если буду держать рот на замке.

— Нет, лучше время от времени издавайте какие-нибудь звуки, я должна знать, что вы еще дышите. — Она криво усмехнулась, он громко засмеялся.

— Вы такая известная, что вас того и гляди доконают приставаниями. Прямо с ума все посходили перед вашим приездом. Представляю, каково вам!

Гордон взял ее за живое. Она грустно кивнула:

— Да уж...

Оказалось, нетрудно быть откровенной с простым ковбоем в окружении грандиозных горных вершин, среди диких цветов. Это походило на поиск истины, на тропинку к вечному блаженству. В этих местах есть нечто такое, что трогает ее сердце. Сперва она решила податься сюда, чтобы доставить удовольствие детям Тони, потом вышло так, что порадовала подруг, а главное — обрела то, чего ее душа лишилась давным-давно, — мир в душе.

— Все меня хватают, все от меня чего-то требуют, что-то у меня отбирают. Они чего-то лишают меня, сами того не зная. Это что-то — моя душа. Иногда мне кажется, что это в конце концов меня убьет.

Кошмар убийства Джона Леннона поклонником-фанатиком терзал всех знаменитых людей, за которыми следовали, как за Таней, обезумевшие толпы. Но этим кошмары не исчерпывались: были и другие не менее страшные, хотя менее конкретные, чем дуло пистолета, изрыгающее смертельный заряд.

— Я вырвалась сюда из сумасшедшей жизни, — задумчиво заключила она. — Сначала все было терпимо, но потом... Вряд ли теперь что-то изменится.

— А вы купите здесь домик, — предложил он, глядя на горы. — Сюда приезжает много таких людей, как вы. Они бегут сюда, прячутся, приходят в себя. Сюда, в Монтану, в Колорадо — цель одна. Или обратно в Техас.

Он улыбнулся, она покачала головой.

— Из этого я уже выросла, — призналась Таня.

Он засмеялся свежим, легким смехом. Смех так ему шел, что она не удержалась от улыбки.

— Я тоже давно вырос из Техаса. Жара, пыль, пустота... Потому и приехал сюда. Здесь мне больше нравится.

Она огляделась и согласно кивнула. Ей очень легко понять, почему ему здесь нравится, — здесь просто не может не понравиться.

— Вы живете тут круглый год? — Сейчас ей уже странно было бы подумать, что все утро они проиграли в молчанку. Возможно, они никогда больше не увидятся, но в данный момент они стали людьми, способными друг друга услышать. Он знал что-то о ней, она — о нем. Она подумала, не написать ли об этом песню. Название уже есть: «Безмолвный ковбой».

— Да, мэм.

— Ну и как? — Она уже обдумывала будущую песню.

— Холодно. — Он улыбнулся и опять бросил на нее взгляд исподтишка. Она пугала его своей красотой, гораздо проще не замечать ее. — Иногда здесь выпадает до двадцати футов снега. В октябре мы отгоняем коней на юг. Тут не проехать без снегового плуга.

— Холодно и, должно быть, одиноко, — задумчиво проговорила она, представляя себе эту картину. Как же это далеко от Бель-Эр, студий звукозаписи, кинозалов, концертов! Двадцать футов снега! Одинокий человек, снеговой плуг...

— Мне нравится, — возразил он. — Я всегда при деле: читаю, размышляю. Немножко пишу... — Он смущенно улыбнулся, косясь на нее. — Слушаю музыку.

— Только не рассказывайте, что слушаете меня, сидя всю зиму в снегу глубиной двадцать футов. — Картина совершенно нереальная, но она от этого пришла в восторг.

— Иногда, — сказал он. — Не только вас, других тоже. Музыку кантри, вестерн. Раньше я любил джаз, но теперь перестал его слушать. Бетховена, Моцарта...

Этот человек превратился для нее в загадку. Первая ее оценка оказалась абсолютно ложной. Ей хотелось спросить, женат ли он, есть ли у него семья, — просто из любопытства, а не из профессионального интереса, но это слишком личные вопросы, и она чувствовала, что этим может оскорбить его. Он тщательно обозначал границы и оставался на своей территории.

Прежде чем она успела спросить что-либо еще о том, как он здесь живет, к ним примкнули остальные. Хартли и Мэри Стюарт оживленно беседовали; врачи по-прежнему кого-то *расчленяли* и ничего вокруг не замечали. Все были в восторге от прогулки и очень сожалели, что пора возвращаться. Часы показывали четыре — настало время для бассейна, пеших прогулок, тенниса. Впрочем, все устали, особенно Зоя. Таня второй день замечала, что подруга выглядит бледнее обычного. Ее и без того светлая кожа стала еще белее.

Чета врачей из Чикаго отправилась любоваться дикими цветами, а Хартли проводил женщин к дому, где их ждал новый сюрприз — мальчуган лет шести, сидевший на ступеньках и кого-то поджидавший. При виде его Мэри Стюарт вздрогнула.

— Привет! — окликнула его Таня. — Ты сегодня ездил верхом?

— Ага. — Мальчишка сдвинул на затылок красную ковбойскую шляпу. На нем были черные ковбойские сапожки с изображением красных бычков, джинсы и синяя джинсовая курточка. — Моего коня зовут Расти.

— А тебя? — спросила Зоя, присаживаясь с ним рядом. Ее уже не держали ноги. От высоты ей было трудно дышать.

— Бенджамин! — гордо представился он. — Моя мама ждет ребенка и не может ездить верхом. — Ему не терпелось поделиться информацией.

Зоя и Таня обменялись улыбками. Мэри Стюарт стояла чуть поодаль, беседуя с Хартли, и, сама того не замечая, хмурилась. Таня заметила это и поняла причину. Мальчик был вылитый Тодд в этом же возрасте. Таня не пожелала делиться своей догадкой с Зоей из опасения, что Мэри Стюарт ее услышит. Самое странное заключалось в том, что мальчуган не сводил глаз именно с Мэри Стюарт, словно был с ней знаком. Это вызывало суеверный страх.

— У меня есть тетя — точь-в-точь ты, — признался он, обращаясь к Мэри Стюарт, хотя она, единственная из всей компании, не сказала ему ни слова и не хотела говорить.

Она не желала беседовать со странным мальчишкой. Сходство с сыном Мэри Стюарт не столько подметила, сколько почувствовала. Хартли обратил внимание на ее неспокойный взгляд.

— У вас есть дети? — спросил он. С одной стороны, она носит обручальное кольцо, с другой — как будто свободна в выборе места, где провести лето; к тому же у него создалось о ней впечатление как об одинокой женщине. Все это рождало недоумение по поводу ее семейного положения.

— Есть... — неохотно ответила она. — Дочь. И сын. То есть его больше нет... — Ответ прозвучал через силу, в глазах читалась боль. Он не стал продолжать. Она отвернулась от мальчишки и вошла в дом вместе с Хартли, не в силах смотреть на ребенка.

— А он... — ему хотелось завоевать ее доверие, но пока что не знал, как это сделать, — умер ребенком?

Он понимал, что этого, возможно, вообще не следовало бы говорить, но ему нестерпимо хотелось побольше о ней разузнать. Вдруг она приехала сюда из-за гибели сына? Вдруг он попал в аварию вместе с отцом?.. Или она по-прежнему замужем? У него уже набралось к ней много вопросов. Проведя рядом с ней весь день, он чувствовал себя ее другом. Здесь, в этом несравненном уголке, они отрезаны от остального мира. То были чудесные мгновения близости, которыми нельзя не воспользоваться. Если существует шанс стать настоящими друзьями, придется поскорее разузнать друг о друге как можно больше.

— Тодд погиб в двадцать лет, — ответила она тихо, стараясь не смотреть на мальчугана за окном. Тот все еще болтал с Зоей и Таней. — В прошлом году, — добавила она, не поднимая головы.

— Простите!.. — прошептал Хартли и осмелился прикоснуться к ее руке. Ему ли не знать, что такое боль от потери родного человека... Они с Маргарет прожили в браке двадцать шесть лет, потом ее не стало. Детей они так и не завели: она была бесплодной, и он давно с этим смирился.

Хартли полагал, что они пережили похожее горе, как-то поспособствовавшее их сближению. Но теперь, глядя на Мэри Стюарт, он понял, что глубина ее горя превосходит его разумение.

— Наверное, это ужасно — потерять ребенка. Представить себе не могу. Когда умерла Маргарет, я думал, что и мне придет конец. Думал, не выживу. Просыпаясь по утрам, я удивлялся: неужто еще жив? И все ждал, что скончаюсь от тоски, но, как ни удивительно, этого не произошло. Всю зиму я писал книгу, посвященную своему горю.

— Наверное, писать — хороший способ спастись, — предположила она, опускаясь на диван в гостиной. Подруги остались на крыльце, болтая с мальчуганом, которого отсюда не разглядеть. — Хотелось бы и мне описать свою трагедию. Правда, в последнее время мне немного полегчало. Прежде чем уехать сюда, я наконец-то убрала его вещи. Раньше рука не поднималась.

— Я отходил после смерти Маргарет почти два года, — признался он. За это время он всего два раза был с женщинами и обеих возненавидел за то, что они — не она. Боль привыкания вошла в его плоть и кровь. Мэри Стюарт избавлена по крайней мере от этого — хотя о ее муже пока еще не было произнесено ни словечка. — Представляю, как страдает ваш муж, — произнес он с разведывательной целью. Она не поняла его намерений. На ее пальце поблескивало узкое обручальное кольцо, но в ее речах он не находил подтверждения, что она замужем.

— Так и есть. — В конце концов она решила ничего от него не скрывать. — Ему тоже невыносимо тяжко. Это и погубило наш брак.

Хартли кивнул. Он знал, как это бывает, — не на личном опыте, а от двоюродного брата, пережившего то же горе.

— Где он сейчас?

— В Лондоне, — ответила она.

Он снова кивнул — именно это и пытался выведать и предпочел понять ее так, что Билл якобы насовсем переехал в Лондон. Мэри Стюарт не понимала, зачем он ее расспрашивает, и полагала, что из простого дружеского участия. Она давно отвыкла от мужского интереса и пока что его считала спутником по верховым прогулкам, хотя Хартли очень ей нравился.

На его вопрос, не присоединятся ли они к нему за ужином, Мэри Стюарт ответила, что посоветуется с подругами. Он раскланялся: его ждали дела, в частности почта. Подобно многим гостям пансионата, он поддерживал контакт со своей конторой и не сидел без дела даже здесь и простился с ней до вечера. Узнав о его приглашении провести вечер вместе, подруги, как и следовало ожидать, принялись дразнить Мэри Стюарт. Особенно усердствовала Таня.

— Ты не теряешь времени зря, Стью! Мне он тоже понравился. — Это было произнесено с доброй улыбкой.

Мэри Стюарт метнула в Таню подушкой.

— Перестань! Он пригласил всех нас, а не одну меня. Просто ему одиноко. У него умерла жена, и ему не с кем поболтать.

— Мне показалось, что он нашел отраду в тебе, — не унималась Таня.

Мэри Стюарт назвала эти домыслы глупостью.

— Он очень милый, очень умный, очень одинокий.

— И очень интересуется тобой. Господи, я ведь не слепая! Это ты ничего не желаешь замечать. Так долго пробыла замужем, что не видишь, когда на тебя таращатся мужчины.

— Лучше расскажи мне про своего ковбоя, — парировала Мэри Стюарт. Они снова превратились в первокурсниц. — Кажется, он преодолел свою немоту? Ты даже заставила его улыбаться!

— Очень суровый характер. Живет здесь зимой один, под двадцатью футами снега. — Она умолчала, что среди сугробов он слушает, как она поет. Ни о каком романе не могло идти и речи: все исчерпывалось лошадьми.

— По-моему, вы обе ослепли, — вмешалась Зоя. — Хартли Боумен втюрился в Стью, но это еще не все. Если я не выжила из ума, то ко времени нашего отъезда мистер ковбой потеряет покой из-за Тани. Помяните мое слово!

Зоя и Мэри Стюарт засмеялись, Таня вопросительно приподняла бровь. Подобная чепуха не требовала комментариев.

— Лучше расскажи о себе, Зоя. Уж не затеяла ли ты разрушить крепкую семью и сбежать с чикагским врачом?

Врач из Чикаго был толстым лысым коротышкой. Мысль о бегстве с таким попросту смешна.

— К сожалению, жена у него более привлекательна, чем он. Уж лучше бы сбежать с ней, но это не мой профиль. Придется мне остаться в горах.

— И мечтать о Сэме, — напомнила Таня.

Зоя ответила стоном: такие напоминания ей ни к чему.

— Не лезь в чужие дела. Знал бы он, что в Вайоминге у него завелась болельщица! Сделаем так, Тан: когда ты нагрянешь в Сан-Франциско, я вас познакомлю. Можешь встречаться с ним, сколько тебе влезет. Ты придешься ему по вкусу.

— Ловлю на слове. Ладно, теперь займемся Мэри Стюарт. — Она обернулась, и Мэри Стюарт в притворном страхе закрыла лицо ладонями. — Расскажи-ка нам о своем новом дружке.

— Тут и рассказывать нечего. Я же говорю, ему просто одиноко.

— Как и тебе. Нам с Зоей тоже одиноко. Ну, какие еще новости? — Таня повалилась на диван. После дня в седле у нее болели ноги.

— Мне совсем не одиноко, — возразила Зоя. — Я счастлива.

— Знаем, знаем, ты у нас святая! Учти, ты и сама не знаешь, до чего тебе одиноко. Уж поверь моему нюху, — заявила Таня.

Все засмеялись.

— К черту мужчин! Мой кавалер — Бенджамин, — заявила Зоя с улыбкой.

Мальчик и впрямь чудесный, Зоя и Таня сразу в него влюбились.

— Разумный выбор, — похвалила Таня. Мэри Стюарт промолчала.

Немного погодя она спросила, как они относятся к ужину в компании Хартли. Принять ли предложение о перемещении за его столик?

— Почему бы и нет? Глядишь, Мэри Стюарт будет у нас пристроена! — Таня была в восторге.

— Ты это брось. Я еще замужем, — напомнила Мэри Стюарт.

— А он об этом знает? — осведомилась Зоя. Обручальное кольцо подруги наверняка вызывало у Хартли недоумение: куда подевался супруг и почему она приехала на ранчо в обществе подруг.

— Он не задавал вопросов, — ответила Мэри Стюарт, которой хотелось убедить себя в собственной правоте. — То есть один вопрос он все-таки задал: где, мол, муж? В Лондоне, говорю.

— Лучше бы ты внесла в это ясность, — посоветовала Таня. — Он задал тебе этот вопрос не просто так. Как бы у него не создалось о тебе неверное впечатление.

Мэри Стюарт сама еще не разобралась, какое впечатление было бы верным.

— Я сказала ему, что гибель сына нанесла нашему браку сокрушительный удар, — спокойно отрезала она.

— Прямо так и сказала?

Таня была поражена: какое искреннее признание, учитывая короткий срок знакомства! С другой стороны, они гарцевали бок о бок добрых шесть часов. Иные супружеские пары проводят вместе меньше времени за целую неделю. К тому же он явно заинтересовался своей спутницей.

— Может, лучше его предупредить, что я все еще замужняя женщина? — Правда, она не знала, долго ли еще продлится это состояние. Было бы излишней самонадеянностью сразу все о себе выложить. Вдруг ему все равно, замужем она или нет? — Ладно, там видно будет. Вряд ли его волнуют такие подробности, — чопорно заключила Мэри Стюарт, чем вызвала у подруг взрыв негодования. — Слушать вас не хочу! — С этими словами она отправилась принимать душ.

Зоя стала названивать Сэму. Он оказался занят в процедурном кабинете с пациентом. Медсестра сообщила, что все пока идет как по маслу. Успокоившись, Зоя прилегла немножко отдохнуть перед ужином. Поднявшись, она удивилась своему хорошему самочувствию. Сон действительно творит чудеса!

Этим вечером подруги ужинали в обществе Хартли. Он оказался интересным и умным, даже мудрым собеседником. Объездил весь свет, знал массу вещей, знаком с потрясающими людьми. К тому же сам он был в высшей степени приятным человеком и, проявляя верх учтивости, не обделял вниманием ни одну из дам. Все три постоянно оставались участницами беседы и имели основания полагать, что он одинаково восхищен всеми. Впрочем, по пути из ресторана к дому он все же предпочел общество Мэри Стюарт и обращался к ней тихо, чтобы их разговор остался между ними. Таня с Зоей сразу вернулись домой, Мэри Стюарт и Хартли побыли немного на воздухе. Она не знала, как лучше коснуться этой темы, однако считала, что подруги дали хороший совет. Следовало уведомить его, что она замужем.

— Мне неудобно об этом заговаривать, — отважилась она наконец, сидя с ним рядом и любуясь сверкающими ледниками, озаренными полной луной, — к тому же сомневаюсь, что это имеет для вас какое-то значение, но мне не хочется морочить вам голову. Я замужем. — К своему удивлению, она увидела в его глазах разочарование. — Муж уехал в Лондон на два-три месяца — этого потребовала работа. Кажется, прежние мои слова могли создать у вас неверное впечатление. Но я хочу быть с вами до конца честной. — Она была честна всегда и со всеми. — Я собираюсь уйти от мужа в конце лета. Мне нужно время, чтобы решить, как быть, но это не меняет главного: наш брак погиб вместе с нашим сыном. Пора с этим покончить, положить конец страданию.

— Муж будет застигнут врасплох? — тихо поинтересовался Хартли, пристально глядя на нее. Он был с ней едва знаком, но уважал за честность, доброту, прямоту. Признание, что она замужем, сильно его огорчило, но тут же выяснилось, что это по большому счету не так уж важно. Она вполне определенно высказалась относительно своего намерения порвать с мужем. — Он знает о ваших чувствах и намерениях?

— Было бы странно, если бы не знал. Целый год он почти не разговаривал со мной. Это не жизнь, не супружество, даже не дружба. Он обвиняет меня в гибели сына, и, по-моему, тут уж ничего не изменить. Я больше не могу так жить. Не собираюсь досаждать вам своими бедами, но, думаю, вы должны знать: в данный момент я замужем, хотя не думаю, что это будет долго продолжаться.

— Спасибо за откровенность, — произнес он с улыбкой, удивляясь, насколько она ему приятна. Это первая женщина, вызвавшая у него настоящую симпатию после смерти Маргарет. Хватило одного дня, чтобы он потерял из-за нее голову. Правда, время здесь, в Вайоминге, бежит с утроенной скоростью.

— Надеюсь, вы не сочтете меня дурочкой за желание прояснить ситуацию. Просто мне не хотелось вводить вас в заблуждение. Уверена, вам все равно, но... — Она уже ругала себя за то, что все ему выложила, и не находила слов для продолжения разговора. Какая ему, собственно, разница: замужем она или нет, думала Мэри Стюарт, готовая растерзать подруг за их легкомысленный совет. Послушавшись их, она выставила себя полной дурой! Он, правда, не смеялся над ней, а восхищенно улыбался.

— А я вообще понятия не имею, зачем сюда забрался, Мэри Стюарт. В этом году вовсе и не собирался сюда приезжать. Два года жалел себя и не обращал внимания на женщин. Но стоило появиться вам — и я словно увидел луч света, блеснувший среди гор. Одно могу вам сказать: никогда еще не был так сражен! Пока еще не знаю, что из этого выйдет, чего хочется вам, как поступлю я сам, интересен ли я вам, но тороплюсь вам признаться, что, пусть я едва с вами знаком, вы мне уже далеко не безразличны. Скорблю вместе с вами из-за смерти вашего сына. — Говоря это, он обнял ее за плечи и привлек к себе. — Я видел ваш затравленный взгляд при появлении мальчика. Как же мне захотелось вам помочь! Более того, сам не верю, что говорю такое! Мне не нравится, что вы еще не разведены, хотя не уверен, что это настолько важно. Не знаю, захочется ли вам снова со мной увидеться по прошествии этой недели. Наверное, я говорю ужасные глупости... Если это так, дайте мне знать. Тогда я на протяжении всего отдыха буду всего лишь церемонно приподнимать шляпу при вашем появлении.

Он заглядывал в ее глаза, полные слез. Это были те самые слова, которых она ждала, но так и не дождалась от Билла. Муж отступился от нее, но внезапно появился чужой человек, сумевший откликнуться на ее безмолвные мольбы.

— Все, чего я жажду, — быть с вами, говорить с вами, узнавать вас... А дальше посмотрим, что из этого получится.

Ни о чем ином она и не мечтала. Она молча смотрела на него, все еще не веря своим ушам. Неужели это не сон? Она не скрывала своих слез, своего восторга. Неужто она набрела на воплощение своей мечты?

— Я поделился с вами чувствами, с которыми прожил весь сегодняшний день. Давайте не торопиться с ответами. Будем просто наслаждаться настоящим.

Прикосновение ее волос к его щеке заставило Хартли зажмуриться. Он упоенно вдыхал аромат ее духов и больше ничего не говорил, а только сжимал Мэри Стюарт в объятиях, пока не почувствовал ее дрожь. Отчасти в этом была повинна вечерняя прохлада, но гораздо в большей степени — волна чувств. Она только утром познакомилась с ним, правда, прочла все, что вышло из-под его пера, и чувствовала себя его давней знакомой. Вдобавок они проговорили не один час, открыв друг другу душу и ощутив сильное взаимное влечение.

— Вы замерзли. Отведу-ка я вас домой. — Как же ему хотелось побыть с ней еще! Она взглянула на него, и он снова ее обнял.

— Спасибо вам за все, — прошептала Мэри Стюарт.

Хартли довел ее до двери и удалился. Она шмыгнула внутрь, надеясь, что подруги уже улеглись. Надежда оправдалась, но на кровати ее ждал факс от Билла: «Надеюсь, все в порядке. Работой в Лондоне доволен. Привет подруге. Билл». И все! Внизу листа Таня приписала своим кружевным почерком: «На твоем месте я обратилась бы к адвокату». Да, послание было донельзя сухим, но жизнь уже успела поманить ее новой захватывающей перспективой. Одна дверь захлопнулась, зато приоткрылась другая. В щелке она видела солнечный свет.

Глава 14

На следующее утро Зоя и Мэри Стюарт снова совместными усилиями стащили Таню с постели.

— Проснись и пой! — скомандовала Зоя.

Мэри Стюарт стянула с сони одеяла и сорвала с ее лица маску.

— Садистки! — простонала Таня, щурясь от солнечного света. — Боже, что за мука! Так я совсем ослепну! — Она шлепнулась на живот и застыла. Подругам пришлось стаскивать ее на пол, как когда-то в колледже.

— Это называется солнцем. Снаружи его еще больше, — напомнила Мэри Стюарт. Таня медленно подняла голову. — Если бы не давнее знакомство, я бы решила, что ты напилась. Только пьяницы испытывают такие трудности по утрам.

— Это не пьянство, а годы. Мне необходим длительный сон, — бормотала Таня, плетясь в ванную.

— Большой Макс уже перебирает копытами, — предупредила Зоя.

— Скажи ему, чтобы шел спать. Это пойдет ему на пользу. — Таня зевнула.

Впрочем, уже через двадцать минут, приняв душ, она предстала перед подругами опрятно одетой и свежей, как всегда. В этот раз на ней были бледно-розовые джинсы и тенниска такого же цвета, старые желтые ботинки и розовая бандана в волосах, зачесанных назад. Нежные пряди, обрамлявшие лицо, придавали ей соблазнительность.

— Представляю, какую стойку сделает твой ковбой! — всплеснула Мэри Стюарт, оценив Танин наряд. Та выглядела лучше, чем когда-либо. — Но, приглядевшись, махнет рукой: что взять с уродины?

Мэри Стюарт улыбалась. Ей не терпелось увидеться с Хартли. Она думала о нем всю ночь, а утром превратилась в девчонку, мечтающую о новой встрече. Пока что они оставались просто друзьями, но продолжение угадывалось и не давало ей покоя.

По пути в ресторан им опять попался на глаза Бенджамин. Мэри Стюарт шарахнулась от него, как от привидения. Ему, наоборот, хотелось шагать именно рядом с ней. В этой настойчивости чудилось что-то сверхъестественное.

— Где твоя мама, Бенджамин? — спросила Зоя, чувствуя настроение Мэри Стюарт и отлично понимая причину. Зоя никогда не видела Тодда, но ребенок очень походил на Мэри Стюарт.

— Спит, — солидно ответил он. — Отец велел мне сходить позавтракать.

— Как же так: она спит, а я бодрствую? — застонала Таня.

— Она на восьмом месяце беременности, — объяснила ей Зоя.

— Если вы будете и дальше лишать меня сна, ко времени отъезда я превращусь в ведьму. Так рано вставать вредно для здоровья.

— Кто сказал? — со смехом осведомилась Зоя.

— Я!..

Они вошли в здание и устремились к своему столику, сопровождаемые Бенджамином. Он прицепился к ним, как репей, но Мэри Стюарт была полна решимости не обращать на него внимания. Как назло, мальчик уселся с ними вместе. Таню он забавлял, Зою тоже, но огорчать Мэри Стюарт им не хотелось. Увы, на их предложение пересесть к друзьям он решительно отказался.

— Ничего, — произнесла Мэри Стюарт через силу, — перестаньте его донимать.

— Ты не возражаешь? — спросила Таня, испытующе глядя на нее.

Мэри Стюарт кивнула:

— Не возражаю.

Нельзя же обнести себя глухим забором! Ей было больно видеть его так близко, но в мире полно детей, и от этого никуда не деться.

— Какой милый факс прислал тебе вчера муженек! — вспомнила Таня, выпив апельсиновый сок. — Сколько тепла, чувства, любви! Просто милашка. — Мэри Стюарт печально улыбнулась. — Прости, что я его прочла: не смогла удержаться. Собираешься ответить?

— Что тут отвечать?

Она вспомнила вчерашний вечер: это было похоже на сон, она уже не верила, что сидела рядом с Хартли, что он обнимал ее, прижимал к себе, шептал, что хочет лучше ее узнать...

— Кстати, вчера я поговорила начистоту с Хартли. И рассказала ему о муже. Вы оказались правы: он неправильно меня понял. Теперь все прояснилось.

— Он заинтересовался?

Она изобразила безразличие, хотя подруги сразу ее раскусили.

— С какой стати?

— Вряд ли он предложит тебе место своего секретаря, — объяснила ей Таня, как умственно отсталой. — Ты ему понравилась.

— Посмотрим, что из этого получится, — спокойно подытожила Мэри Стюарт.

Бенджамин так пристально смотрел на нее из-под красной ковбойской шляпы, что трудно было не обратить на него внимание.

— Ты очень похожа на мою маму, — объявил он. — И на тетю Мэри.

— Меня тоже зовут Мэри, — ответила она, чтобы поддержать разговор. — Мэри Стюарт. Странно, да? Стюартом звали моего отца. Он хотел, чтобы я была мальчиком, потому меня и назвали двойным именем.

Мальчик кивнул и спросил:

— У тебя есть дети? — Она интересовала его гораздо больше, чем остальные женщины: можно было подумать, что он уловил в ней какую-то особенность.

— Да, дочь, только она уже выросла. Ей двадцать лет.

— А сыновья? — спросил он, перестав жевать.

— Нет, — ответила Мэри Стюарт. Он был слишком мал, чтобы понять, почему в глазах у нее появились слезы.

— Я больше люблю мальчишек, — поделился он. — Хочу, чтобы мама родила сына, а не дочку. Не люблю девчонок: они глупые.

— Некоторые не очень, — возразила Мэри Стюарт, но он только пожал плечами, не желая расставаться со своим предубеждением относительно женского пола.

— Слишком много ревут, стоит их толкнуть, — объяснил он.

Зоя и Таня с улыбкой переглянулись. Возможно, эта беседа принесет Мэри Стюарт пользу. Вдруг она сыграет роль прививки?

— Бывают очень смелые девчонки.

Мэри Стюарт готова была и дальше защищать свой пол, но мальчуган уже потерял интерес к этой теме. Его увлек бекон. Потом, увидев отца, он поспешил к нему. Немного погодя появилась мать, и Мэри Стюарт обратила внимание на ее огромный живот. Ее муж уже объяснял Зое, что на высокогорье она чувствует себя отвратительно.

— Надеюсь, тебе не придется принимать ее ребенка, — сказала Мэри Стюарт Зое вполголоса. — Такое впечатление, что она готовится произвести на свет тройню.

— Что ты! Здесь рядом больница. К тому же у меня нет с собой хирургических щипцов. Да и вообще я не принимала новорожденных с самой стажировки. Помню, как мне было тогда страшно! Помогать деторождению — гораздо более ответственное дело, чем то, каким занимаюсь я. Слишком много возможностей для осечки, одно поспешное решение за другим, слишком много элементов, не поддающихся контролю. К тому же я не люблю, когда человеку так больно. Лучше уж дерматология, чем родовспоможение.

В ответ на прочувственную тираду Зои Мэри Стюарт обмолвилась, что она прежде считала это более занятным делом: ведь чаще всего исход благополучный. Таня, в свою очередь, призналась, что всегда интересовалась, каково это — рожать. В молодости она мечтала стать многодетной мамашей, но жизнь так и не предоставила ей возможности осуществить мечту. Мэри Стюарт в очередной раз отметила про себя, что из их компании лишь она стала матерью.

— Наверное, в этом есть что-то возвышенное — так нас учили в Беркли, — вставила Зоя с улыбкой, счастливая, что удочерила девочку.

— Я с радостью нарожала бы детей! — воскликнула Таня. — Мне нравилось, когда рядом были дети Тони. Они такие славные!

Она не знала, увидится ли когда-нибудь с ними снова хотя бы на несколько минут. Тони поступил с ней негуманно.

Ему хватило хладнокровия бросить ее, забрав детей. Это наводило на мысль, что напрасно она не выкроила время и не родила своих: их ее никто никогда не лишил бы, они бы всегда оставались с ней. Или не всегда? Пример Мэри Стюарт говорит об обратном.

Закончив завтракать, они поспешили в загон. Хартли пришел туда раньше них. При появлении Мэри Стюарт он облегченно перевел дух. Они встретились глазами и долго не отводили взгляд. Дожидаясь команды садиться в седла, они стояли близко друг к другу. Здесь же находились врачи из Чикаго. Зоя опять примкнула к коллегам; Хартли поехал с Мэри Стюарт. Таня и ковбой снова остались наедине. На сей раз, уехав с ней вперед, он не стал молчать.

— Прекрасно выглядите, — проговорил он, глядя прямо перед собой.

Таня заметила, что, произнося комплимент, он покраснел. Она попыталась вывести его из замешательства, но это удалось не сразу. Спустя довольно продолжительное время он стал расспрашивать ее о Голливуде и о людях, которых она там встречает. Может, ей попадались на глаза Том Круз, Кевин Костнер, Шер? Сам он как-то раз видел в Джексон-Хоуле Гаррисона Форда. Она ответила, что со всеми ними знакома, а вместе с Шер снималась в кино.

— Чудно, — сказал он, щурясь. — Глядя на вас, не скажешь, что вы из таких.

— Это в каком же смысле? — Настала ее очередь смутиться.

— Ну, вы настоящая. Не как другие кинозвезды, известные певицы или кто-то в этом роде. Нормальная женщина. Ездите верхом, болтаете, смеетесь, даже чувство юмора есть. — Он уже был способен улыбаться и больше не краснел. — Немного с вами побудешь — и забываешь, что слышишь вас на компактах и видишь в фильмах.

— Если это комплимент, то спасибо. Если вы хотите сказать, что я вас разочаровала, спасибо и за это. Что поделать, в сущности, я всего лишь уроженка Техаса. — Она с улыбкой обнаружила, что он восхищенно глядит на ее розовую тенниску.

— Ну нет! — Он покачал головой, одобрительно расширив глаза. Ее первое впечатление от Гордона все время пополнялось новыми деталями. — Не только. Не кокетничайте. Просто вы не фальшивая, не то что остальные.

— Остальные — это кто?

— Другие кинозвезды. Видал я их: приезжают сюда и даже не садятся в седло. Кто тут только не перебывал! Политики, актеры, даже парочка певцов. Приезжают покрасоваться и ждут особого обращения.

— Я тоже потребовала кучу полотенец и кофейник, — призналась она. Он засмеялся. — Еще я написала в анкете, что терпеть не могу лошадей, помните?

— Не верю. — Теперь ему было несравненно легче с ней общаться, чем накануне, когда он не смел вымолвить даже словечко. Перемена ему шла: так, за разговором, с ним было гораздо приятнее иметь дело. — Ведь вы из Техаса, — объяснил он с явным одобрением. С его точки зрения, это один из ее главных плюсов: выходцы из Техаса не могут ненавидеть лошадей. — И вообще, женщина как женщина.

Забавнее всего то, что он попал в точку: она действительно осталась обыкновенной женщиной. Такой она была еще с Бобби Джо, но Голливуд все поломал. Именно это она безуспешно пыталась доказать Тони. Но тому требовалась кинозвезда, только чтобы не досаждала ему своими неизбежными проблемами. Ему хотелось того, чего она никак не могла ему дать, как ни старалась.

— Да, обыкновенная, но мир, в котором я живу, не слишком позволяет мне такой оставаться. Честно говоря, жизнь меня не больно баловала, а теперь и подавно не приходится рассчитывать. Жаль, но ничего не поделаешь. Пресса никогда мне не позволит вести нормальную жизнь. Люди, с которыми я имею дело, тоже. Они требуют, чтобы я соответствовала их представлениям, а стоит подпустить их близко — норовят укусить. — Здесь, среди умопомрачительного пейзажа, даже разговор на эту тему казался безумием.

— Ужас!.. — посочувствовал он, с интересом глядя на нее и удивляясь, до чего она ему нравится.

Гордон этого не хотел, но что поделать, если она оказалась совсем не такой, как все? Он сделал все возможное, чтобы его не приставили к ней, а теперь радовался, что Лиз его не послушала. Ее общество оказалось даже приятным.

— Да, ужас, — тихо согласилась она. — Иногда я даже боюсь, что не выдержу и умру. Может, это рано или поздно случится: какой-нибудь обезумевший поклонник возьмет и пристрелит меня. — Это было произнесено с такой грустью, что он недовольно покачал головой.

— Как вы можете так жить? Сколько бы вам за это ни платили, оно того не стоит.

Их лошади перешли на бег.

— Меня удерживают не деньги. То есть не только они. Все-таки пение — дело всей моей жизни. Тут не попятишься, не спрячешься. Хочешь этим заниматься — изволь терпеть все остальное.

— Так не должно быть.

— И все же это так. — Любить такую жизнь невозможно, но она знала, что не в силах ее изменить. — Все козыри на руках у других.

— Все равно должен существовать способ что-то изменить, добиться достойной жизни. У других кинозвезд получается: они покупают ранчо, едут туда, где их не донимают. Вот и вам надо бы так же, мисс Таня.

Он говорил это не ради красного словца, а от души. Она улыбнулась. Лошади опять перешли на шаг. Гордон не скрывал восхищения: она была прекрасной наездницей.

— Не надо никаких *мисс*, — попросила она. — Просто Таня. — Они были уже почти друзьями и откровенно обсуждали ее жизнь.

То же самое произошло у Мэри Стюарт с Хартли. В этом краю быстро развязывался язык, появлялось желание делиться самым сокровенным: надеждами, мечтами, разочарованиями. Наверное, чудо объяснялось влиянием гор: это они наводили на подобные мысли, на близкие душевные отношения между людьми.

Хартли тоже серьезно разговаривал с Мэри Стюарт: он просил прощения, если вечером обидел ее, переступил черту. Вернувшись к себе, он испугался, что мог ранить ее излишней настойчивостью. Ведь они едва знакомы; впрочем, ему кажется, они уже очень близки. Она чувствовала то же самое: он не ранил ее, а успокоил. Ее целый год никто не обнимал, и она изголодалась по объятиям. Она не сказала ему этого напрямую, но дала ясно понять, что его поведение ничуть ее не оскорбило, наоборот. Для него это стало огромным облегчением. Когда их лошади остановились, чтобы утолить жажду из ручья, он заметил на ее губах улыбку. То, что они повстречались, причем именно здесь, — настоящее чудо. Им обоим так и казалось.

— Я с самого утра только о том и думал, когда мы увидимся, — сказал он с радостной улыбкой. — Я уже много лет не испытывал ничего подобного. Работать и то не тянет. Поверьте, со мной это бывает редко. — Он ни дня не проводил без строчки, где бы ни очутился, как бы себя ни чувствовал, в какие бы условия ни попал. Всего раз он сделал перерыв — когда умирала Маргарет. Тогда он не мог писать.

— Как хорошо я понимаю ваши чувства! Странно, но именно тогда, когда вам кажется, будто жизнь кончена, она начинается снова. Жизнь всегда нас обманывает, правда? Стоит только подумать, что человек всего достиг, как он тут же все теряет. Когда же думает, что все потеряно, жизнь преподносит что-то бесконечно ценное. — Говоря так, Мэри Стюарт любовалась горами.

— Боюсь, Господь наделен тонким чувством юмора, — Хартли тронул конские бока каблуками. — Чем вам больше всего нравится заниматься в Нью-Йорке?

Ему по-прежнему хотелось узнать о ней как можно больше, добиться возможности разделить ее интересы. Его окрылила весть, что, проведя в Лос-Анджелесе у Тани неделю, она возвратится в Нью-Йорк. После отъезда с ранчо он собирался наведаться по делам в Сиэтл, потом в Бостон и вернуться в Нью-Йорк примерно тогда же, когда и она.

— Вы любите театр?

Они долго обсуждали театральную жизнь. У него было много знакомых драматургов, и он загорелся желанием познакомить ее с ними, вообще со всеми своими друзьями. Он столько всего хотел ей рассказать, показать, о стольком спросить! Они без умолку болтали, смеялись, делились соображениями. Оказавшись в обеденное время у загона, удивленно переглянулись — даже не заметили, когда повернули обратно. Таня и Гордон ехали далеко впереди, врачи замыкали процессию.

В тот момент, когда Мэри Стюарт покинула седло, мимо пронеслась лошадь. За лохматую гриву цеплялась маленькая фигурка. Гордон осознал происходящее раньше остальных и пустился вдогонку, но не успел: фигурка взмыла в воздух и шлепнулась на каменистую обочину. Сначала никто не мог разглядеть, кто это. Однако Мэри Стюарт полагалась не на зрение, а на интуицию. Вслед за ней и остальные поняли: маленький красный ковбой, лежащий неподвижно, — Бенджамин. Его лошадь понесла и сбросила седока. Мэри Стюарт без лишних раздумий метнулась к нему. За ней бросился Хартли. Она наклонилась над ребенком. Он выглядел безжизненным. Бенджамин потерял сознание, но дышал, хотя едва заметно. Мэри Стюарт в ужасе оглянулась и крикнула Хартли:

— Приведите Зою! — Она боялась прикасаться к бедняге из опасения, что он сломал шею или спину. Ей даже показалось, что он перестал дышать. Но прежде чем она в отчаянии всплеснула руками, рядом опустилась на колени Зоя.

— Все в порядке, Мэри Стюарт. Сейчас разберемся.

Но и она мало что могла сделать: подобно подруге, боялась его трогать. Она легонько постукала его по груди, и он снова задышал, затем приподняла ему веко: глаз закатился. На джинсах расплылось мокрое пятно. Мальчик лежал без сознания.

— У вас тут есть Служба спасения? — спросила Зоя у ковбоя, тот кивнул. — Позвоните туда и скажите, что у нас ребенок без сознания. Травма головы, возможны переломы. Он дышит, но сердцебиение неровное. Шок. Пускай приедут как можно быстрее. — Она сурово посмотрела на него, давая понять, что дело не терпит промедления.

Двое других врачей, спешившись, спешили к ним. Зоя держала мальчика за кисть и внимательно за ним наблюдала. Мэри Стюарт стояла рядом с ним на коленях, держа его за другую руку, хоть и знала, что этим ему не поможешь. Она не хотела от него отходить, надеясь, что он чувствует ее присутствие. Зоя выглядела встревоженной. Она убедилась, что позвоночник не пострадал, и теперь ощупывала конечности. Внезапно пострадавший открыл глаза и разревелся.

— Хочу к маме! — надрывался он и судорожно ловил ртом воздух.

Зоя просияла:

— Вот это другое дело! — Она продолжала осмотр.

Супруги согласно кивали. Зоя приподняла его левую руку, и Бенджамин вскрикнул. Рука была сломана, но стало ясно, что мальчик легко отделался. Плача, он поднял глаза и увидел Мэри Стюарт. Не выпуская его руку, она беззвучно лила слезы.

— Почему ты плачешь? — спросил он, икая. — Ты тоже упала с лошади?

— Нет, дурачок. — Она наклонилась. — Это ты упал. Как сейчас себя чувствуешь? — Она надеялась отвлечь его от Зоиных манипуляций: та пыталась с помощью Гордона смастерить из палочек лубок для сломанной руки. Рядом находились потрясенные Хартли и Таня.

— Рука болит! — крикнул Бенджамин.

Мэри Стюарт придвинулась ближе, стараясь не мешать Зое. Она пригладила ему волосы. Стоило закрыть глаза — и ей представлялся Тодд. Как бы ей хотелось, чтобы сын ожил, пусть с переломанными руками и ногами, с сотрясением мозга! Живой, весь в пыли и слезах... Но нет, Тодда не воскресить.

— Все в порядке, милый, — ласково произнесла Мэри Стюарт, словно на земле лежал ее родной сын. — Тебя скоро починят, сделают симпатичный гипс. Все будут на нем расписываться и вешать на него смешные картинки.

— И ты?

Он тянулся к ней, не обращая внимания на остальных. Никто не знал, чем это объяснить, возможно, это и не имело значения. А возможно, он послан к ней свыше, как напоминание о Тодде и о том, что на свете есть другие дети. Разве *это* поможет ей? Ведь она лишилась своего сына. И все же этот чужой мальчик сумел ее растрогать. Казалось, ее посетил сын — вернее, его дух.

— Ты поедешь со мной в больницу? — пролепетал он.

— Обязательно, — тихо молвила она. — Но сначала надо сообщить твоей маме. Уверена, она поедет с тобой.

— Ей никто не нужен, кроме нового ребенка, — пожаловался он, снова залившись слезами. На его мордашке появилось обиженное выражение. Она держала его за здоровую руку, дожидаясь приезда санитаров. Теперь она понимала, что происходит: она похожа на его мать, вот его и влечет к ней. Малыш зол на мать, погруженную в близящееся новое материнство. Мэри Стюарт казалось, что их пути пересеклись не просто так: она обязана ему помочь. Не исключено, что и он станет помогать ей. Их встреча явно не случайна.

— Бенджамин! — Мэри Стюарт прилегла с ним рядом, чтобы он лучше ее слышал. Она уже успела порядочно выпачкаться и больше не заботилась о себе. — Я уверена, что твоя мама любит тебя больше всех на свете. Малыши — это не только радость, но и хлопоты. Конечно, она будет счастлива, когда родит. Ты тоже обрадуешься. Но ты один такой: ведь ты ее первенец. Знаю, у меня тоже был такой мальчуган, он был самый любимый и навсегда таким остался. Ведь я полюбила его первым. Твоя мама никого никогда не полюбит сильнее, чем тебя. Вот увидишь!

— Где теперь твой мальчик? — Ее слова, которые он теперь слышал очень ясно, вызвали у него сильный интерес.

Ее колебание было недолгим.

— Он отправился на небеса. Мне его очень не хватает. Он был особенный, как ты.

— Он умер?

Она через силу кивнула.

— У нас тоже умерла собака. — Он доверил ей важную информацию.

Заглянув ей в глаза, он без всякого предупреждения окатил ее рвотой. Зоя не удивилась и тихо объяснила Мэри Стюарт, что у бедняги сотрясение мозга.

— Все хорошо, Бенджамин, все хорошо, детка. — Мэри Стюарт вытерла ему лицо полотенцем, поданным кем-то, и осталась с ним рядом.

Все свидетели несчастного случая не отходили от мальчика вплоть до появления санитаров. К этому времени он повеселел, а Зоя еще больше успокоилась. Выглядел он неважно, как и Мэри Стюарт, но Зоя была уверена, что обошлось сотрясением и сломанной рукой, не считая нескольких синяков и ссадин. Это можно назвать везением. Одновременно с машиной «скорой помощи» до места происшествия дотащилась мать пострадавшего: Гордон послал гонца и за ней. При виде неподвижной фигурки она залилась слезами, но Таня, Хартли и супруги из Чикаго поспешили уверить ее, что дела не так плохи; Зоя подтвердила, что повреждения минимальны, учитывая скорость, с которой скакала лошадь, силу падения и то, что всадник не надел шлема.

— Бенджи... — Мать опустилась рядом с сыном на землю, проливая слезы. — Я так тебя люблю! — Глядя на спасителей сына из-под спутанных волос, она прочувствованно их поблагодарила.

Мэри Стюарт напоминала мальчику взглядом о своих недавних словах: мать действительно любит его, как никого другого. Сама она тоже любила своего Тодда как безумная. Дочь она тоже обожала с момента ее появления на свет, но первенец есть первенец — этим все сказано.

Когда носилки с мальчиком осторожно задвигали в машину, она успела прикоснуться к его руке и поцеловать в щеку. На нее пахнуло сладким запахом детства, и сердце чуть не выскочило из груди. Для нее не существовало ни рвоты, ни пыли, ни конского пота, а только запах детства, от которого рукой подать до запаха младенчества.

— Я тебя люблю, малыш, — прошептала она ему, как шептала когда-то Тодду, и едва не лишилась чувств. Казалось, ее собственный сын вернулся к ней с того света и открыл шлюзы любви. — Скоро увидимся!

Мать Бенджамина, плача, поблагодарила ее еще раз. Потом все разошлись. Одна Мэри Стюарт осталась стоять, не в силах унять рыдания. Вдруг она ощутила, что ее обнимают сильные руки. Потом догадалась, кто это, и обернулась. Он прижал ее к себе, но и тогда она не перестала плакать.

— Что ты, что ты... — Она даже не знала его толком, была выпачкана грязью вперемешку с детской рвотой, но он ни на что не обращал внимания — так хотел ее утешить. — Бедняжка... Ну не надо... Жаль, что с тобой не было меня.

Она подняла глаза и улыбнулась сквозь слезы, не веря своему внезапному счастью. То ли Господь счел, что она уже за все заплатила сполна, то ли ей невероятно повезло, то ли снится сон...

— Он так похож на моего сына! — попробовала она объяснить свое состояние, но это было лишним.

Женщина с огромным животом оказалась прямо-таки копией Мэри Стюарт: их можно было принять за сестер. Сходство налицо.

— Что тебе пришлось пережить! — проговорил Хартли, когда они остались одни и присели на бревно. Через несколько минут она пришла в себя. От одного его присутствия она воспряла.

Возможно, это объяснялось тем, что и он пережил нелегкие времена. Его жена умирала мучительной смертью, и он находился с ней рядом до самого конца. Впрочем, под занавес она примирилась со своей участью, а он не смог это пережить. Врач твердил, что он обязан отпустить ее душу на волю, облегчить ей уход. Она умерла у него на руках рождественским утром.

— Извини, я в таком виде... Он сотворил со мной какое-то волшебство — дотронулся до самого сердца. Не знаю, как это получилось.

— Иногда происходит такое, что нам остается только разводить руками, — мягко проговорил Хартли, не зная обстоятельств смерти ее сына, и не торопился спрашивать. Она сама угадала его мысли.

— Мой сын покончил жизнь самоубийством, — ответила она на его незаданный вопрос. Раньше Мэри Стюарт никому, кроме Зои, не говорила этих страшных слов. В этом не было необходимости: никто не осмеливался спрашивать. — Он учился в Принстоне. — Она рассказала ему всю историю Тодда, ни о чем не умолчав: ни о своем ужасе, ни о похоронах, ни об отношении мужа. Рассказ вышел печальнее некуда.

— Все вы прошли через кошмарное испытание. Чудо, что вы вообще выжили, — произнес Хартли в изумлении.

— Разве это жизнь? Мой муж превратился в зомби, наш с ним брак уже год как мертв. Боюсь, дочь предпочла бы совсем не возвращаться домой. Я даже не в силах ее за это осуждать. Теперь просто хочу из всего этого вырваться, умчаться как можно дальше.

— Ты уверена? — осторожно спросил он. Теперь, зная ее историю, он понимал, что эта семья переживает шок. Но что будет, когда они выйдут из потрясенного состояния? Ведь они с мужем прожили долгую жизнь.

— Кажется, да, — искренне вымолвила она. — Я хотела этим летом обдумать свою дальнейшую жизнь... — Она улыбнулась. — Не представляла, что может произойти такое. — Она, собственно, еще и не знала, что произошло и получится ли из этого что-нибудь путное. Возможно, после двух недель на ранчо они больше не встретятся. Такое тоже нельзя исключать. Она решила уйти от Билла не ради Хартли, а потому, что иначе не могла. — Мне надо сделать правильный выбор. И кажется, я уже знаю, как поступить.

Хартли молча кивал, продолжая ее обнимать. Немного погодя он отвел ее домой. Зоя и Таня пили кофе. Хартли присоединился к ним, Мэри Стюарт пошла принять душ. Когда раздался обеденный гонг, женщины поручили Хартли дождаться Мэри Стюарт, а сами отправились в ресторан. После случившегося всем было не до веселья. Выйдя из ванной, Мэри Стюарт удивилась: вместо подруг ее дожидался Хартли. Она поблагодарила его за любезность и, увидев его ласковые глаза, прониклась к нему жалостью. Он тоже пережил трагедию, а теперь тратил все душевные силы на нее. Она не вправе причинять ему боль.

— Не хочу делать вам больно, — сказала она, делая шаг к нему. Ее влеко к Хартли, но она не хотела проявлять эгоизм. Ведь Мэри Стюарт еще не до конца разобралась с Биллом, хоть и пришла к твердому решению, как поступить. Но ей требовалось время. — Вы так добры ко мне, хотя мы едва знакомы! Никто еще не был со мной так добр, не считая Тани.

— Спасибо. — Он присел на ручку дивана, не сводя с нее глаз. На ней была красная тенниска и джинсы. Она была так хороша, что у него учащенно забилось сердце. — Я взрослый мужчина, Мэри Стюарт. Не тревожьтесь за меня. Оба мы немало пережили и заслуживаем осторожного обращения. Понимаю, это рискованно. Предоставьте действовать мне. Я побуду с вами.

Она не верила своим ушам. Он изъявлял готовность подождать, пока она расстанется с Биллом.

Не сказав больше ни слова, он подошел к ней, заключил в объятия и поцеловал. От нее пахло духами, мылом, зубной пастой — чистотой. Хартли запустил пальцы в ее волосы.

Он так давно не целовал женщину, что успел забыть это ощущение; оба были еще достаточно молоды и не готовы лишать себя радостей жизни. Они были как потерпевшие кораблекрушение, переплывшие Ла-Манш и вместе выбравшиеся на берег. Уставшие, продрогшие, изголодавшиеся. Но все это отходило на задний план по сравнению с благодарностью Провидению за то, что они выжили и оказались вместе. Он снова улыбнулся ей и поцеловал в губы.

Никогда еще Мэри Стюарт не ощущала такого нежного прикосновения. Она догадывалась, что он окажется потрясающим любовником, но пока не жаждала этого. Ни он, ни она не знали, куда их это заведет. Сейчас они находились в Вайоминге и были вместе. Этого хватало с лихвой.

Глава 15

Наступил третий день в Вайоминге. Зоя открыла глаза и сонно потянулась. Часы показывали без чего-то семь. Еще несколько минут — и она встанет. Из кухни доносились какие-то звуки. Мэри Стюарт уже поднялась и, зевая, отправилась в кухню сварить кофе. При виде Тани она еле устояла на ногах.

— Что ты тут делаешь? — воскликнула она. Никогда еще, даже в колледже, Таня не вставала так рано.

— Живу, что же еще? — Таня уже сварила кофе, разогрела булочки, достала из холодильника йогурты. Судя по ее виду, она успела умыться и почистить зубы.

Зоя выглянула и тоже не поверила своим глазам.

— Что-то случилось? — Зоя даже испугалась, заподозрив неладное. Чтобы поднять Таню в такой ранний час, требовалось что-то из ряда вон выходящее. Она не поверила, когда ей сказали, что все в полном порядке.

— Господи, да что с вами? — всплеснула руками Таня. — Решила встать пораньше, только и всего.

Но подруг оказалось нелегко убедить.

— Знаю, знаю! — Зоя широко улыбнулась. Настал Танин черед отдуваться: достаточно она дразнила Зою из-за Сэма, а Мэри Стюарт — из-за Хартли. — Гордон, да?

— Глупости! — отмахнулась Таня. — Простой ковбой...

— Ну и что? Он смотрит на тебя, как на дар с небес.

— Перестань! — Таня продолжила свои хлопоты как ни в чем не бывало.

Зоя попала в точку. Вторая половина предыдущего дня прошла в напряженных беседах. Происшествие с Бенджамином настроило всех на серьезный лад. Гордон заговорил о своем сыне. Парень уже вырос, отец два года с ним не виделся, но определенно души в нем не чаял. Таня вспоминала свой брак с Бобби Джо и его печальный финал. Только первое свое замужество она считала настоящим и до сих пор сожалела, что оно рухнуло под тяжестью ее карьеры, хотя и признавала, что все равно рано или поздно переросла бы мужа.

Ей часто приходилось по нему грустить. С чем она останется в конечном счете? Со стопкой золотых дисков, кучей денег, одна в огромном доме? Без мужа, без детей, без единого близкого существа, способного позаботиться о ней в старости. С кем делить тогда победы и поражения? Жизнь представлялась ей сейчас бессмысленной, а место в жизни, которого она так упорно добивалась, оказалось никчемным. Весь Голливуд только о таком и мечтает, для нее же оно ровно ничего не значило. Она поделилась с Гордоном своими сомнениями, а он, проявив благоразумие, сумел ее утешить, оказался сообразительным, практичным, реальным человеком, под стать ей.

Как ни странно, у них оказалось много общего. Он бы не прочь продолжить беседу, но пришло время возвращаться. Ковбоям разрешалось ужинать вместе с гостями только по воскресеньям, а также в выходные дни. Разговор с Гордоном оставил у Тани приятное чувство. Многое в нем ей импонировало. Его простота и некоторая грубоватость ничуть не смущали. Он добр, предупредителен, не проявляет ни жестокости, ни алчности, зато умен и рассудителен. В его пользу говорит даже техасское происхождение. Признаться же подругам, как он ей симпатичен, она еще не готова.

— У тебя появились от нас секреты? — не отставала Зоя. Ей вторила Мэри Стюарт.

Не обращая на них внимания, Таня завершила свой туалет. Она выглядела сногсшибательно в выцветших джинсах и тенниске цвета персика, даже отказалась от любимых старых сапог в пользу новых — абрикосового цвета, с ручной отделкой, приобретенных дома, в Техасе.

Хартли дожидался в ресторане. Он радостно обнял Мэри Стюарт и тепло приветствовал остальных. От него пахло мылом и лосьоном после бритья; ему очень шли белая рубашка и джинсы. Таня поймала себя на мысли, что сегодня он и Мэри Стюарт смотрятся особенно. Казалось, они созданы друг для друга. Она поделилась своим наблюдением с Зоей, и та полностью с ней согласилась.

Бенджамин с нетерпением дожидался их, чтобы подсунуть на подпись свой гипс. Таня наградила его поцелуем и автографом, после чего стайка девушек, заручившись согласием матерей, тоже стала клянчить у нее автографы. Публика уже привыкла к ее присутствию, и никто не фотографировал исподтишка, что она оценила по достоинству. Потом ей приветственно помахал Гордон, седлавший лошадей. Как обычно, они выехали на прогулку одними из последних. Перед этим Мэри Стюарт посидела на скамеечке с Бенджамином на коленях. Теперь она воспринимала его как подарок судьбы.

— Ну и напугал ты нас вчера! — сказала она, вспоминая его несущимся на взбесившейся лошади, а потом как он взлетел в воздух и шлепнулся на камни.

— Врач сказал, что я должен был сломать шею, но не сломал.

— Повезло тебе!

— А как плакала мама! — Он серьезно взглянул на Мэри Стюарт. — Ты была права. Она сказала, что не будет любить другого ребенка так, как меня. Я передал ей твои слова, а она говорит: так и есть.

— Вот и хорошо.

— Она сказала, что я всегда буду особенным. — Следующие его слова вызвали у нее поток слез, как удар кулаком в солнечное сплетение: — Мне жалко твоего мальчика.

— И мне... — пролепетала она дрожащими губами, борясь с рыданием. Все это время Хартли пристально наблюдал за ней. — Я по-прежнему очень-очень его люблю. Он остался для меня особенным.

— Ты хотя бы иногда с ним видишься? — поинтересовался малыш, заинтригованный смертью.

Подобные вопросы задавал ей в этом возрасте и Тодд. Ей хотелось ответить утвердительно, но она предпочла честный ответ:

— Нет. Только в моем сердце. В нем он остался навсегда. В сердце и на фотографиях.

— Как его звали?

— Тодд.

Бенджи кивнул, словно знакомство состоялось. Немного погодя он слез с ее колен, прогулялся среди лошадей и отправился обратно, к матери. Общение полностью его удовлетворило.

Мэри Стюарт, Таня, Зоя и остальные поехали за Гордоном. Хартли не спускал глаз с Мэри Стюарт, та через силу улыбалась. Конечно, беседы с Бенджамином по-прежнему причиняли ей боль. Ее ранила его прямота, но в конечном итоге она же могла оказаться для нее целебной. Пока же ей нелегко. Прежде чем она села в седло, Хартли успел ее приобнять и сказать комплимент по поводу того, как она выглядит.

— Прямо не знаю, чем заслужила такое везение, — откликнулась она.

— Праведной жизнью!.. — пошутил он.

Прогулка получилась приятной. Зоя выглядела уставшей, и кавалькада двигалась не спеша. Зоины друзья отправились в Йеллоустонский парк кататься на плотах, поэтому ей пришлось присоединиться к Хартли и Мэри Стюарт. Таня и Гордон снова возглавляли процессию. Он пригласил ее на вечернее родео, в котором принимал участие.

— Смеетесь? В каких же соревнованиях?

— Объезжаю бычков и мустангов, — признался он, потупившись. — Я начал этим заниматься еще в Техасе.

— Вы сумасшедший? — В детстве она насмотрелась на родео. Быки волочили участников по арене, топтали их копытами; у одних ковбоев к тридцати годам становилось плохо с головой, у других не оставалось ни одной целой косточки, и они уже в тридцать лет ковыляли, как глубокие старцы. — Какая глупость! Вы же умница. Зачем рисковать жизнью ради пары сотен долларов или серебряной пряжки? — Он хвастался, что этих трофеев у него с десяток, но что с того, если из-за этого он станет калекой?

— Это то же самое, что ваши платиновые пластинки, — спокойно ответил он, нисколько не удивленный ее вспышкой. То же самое твердили его мать, сестры. Женщины не способны этого понять. — Вам тоже приходится помучиться ради золотого диска или «Оскара». Вон каким вас подвергают пыткам: репетиции, угрозы, менеджеры-обманщики, журналы... Гораздо проще продержаться полторы минуты на дикой лошадке.

— Да, но меня не волокут по конскому навозу вниз головой и не топчут до смерти. Нет, Гордон, этого я не одобряю.

Ее реакция его разочаровала — все же она дитя большого города, а не Техаса.

— Значит, не придете? — Он всерьез огорчился.

Она покачала головой, потом улыбнулась:

— Приду, а как же! Но все равно, по-моему, вы сумасшедший. Что у вас в программе на сей раз?

Он усмехнулся и закурил.

— Оседланные мустанги. Это неопасно.

— Не болтайте! — Она уже предвкушала чудесное зрелище.

На самом деле Таня обожала родео и собиралась на нем побывать. Он пригласил ее к себе под трибуны, и она пообещала его там найти. Правда, ей нелегко выходить куда-то. Если ее узнают, то это сильно помешает; если окружат, то ей, возможно, придется скрыться. Обычно она не посещала публичные мероприятия без охраны, но сейчас хотела бы обойтись без телохранителя. Она приедет на своем автобусе с Томом, подругами и Хартли, если тот пожелает присоединиться. Тане уже не терпелось: она вспомнила, что захватила соответствующий наряд.

Вечером, одеваясь к ужину, она вела себя как девчонка, которую ведут на ярмарку. Вышла из своей комнаты в джинсах из мягкой, как бархат, бежевой замши с бахромой, в замшевой рубахе, даже с замшевым шарфом на шее. Бежевой, как и все остальное, была даже ее ковбойская шляпа. Несмотря на ковбойский стиль, все эти предметы были приобретены в Париже.

— Ух ты! Стопроцентный Техас! — завистливо воскликнула Мэри Стюарт. Сама она надела изумрудные джинсы, такой же свитер и черные сапожки из крокодиловой кожи. Зоя надела джинсы в обтяжку и куртку военного покроя. Как обычно, они затмили остальных женщин пансионата. Хартли окрестил их *ангелами Хартли*, чем изрядно позабавил подруг.

Ужин прошел весело. Бенджамин носился по ресторану, хотя у его матери вот-вот должны были начаться схватки. Она говорила, что провела тяжелую неделю и ждет не дождется возвращения домой, в Канзас-Сити, в ближайшие выходные. Мэри Стюарт хорошо ее понимала: трудно вынести такое на девятом месяце беременности. Она была счастлива, что успела познакомиться с Бенджи. Он попросил ее еще раз расписаться на его гипсе. Сразу после ужина они уехали на Танином автобусе в Джексон-Хоул вместе с Хартли. Он согласился посетить с ними за компанию родео, а увидев автобус, сразу в него влюбился.

— Просто не верится! — восклицал он. — А я-то завел «ягуар» и напыжился!

— Тогда войдите в мое положение: я вообще езжу на «фольксвагене» десятилетней давности! — полушутя посетовала Зоя.

Впрочем, он уже знал, что это не блажь: она вкладывала буквально все деньги в медикаменты и инвентарь.

— Боюсь, литературный мир не может соперничать с Голливудом, — пожаловался он Тане. — Вы укладываете нас на лопатки одной левой.

— Пусть так, но что нам приходится при этом выносить! У вас чистая работа, а мы имеем дело с дикарями. Так что я заслужила эти удобства.

Все засмеялись. Никто, даже Хартли, не завидовал всерьез: она зарабатывает свои деньги неимоверным трудом.

В комфортабельном автобусе время пролетело быстро. Путь от Муз до Джексон-Хоула занял всего полчаса, поэтому они прибыли на родео задолго до начала. На ранчо им заказали билеты на хорошие места. Таня сразу уловила знакомый запах и вспомнила ощущения детства. Именно так все и было, когда она была еще маленькой девочкой. Сначала она сама ездила по арене верхом, потом выросла, и отец сказал, что это слишком дорогое удовольствие, к тому же она не такая уж любительница лошадей. Ей нравилась атмосфера родео — под стать цирку.

Они заняли места, накупили поп-корна и воды. Потом к Тане подошел администратор родео. Она испугалась: вдруг поступила угроза теракта и на их безопасность покушаются? Администратор страшно нервничал. Хартли загородил ее.

— В чем дело, позвольте узнать? — вежливо спросил он, тоже почувствовав опасность.

— Я предпочел бы поговорить с мисс Томас, — ответил администратор не с вайомингским, а с техасским говором. — Мы хотели бы попросить ее об услуге. — Поглядев на нее через плечо Хартли, он добавил: — Как уроженку Техаса.

— Чем я могу помочь? — осведомилась она, решив, что угрозы нет, просто ей как звезде придется нести какую-то повинность.

— Мы подумали, не сможете ли вы... — Техасец страшно вспотел от напряжения. Ему поручили трудное дело. Как он ни возражал и ни предлагал другие кандидатуры... Телохранитель звезды внушал ему страх: несмотря на элегантность, он выглядел грозно... За телохранителя он принял, разумеется, Хартли. Таня купила билет и Тому, но не уследила, куда он сел. — Мисс Томас, — взволнованно продолжил техасец, — я знаю, вы, наверное, откажетесь, тем более что заплатить мы все равно не сможем, но мы подумали... Это была бы для нас огромная честь... — Ей уже хотелось его тряхнуть, чтобы он перестал мямлить. — Может быть, вы исполните сегодня гимн?

Предложение прозвучало настолько неожиданно, что сперва она не знала, как ответить. Ей уже приходилось открывать представления исполнением гимна. Но сейчас просьба ее глубоко растрогала. Гимн — непростая песня, а с другой стороны, она сама получила бы от этого удовольствие. Под открытым небом, в окружении гор... Идея показалась ей заманчивой. Она улыбнулась администратору. Интересно, что подумает Гордон, если она согласится? Ей хотелось посвятить исполнение гимна ему, пожелав тем самым удачи.

— Для меня это тоже честь, — произнесла она вполне серьезно. — Только скажите где.

— Пройдите со мной, пожалуйста.

Она немного поколебалась, по привычке боясь толпы. Что с ней будет? Ведь ее некому охранять. Ее компания испытывала сомнения, хотя пока что ее никто не узнал. Очень соблазнительно просто так взять и исполнить гимн страны!

— Хотите, я пойду с вами? — вызвался Хартли, не желая, чтобы она подвергала себя опасности, и был рад помочь.

— Думаю, все пройдет хорошо, — тихо ответила она. — Меня будет видно со всех сторон. Если заметите непорядок, толпу и так далее, вызовите охрану, полицию, отгоните зевак. — В этих делах требовалась расторопность. Окажется ли он в случае чего на высоте?

— По-моему, вам не надо соглашаться, — сказал он.

— А мне хочется. Это так здорово! Для них это много значит. — Одновременно это станет ее подарком Гордону. Ему и другим жителям Джексон-Хоула, штата Вайоминг. — Не беспокойтесь. — Она потрепала его по руке, бросила взгляд на подруг и поспешила за потным администратором вниз по ступенькам, мимо трибун, вокруг арены.

Все это время Таня оставалась на виду. Ей предложили встать на ящик посреди арены с микрофоном. Можно было спеть и из седла. Певица предпочла второе. В любом случае она представляла собой легкую мишень, но в случае чего верхом ей легче выбраться из затруднительной ситуации. Организаторы обрадовались ее решению петь из седла и подвели ей пегую красавицу с белой гривой, соответствующую окраской ее волосам и одежде. Она предвкушала настоящее театральное представление и надеялась, что среди присутствующих не окажется безумца с пистолетом. Певица привыкла к таким мыслям, потому что опасность быть застреленной существовала на любом концерте. У ее импресарио случился бы инфаркт, узнай он, что она согласилась выступить без всякой охраны, да еще бесплатно. Что поделать, если в ней еще не умерла техасская девчонка! Если бы ей сказали в детстве, что она будет исполнять гимн на родео, она бы не поверила. Как она мечтала об этом в детстве в Техасе! Именно так — с коня!

Ей объяснили, что выступление состоится минут через десять. Она стала озираться, надеясь отыскать глазами Гордона, но его нигде не было видно. Никто из публики не имел понятия, что сейчас произойдет, и не догадывался, кто находится рядом. Правда, организаторы родео знали о ней от девушки из пансионата-ранчо, заказывавшей билеты. Это слегка настораживало, хотя такие вещи невозможно держать под контролем. Кто-то обязательно проболтается. Однако публика, как и Гордон, оказалась совершенно не подготовленной к прозвучавшему с арены объявлению.

— Леди и джентльмены! — провозгласил церемониймейстер с огромного черного жеребца. — Сегодня мы приготовили вам настоящий сюрприз. Родео Джексон-Хоула приветствует вас, и в знак благодарности за ваше желание полюбоваться нашими бычками, лошадками и ковбоями мы пригласили одну милую особу. Это и есть главный сюрприз. Гостья споет наш гимн. — (Таня молилась, чтобы у него хватило ума умолчать, где она находится в данный момент. Ее друзья на трибуне замерли. Церемониймейстер не подкачал и не ляпнул лишнего.) — К тому же певица сама хорошо знакома с родео. Ведь она родом из Техаса! Итак, леди и джентльмены... — Школьный оркестр, которому было поручено аккомпанировать Тане, разразился барабанной дробью. — Представляю вам Таню Томас!

При этих его словах ковбой распахнул воротца, и она выскочила на своей лошадке на арену. С развевающимися на ветру волосами Таня выглядела так чудесно, как никогда прежде. В одной руке она сжимала микрофон, в другой — поводья. Лошадка оказалась не очень послушной, и в данный момент поп-звезда думала только об одном: как бы не свалиться, не допев гимна. Согласно плану она сделала по арене круг, после чего остановилась в самом центре, улыбаясь публике. Публика неистовствовала. Все вскочили, не веря в свою удачу. Таня испугалась, что ей придется спасаться бегством. Она чувствовала надвигающуюся беду. Если бы она нашла взглядом Гордона, ей было бы легче, но его нигде не было видно. Он любовался ею, сидя на загончике с дикими лошадьми, не веря собственным глазам и удивляясь беснующимся зрителям. Странно, что она не предупредила его о своем намерении выступить! Толпа свистела, выкрикивала ее имя, дружно топала ногами. Но стоило ей поднять руку — и все стихло: всем хотелось ее услышать.

— Спасибо! Я тоже рада встрече с вами, но это все же не концерт. Это родео. Сейчас мы споем гимн. Вы уж потерпите. Для меня большая честь здесь находиться. — Это было сказано с таким искренним чувством, что люди и впрямь успокоились и обратились в слух. — Для всех нас, американцев, эта песня очень много значит. — Она намеренно брала их за живое. — Прошу вас, вдумайтесь в ее слова и помогите мне ее исполнить.

Она ненадолго склонила голову. Трибуны молчали. Потом оркестр заиграл — лучше, чем любой профессиональный коллектив. Они играли для нее, а она пела для жителей Джексон-Хоула, для туристов, для друзей, для техасцев и для Гордона.

Главным ее слушателем сегодня был он, и она надеялась, что ковбой это понимает. Она знала, что́ значит для него родео, — то же, что оно значило в детстве для нее, техасской девчонки. Это апофеоз его существования — по крайней мере оставалось таковым до этой минуты. Сейчас он был способен думать только о ней. Никогда еще он не видел такой красивой женщины и не слышал такого красивого пения. Если бы у него имелась запись гимна в ее исполнении, он бы только и делал, что слушал ее, забыв обо всем на свете. Ни он, ни остальные слушатели не могли удержаться от слез.

Когда она допела, публика словно осатанела. Певица помахала на прощание рукой и галопом покинула арену, прежде чем безумцы штурмуют заграждения и набросятся на нее. Никто не успел опомниться, а она уже вылетела в воротца, швырнула микрофон техасцу, кинувшемуся ее целовать, спрыгнула с лошади и буквально растворилась в толпе. Путь ее лежал к загонам, к Гордону. Ее трясло от воодушевления.

Никто так и не разобрался, куда она подевалась. Чтобы затеряться в толпе, надо было торопиться во весь дух, что она и делала. Даже Хартли потерял ее из виду. Мэри Стюарт и Зоя всерьез забеспокоились, но сама она отлично знала цель своего бегства. Старый опыт подсказал ей, где находятся загоны. Не прошло и пяти минут, как она нашла Гордона в загоне под номером пять. Он все еще пребывал в ошеломленном состоянии. При ее появлении ковбой покачал головой. Он быстро, как обезьяна, спустился по шесту, такой рослый, что она едва доставала ему до плеча. Таня радостно улыбалась.

— Почему вы не предупредили меня о своем намерении? — Гордон выглядел обиженным, но при этом было видно, как он растроган ее пением.

— Я получила предложение спеть в последнюю минуту.

— Потрясающе! — воскликнул он, гордясь ею. Неужели он познакомился с такой удивительной женщиной! Последние дни и так были для него, как сон, а теперь он стоял с ней рядом, болтал, как со старой знакомой. На нем были серебристо-зеленые кожаные штаны, сапоги с ручной вышивкой и звенящими серебряными шпорами, ярко-зеленая рубаха, серая ковбойская шляпа. — В первый раз в жизни слышу такое исполнение!

Вокруг сновали люди, но никто, кажется, не догадывался, с кем он беседует.

— Вы сочтете меня сумасшедшей... — Она вдруг смутилась, как девочка. Тихо, еще не зная, хочет ли она сама, чтобы он ее расслышал, Таня пробормотала: — Я пела для вас. Мне хотелось, чтобы мое пение принесло вам удачу. Хотелось, чтобы вам понравилось.

Как ни ласков был его взгляд, она не могла побороть смущение. Он тоже был смущен.

— Не знаю, что вам и сказать. Мы же с вами почти незнакомы, Таня...

Таня! Таня Томас! Он был готов ущипнуть себя: не снится ли ему все это? Что с ним происходит? С ним ли она говорит? Неужели это с ней он ездит с понедельника по горным тропинкам? С ума сойти! Такое может только присниться.

— Вы получили от меня подарок, а теперь отплатите мне тем же — сделайте подарок мне. — (Он испугался, что не сможет выполнить ее просьбу. Впрочем, сейчас Гордон был готов ради нее на все.) — Останьтесь целым и невредимым — это все, что я от вас требую. Будьте осторожны. Даже если это значит проиграть по очкам. Поймите, Гордон, жизнь важнее всего остального. — В ее жизни было столько расставаний, столько нелепостей, столько людей рисковали всем ради пустяков... Не хватало только, чтобы он убился из-за несчастных семидесяти пяти долларов, слетев с дурня мустанга! Она не видела разницы между родео и корридой. И там, и тут риск неоправданно велик, и человек должен уметь вовремя выйти из борьбы.

— Даю вам слово, — хрипло произнес он, глядя ей в глаза. У него подкашивались ноги.

— Счастливо! — Она дотронулась до его руки, и он ощутил прикосновение ее замшевого рукава.

В следующую секунду она буквально растворилась в воздухе, заметив собирающихся вокруг них людей, и, прежде чем защелкали затворы фотоаппаратов, кинулась обратно на трибуну. Теперь, когда ее засекли, оставаться было безумием, но она не могла заставить себя уйти, не посмотрев его выступления. Путь назад занял у нее не менее пяти минут, но она добралась до места без происшествий. Сердце колотилось у нее не из-за буйства толпы и не из-за событий на арене, а из-за Гордона. Никто никогда не волновал ее так, как он. Таня знала, как это опасно для обоих: ей совершенно ни к чему новый скандал, а ему — переворот в жизни из-за певички, которая менее чем через две недели все равно запрыгнет в свой автобус и укатит прочь.

— Куда ты запропастилась? — Зоя была вне себя от волнения, Мэри Стюарт и Хартли тоже. Они уже были готовы поднять тревогу из-за ее исчезновения.

— Простите меня! — взмолилась она. — Я не хотела вас волновать. Просто мне пришлось долго протискиваться сквозь толпу, а тут еще Гордон... — Объяснение как будто не вызвало придирок.

Все сели, но не прошло и тридцати секунд, как Мэри Стюарт наклонилась к ней и прошептала:

— Врунья! Ты ходила его искать.

Таня избегала ее взгляда: пока что ей не хотелось ни в чем признаваться — он окончательно ее покорил.

— Вот еще! — Она отмахнулась и сделала вид, что смотрит первое выступление — метание лассо, всегда вызывавшее у нее скуку.

— Не ври! Я все видела. — Их глаза встретились. Мэри Стюарт заговорщически улыбнулась: — Будь начеку!

К ним уже протискивалась первая дюжина любителей автографов. Она добровольно выставила себя на всеобщее обозрение и теперь не считала себя вправе отказывать.

Так продолжалось весь вечер: вместо того чтобы наблюдать за коллективным связыванием бычков, акробатической выездкой, скачкой на неоседланных мустангах и на бычках, она раздавала автографы.

Потом она увидела *его*. Ему достался злобный, брыкающийся жеребец, хоть и оседланный. Скачка на оседланных мустангах была вдвойне опасной: ковбой засовывал одну руку в узкий рожок на седле и мог под конец спрыгнуть только с одной стороны, чтобы выдернуть руку. В противном случае мустанг мог таскать его по арене вниз головой минут десять, прежде чем его остановят. В детстве она видела много несчастных случаев, связанных с этим номером программы.

Когда Гордон выскочил из ворот на своем неистовом жеребце, отчаянно пытавшемся освободиться от седока, она замерла. Как и положено, он болтал ногами в воздухе, откидывался далеко назад, не дотрагивался до седла свободной рукой. Казалось, этому не будет конца. Скачка продолжалась и после удара колокола. Потом ковбой удачно спрыгнул, и помощники уволокли мустанга. Он получил отличные очки и помахал публике шляпой, после чего величественно покинул арену, сверкая штанами и сапогами. Гордон одержал победу и посвятил ее Тане.

Они досидели до последнего номера — объездки быков и годовалых бычков, причем последних было поручено обламывать четырнадцатилетним паренькам. Что у них за родители? Бычки не так опасны, как взрослые быки, но Мэри Стюарт все равно не выдержала:

— По людям, выпускающим на арену детей, плачет тюрьма!

Один из мальчишек оказался под копытами, но быстро вскочил на ноги. Зрелище было отчасти варварским, отчасти надуманным, но Таня не скрывала интереса. В детстве она любила родео больше всего на свете.

После конца представления Таню осадила толпа. Правда, церемониймейстер оказался на высоте: он заранее отправил ей на выручку службу безопасности и полицию, благодаря чему она сумела добраться до автобуса.

Тронувшись с места, автобус спугнул самых стойких — с полсотни поклонников, размахивавших руками, прыгавших на месте и оравших во всю глотку. Это удивляло и наводило на тревожные размышления: крайняя степень обожания всегда предшествует вспышке ненависти. Если бы она задержалась, ее бы разодрали на части, чтобы рассовать по карманам фаланги пальцев и осколки ребер. Возможно, какой-нибудь маньяк не выдержал бы и одним выстрелом прекратил ее страдания. Неудивительно, что она всегда нервничала, оказавшись в толпе или просто на людях.

— Я восхищен вами, Таня! — воскликнул Хартли. Он был полон впечатления от ее грации, достоинства, великодушия и одновременно умения соблюдать безопасную дистанцию. Это было тем более поразительно, что он все время ощущал, как она рискует, словно балансирует на узком карнизе. — Меня повергла бы в дрожь и куда более скромная толпа, — признался он. — Я закоренелый трус. — Конечно, она привыкла выступать перед стотысячной аудиторией. Однако даже в такой небольшой толпе, как сегодня, кто-то мог бы потерять над собой контроль и покуситься на ее жизнь. Она знала это — и все равно шла на риск! — А какой голос! Прямо-таки Божий дар. Все вокруг лили слезы.

— Даже я, — с улыбкой подтвердила Мэри Стюарт.

— А я вообще всегда плачу, когда ты поешь, — сообщила Зоя.

Их признания тронули Таню до глубины души. Вечер получился замечательный. После возвращения Хартли еще немного побыл с ними, после чего увел Мэри Стюарт прогуляться и вернул ее обратно в половине двенадцатого ночи. Казалось, поцелуям при свете луны не будет конца. Таня и Зоя сочли пару трогательной и романтичной.

— Как ты думаешь, во что это выльется? — спросила Таня у Зои в гостиной.

— Ей повезет, если они будут вместе, но пока трудно сказать наверняка. У меня ощущение, что роман в таком месте — все равно что корабельное увлечение. Не уверена, что она окончательно решила порвать с Биллом. — Зоя всегда отличалась проницательностью.

— Он целый год ее мучил! Надеюсь, она его бросит, — заявила Таня. Обычно она высказывалась мягче, но Билл вызывал у нее негодование, а Мэри Стюарт — сочувствие.

— Он тоже страдает. — Зоя чаще сталкивалась с ситуациями, когда горе в семье вызывало у ее членов нервный срыв. Одних это превращало в святых, других — в чудовищ. Билл Уолкер, судя по всему, оказался среди последних.

Зоя как будто собиралась высказаться и по поводу Таниного ковбоя, но ей помешало появление сияющей Мэри Стюарт.

— Тебя не слишком ободрали щетиной? — участливо поинтересовалась Таня, вспомнив школьные годы.

Все трое покатились со смеху.

— Я уже забыла, что это бывает, — отмахнулась Мэри Стюарт. — Сегодня ты превзошла самое себя, — сказала она Тане. — Никогда не слышала, чтобы ты так пела.

— Мне самой было приятно. В том-то и беда, что я очень люблю петь.

— Своей бедой ты доставляешь множеству людей огромную радость, — напомнила ей Мэри Стюарт.

Они еще немного поболтали, потом Мэри Стюарт и Зоя ушли спать, а Таня осталась в гостиной почитать. У нее еще не прошло возбуждение после родео и собственного короткого выступления. Вскоре после полуночи в окно тихонько постучали. Сначала она решила, что это мотылек или ветка, но стук повторился, и она увидела зеленую рубашку, потом озорную улыбку. Таню обрадовало его появление. Возможно, его она и дожидалась, сама не отдавая себе в этом отчета. Она бесшумно выскользнула за дверь. Ее охватил ночной холод. Она не сняла замшевую одежду, зато была босиком.

— Тсс! — Он приложил палец к губам, но она и так догадывалась, что лучше не произносить его имя. Пребывание служащего ранчо у дома гостьи в такой час может выйти ему боком. Его собственный домик стоял в стороне, у конюшен.

— Что ты тут делаешь? — шепотом спросила она.

Он заулыбался:

— Сам удивляюсь. Свихнулся, видать. Беру пример с тебя.

Их можно было принять за старых знакомых. Он знал, что никогда ее не забудет. То, что она сделала для него в этот вечер, ее волшебный голос.

— Ты был лучше всех! — сказала она. — Поздравляю. Ты выиграл.

— Спасибо!..

Он гордился своим успехом. Это было для него по-настоящему важно. Она посвятила ему свое выступление, он ей — свой выигрыш. Он тоже сделал подарок Танни — так он называл ее про себя. *Таня Томас* — слишком его пугало. Привалившись спиной к дереву, он притянул ее к себе.

— Сам не знаю, зачем сюда пришел. За это меня могут в два счета уволить.

— Не хочу, чтобы у тебя были неприятности. — Она надеялась, что их никто не увидит.

— Я бы вообще не пережил, если бы с тобой что-то случилось. — Вглядываясь в ее лицо, он хмурился. Никогда в жизни он так не пугался, как на этом родео. Не за себя — за нее: он видел, как ее захлестнула толпа, стоило им разлучиться. — Я чуть с ума не сошел, все думал: вдруг кто-нибудь поднимет на тебя руку!

— Ты бы меня защитил. Но вообще-то рано или поздно это может произойти. — Она давно к этому привыкла и смирилась — почти... Она старалась, чтобы голос звучал небрежно, но скрыть страх не смогла.

— Не хочу, чтобы ты страдала. — Следующие его слова поразили даже его самого. — Мне хотелось бы всегда тебя защищать.

— От судьбы не уйдешь. Кто-нибудь может подкараулить меня на пороге дома, броситься на сцену во время концерта, напасть в супермаркете... — Она изобразила смиренную улыбку, но он остался печален.

— Тебя должны круглосуточно охранять. — Он бы запер ее на замок и встал под дверью с дубиной, лишь бы ее уберечь.

— Не хочу жить как в клетке. Иногда приходится, но я стараюсь, чтобы это случалось нечасто, — шепотом объяснила она. — Толпа — это еще ничего, главное — чтобы она не обезумела.

— Полиция передала: когда ты уезжала, за тобой бежало более сотни человек. Я так испугался...

— Как видишь, жива. А как ты рискуешь со своими психованными мустангами! Чем ревновать меня к поклонникам моего искусства, лучше бы об этом подумал.

Он прижимал ее к себе все сильнее, она не сопротивлялась, наоборот, хотела раствориться в нем, стать его частью. Он, глядя на нее, не мог думать ни о чем, кроме ее лица, глаз. За легендой он обнаружил живую женщину.

— Господи, Танни... — прошептал он, зарывшись лицом ей в волосы. — Что я делаю?!

Совсем недавно он боялся ее, как огня, полагая, что будет раздавлен, и не ждал такого обвала чувств. Она обняла его, и он стал целовать ее так, как никогда никого не целовал. Ему сорок два года, но еще ни разу за всю жизнь он ничего подобного не испытывал. Не пройдет и двух недель, как она уедет, а он останется, чтобы спрашивать себя, было ли это на самом деле.

— Скажи мне, что я не сошел с ума! — взмолился он, оторвавшись от ее губ. — Только это без толку: я все равно знаю, что тронулся. — Он выглядел одновременно удрученным и восторженным, победителем и побежденным — дико, безумно влюбленный. Она тоже.

— Мы оба сумасшедшие, — заключила она. — Я тоже не знаю, что со мной творится. — Это как бесконечный, мощный прибой. Он без устали ее целовал, она желала его немедленно. Но оба знали, что еще не время.

— Что это мы? — Он смотрел на нее с огромной высоты. Потом задал ей вопрос, о котором секунду назад даже не думал: — Ты замужем? У тебя кто-нибудь есть?

При утвердительном ответе он немедленно положил бы конец этому безумию, даже если бы потом умер от уныния. Но она отрицательно покачала головой и поцеловала его.

— Развожусь. Дело уже у адвокатов. Больше у меня никого нет. — Казалось, кроме него, у нее никого и не было. Она подумала: будь Гордон на месте Бобби Джо, они бы не развелись.

— Это все, что я хотел узнать. С остальным разберемся позже. Может, *остального* и не будет. Просто я не хочу играть в игрушки, если ты замужем или еще что.

— Я бы и не стала, — тихо возразила она. — Никогда к этому не стремилась. Что бы ни болтали о певицах и кинозвездах, я... Я никогда еще вот так безумно не влюблялась. — Она выходила замуж за мужчин, которые были ей небезразличны, была порядочной женщиной и надежной женой. Но чувство, охватившее ее сейчас, трудно обуздать. Она подумала о нем и о последствиях. — Ты должен быть очень осторожен, чтобы никто ничего не узнал. Не хочу, чтобы тебе попало.

Гордон кивнул, хотя в действительности ему теперь не было дела до таких мелочей. Он проработал на ранчо три года и добился должности старшего ковбоя, однако с радостью все бросил бы, если бы она его об этом попросила.

— Танни, — проговорил он, прижимая ее к себе, гладя по густым волосам и осыпая поцелуями, — я тебя люблю!

— И я тебя люблю, — прошептала она, чувствуя, что окончательно сходит с ума.

Оба понятия не имели, как все сложится, но сейчас не могли совладать с собой. Он вообще не хотел размышлять.

— Приедешь на родео в субботу?

— Обязательно. — Как бы ей хотелось сидеть над загончиком мустанга вместе с ним!

— Только больше не пой! Мало ли что может случиться, — шепотом попросил он.

— Не буду, — пообещала она тоже шепотом, опираясь вместе с ним о ствол дерева.

— Я серьезно. — Он действительно за нее беспокоился. Три дня назад она ворвалась в его сердце и разместилась там, как у себя дома.

— А ты перестань объезжать мустангов, — усмехнулась она, хотя настаивать не собиралась. Она знала: пока это ему необходимо. Возможно, потом он откажется от этого занятия — если у них вообще будет *потом*...

— Теперь я всегда буду за тебя переживать, — предупредил он.

— Не надо. Давай хотя бы немного доверять судьбе. Все-таки она свела нас вместе. Уже то, что я здесь оказалась, — счастливая случайность. Лучше подождем и посмотрим, что из всего этого получится. Так гораздо забавнее жить.

— Это ты забавная, и я тебя люблю. — Он снова ее поцеловал.

Они долго стояли так, то целуясь, то беседуя. В воскресенье у него был выходной, и Гордон предложил совершить совместную прогулку. Она предложила автобус, но он настоял на своем грузовичке: ему хотелось показать ей свои любимые места. Таня согласилась. Оставалось придумать отговорку для подруг. Пока что ей не хотелось ничего с ними обсуждать. Происходившее с ними было каким-то волшебством, и она собиралась сохранить это в тайне.

— До завтра!.. — прошептал он наконец, не в силах представить, как проведет завтрашний день, не обнимая и не целуя ее.

Но оба знали, что надо быть настороже. Возможно, Гордон посетит ее следующим вечером, так же поздно, и они немного погуляют. Ей не хотелось, чтобы у него возникли из-за нее неприятности. Начальство косо смотрит на романы между гостьями и ковбоями, хотя все знают, что время от времени такое случается. Он клялся, что с ним этого не произойдет, и до сих пор держался — и вот с первого раза угодил в десятку.

Таня остановилась у двери и проводила его взглядом. Гордон двигался быстро и бесшумно. Мгновение — и он исчез из виду. Был уже третий час ночи. Выходит, за болтовней и поцелуями пролетело без малого два часа. Подругам полагалось видеть десятый сон, поэтому она вздрогнула, услышав в доме шорох. Зоя ставила на кухне чайник — даже не бледная, а зеленая, и куталась в одеяло. Она никому не говорила, что ее мучит понос.

— Ты не больна? — забеспокоилась Таня, еще не придумав, как объяснить свое отсутствие, но в этом не было необходимости. Зоя не стала ее допрашивать, хотя обо всем догадалась. — У тебя неважный вид.

— Все в порядке, — ответила та неубедительно.

Таня увидела, что она вся дрожит, и испугалась не на шутку.

— Зоя! — От волнения глаза Тани расширились. Зоя покачала головой, ничего не желая объяснять. — Иди ложись, я сама принесу тебе чай.

Зоя с облегчением вернулась к себе в комнату. Через несколько минут Таня явилась к ней с чашкой мятного чая. Зою все еще трясло, но выглядела она как будто получше. Таня подала ей чашку и присела на край кровати.

— Что случилось? — спросила она.

— Ничего страшного, инфекция, только и всего.

Таня почему-то ей не поверила:

— Хочешь, я вызову врача?

— Зачем? Я сама врач. У меня есть все необходимое. — У нее был с собой препарат АЗТ, куча других лекарств, даже ампулы для инъекции на случай обострения поноса. Несколько минут назад она едва доползла до туалета. Если бы с ней случился конфуз, пришлось бы все открыть...

Они немного посидели молча, погруженные в свои мысли. Выпив чай, Зоя откинулась на подушки. Глядя на подругу, она понимала, что обязана кое-что ей сказать.

— Осторожнее, Танни. Вдруг он не тот, за кого ты его принимаешь? Вдруг он даст за большие деньги интервью или еще как-нибудь тебя обидит? Ты же совсем его не знаешь!

Как она догадалась? Собственно, тут нечему удивляться: Зоя всегда отличалась сообразительностью. Слушая ее, Таня улыбалась. Конечно, случиться может всякое, но инстинкт подсказывал ей, что он не кривит душой. Беда обычно подстерегала ее тогда, когда она поступала вопреки интуиции.

— По-моему, он ничего. Знаю, это звучит глупо, ведь я едва его знаю. Но слишком уж он напоминает Бобби Джо...

Зоя слабо улыбнулась:

— Самое забавное, мне он тоже его напоминает. Но он не Бобби, а совсем другой человек. Мало ли как он способен тебе навредить? — Журналы ценят ее недешево: разоблачительное интервью о ней стоило сотни тысяч. В данном случае они, не колеблясь, отвалили бы кругленькую сумму, а если бы им предложили вдобавок фотографии...

— Я все знаю, — прервала ее Таня. — Дело в том, что, как ни странно, мне все еще хочется кому-то доверять. Считай меня дурой, но он вызывает у меня доверие.

— Скорее всего ты права, — проговорила Зоя. Она всегда, даже в ранней молодости, стремилась быть справедливой. Это ее свойство Таня любила больше всего. — Главное — не торопись отдавать ему свое сердце. Оно у тебя одно — вдруг разобьется? Чинить — такая возня... — Они переглянулись и улыбнулись. Зое очень сильно хотелось увидеть Таню в объятиях достойного мужчины, способного ее защитить.

— А как насчет твоего сердечка? — спросила Таня, когда Зоя поставила на столик пустую чашку. Она чуть пришла в себя. — Почему ты так давно одна? Неужели испугалась возни при починке?

— Не в этом дело, — искренне ответила Зоя. — Просто в моем сердце слишком много чужих судеб, одна печальнее другой. Мне вечно не хватает времени. Теперь у меня появилась малышка, и больше мне ничего не нужно.

— Не верю! — отмахнулась Таня. — Ты что, не такая, как остальные?

— Возможно, — грустно молвила Зоя.

Она была так нездорова и одинока, что Тане захотелось ей помочь. Она всегда любила ее, как сестру, к тому же Зоя всю себя без остатка отдавала чужим людям. Ее и впрямь можно назвать святой, только больной и измученной. За ней некому толком ухаживать, некому над ней хлопотать, делать для нее все то, что она сама делала для других. Но сейчас святую клонит в сон, поэтому Танина помощь ограничилась тем, что она выключила свет и поцеловала ее в лоб.

— Постарайся выспаться. Если к утру тебе не полегчает, я все-таки вызову врача.

— Сама справлюсь, — пролепетала Зоя, закрывая глаза.

Таня еще не успела выйти из ее комнаты, а она уже спала. Таня немного постояла на пороге, глядя на подругу. Зоя улыбалась во сне — наверное, ей снилась Джейд.

Возвращаясь к себе, Таня размышляла о Гордоне. Зоя, конечно, права: при желании он мог бы страшно ее подвести, причинить ей массу неприятностей. Мало кто был так уязвим, как она. В отличие от многих она не может себе позволить играть с чувствами. Вдруг он напишет Танину биографию, не получив ее согласия, вдруг начнет давать интервью или наделает ее фотографий и станет шантажировать? Выбор велик — от вымогательства до убийства.

Но разве можно жить, буквально в каждом видя злоумышленника? К тому же она всегда так осмотрительна, так осторожна! Правда, то и другое не помешало ей за каких-то три дня без памяти влюбиться в первого же подвернувшегося ковбоя. Это имело одно-единственное название — безумие. Однако никогда еще в жизни она не чувствовала, что ведет себя до такой степени правильно и разумно, как сейчас.

Почистив зубы и натянув ночную рубашку, она залезла под одеяло, вспоминая, как он воспринял ее признание, что гимн был исполнен для него. Ей хотелось одного: увидеть его утром. Засыпая, она видела его лицо, глаза, представляла его верхом на брыкающемся мустанге, в серебристо-зеленых кожаных штанах, с поднятой рукой. Она пела ему, он улыбался в ответ.

Глава 16

Утром после родео, проснувшись, Мэри Стюарт услышала какие-то звуки. Накинув халат, она побежала в гостиную и нашла там Таню, одетую и взволнованную.

— Что-то случилось? — Она не стала дразнить подругу, вскочившую раньше ее и уже натянувшую джинсы и сапоги.

— Зоя... Кажется, она провела бессонную ночь. Она отказывается признаваться, в чем дело. Говорит, грипп или что-то в этом роде. Но ты только взгляни на нее, Стью! Какой ужасный вид! — Обе перебирали в уме бесчисленные болезни, одна другой опаснее, — от язвы до рака. — По-моему, ей надо в больницу, но она и слышать об этом не желает.

— Позволь, я сама на нее посмотрю, — тихо предложила Мэри Стюарт.

Но стоило ей взглянуть на Зою — и она потеряла дар речи. Зоя была бледна до какой-то зеленой прозрачности. Подруга лишилась последних сил и дремала. Мэри Стюарт немного постояла над ней и вышла вместе с Таней из ее комнаты.

— Боже, — испуганно пробормотала Мэри Стюарт, — действительно выглядит ужасно! Раз она не хочет сама обратиться в больницу, надо пригласить кого-то ее осмотреть. — Она заявила это так решительно, что Таня облегченно перевела дух.

Она сама позвонила в дирекцию пансионата и спросила, нет ли поблизости врача, который мог бы навестить больную на дому. На вопрос, в чем, собственно, дело, она ответила, что одной из ее подруг сильно нездоровится, не уточнив симптомов, но обмолвившись о возможности аппендицита или какой-то другой напасти, требующей немедленного врачебного вмешательства. Спустя считанные минуты позвонила Шарлотта Коллинз, владелица пансионата, и пообещала, что через полчаса их навестит врач.

— Как ты думаешь, с ней что-то серьезное? — спросила Таня у Мэри Стюарт, пока они ждали врача.

Мэри Стюарт тревожно покачала головой.

— Хотела бы я знать! Надеюсь, что нет. Она слишком много работает. Будем молиться, чтобы все обошлось.

Шарлотта Коллинз сдержала слово: в восемь тридцать в дверь постучал доктор Джон Кронер — молодой человек, с виду спортсмен, игравший в колледже в футбол вместо занятий. Не вызывало сомнений, что он знал о предстоящей ему в доме больной встрече с Таней Томас. Он делал вид, что присутствие звезды не производит на него никакого впечатления, но ему было трудно побороть естественное любопытство. Таня наградила его теплой улыбкой и попробовала перевести разговор на Зою.

— Как вы думаете, что с ней?

Он присел и стал внимательно слушать.

— Она постоянно бледна, выглядит усталой, но до вчерашнего дня как будто была здорова. Нам она сказала, что у нее грипп и что-то с желудком. Ночью она была зеленее листа и вся тряслась. До двух часов не ложилась, а сегодня выглядит еще хуже и температурит.

— Ее мучают какие-нибудь боли?

— Она не говорит. Но такой отвратительный вид не может не иметь причины.

— Рвота, понос?

— Кажется, да. — Таня чувствовала себя набитой дурой.

Врач пошел осматривать больную и закрыл за собой дверь. Вышел он не скоро. Для него это был интересный визит. Стоило Зое назвать себя, как он догадался, с кем имеет дело. Не зря он читал все ее статьи. Для него встретиться с ней было еще большей честью, чем с Таней.

Доктор пообещал Зое, что через несколько дней ей наверняка полегчает. От него она не стала утаивать свой диагноз. Он посоветовал ей не тревожиться, лежать, пить легкие жидкости, делать все, чтобы избежать обезвоживания организма, и пытаться восстановить силы. К понедельнику она наверняка оживет. Однако ей совершенно необходима еще одна неделя отдыха. О том, чтобы в воскресенье уехать, не может быть и речи.

Это ее окончательно ввергло в транс: она не знала, сможет ли Сэм подменить ее еще неделю. Придется с ним созвониться. Ей страшно хотелось назад — к девочке, на работу. Зоя боялась, что ее недомогание указывает на надвигающуюся беду, но доктор Кронер выразил сомнение. Подобных приступов ей не избежать, но если она будет вовремя купировать недомогание, не будет оснований считать их сигналом о полном отказе ее иммунной системы.

— Вообще-то, — признался он, — вы разбираетесь во всем этом гораздо лучше меня. Я читаю ваши статьи, чтобы правильно лечить своих пациентов. Мои коллеги питают к вам огромное уважение. Представляете, мне всегда хотелось вам написать!

— Теперь не придется, раз мы познакомились. — Несмотря на бодрый тон, выглядела она отвратительно. Доктор предложил сделать ей внутривенное вливание, но она решила, что это будет обузой для Мэри Стюарт и Тани: того же эффекта она сможет добиться усиленным питьем.

— Если позовете, я примчусь и тут же сделаю вам вливание.

— Спасибо, доктор.

Кронер высказал предположение, что причиной ухудшения ее состояния могло стать высокогорье. Зоя сочла его слова разумными. Всякий раз, когда ей нездоровилось, она боялась, что в этот раз будет хуже, чем в предыдущий, но до сих пор ей удавалось быстро поправляться.

Таня и Мэри Стюарт ждали врача за дверью. Он так долго пропадал у Зои, что они разволновались еще больше.

— Ну, как она?!

— Все в порядке, — заверил он подруг. Зоя предупредила его, что никто ничего не знает и что она не собирается открывать им глаза. Врач не одобрил ее позицию, но ее решение было твердым, и Зоя, как пациент, а тем более как специалист по своему недугу, имела право на него.

— Почему вы так долго ее осматривали? — Таня была близка к панике.

Врач вышел от Зои в половине десятого. За час до этого к ним заглядывал Хартли, но Мэри Стюарт сказала, что этим утром они не будут кататься верхом. Таня попросила его предупредить об этом Гордона. Хартли пообещал, что покатается с Гордоном на пару. Если к середине дня Зое полегчает, Мэри Стюарт и Таня смогут к ним присоединиться.

— Виноват, я пробыл у нее так долго из элементарного эгоизма, — заявил молодой врач извиняющимся тоном. — Дело в том, что я большой поклонник доктора Филлипс. И не пропустил ни одной ее статьи.

Тане было приятно познакомиться не со своим собственным, а с чужим поклонником — для разнообразия. Она благосклонно улыбнулась.

— Боюсь, я злоупотребил возможностью и задал ей много вопросов о собственных пациентах. — Он действительно единственный в округе врач, разбирающийся в СПИДе, и ему много о чем хотелось бы ее расспросить.

— Жаль, что вам нечем порадовать нас, — огорчилась Таня.

— Мне тоже жаль. Я наведаюсь к больной завтра. Не позволяйте ей вставать и заставляйте побольше пить.

Заглянув к Зое, Таня обнаружила, что им не придется спорить. Зоя уже наполовину опорожнила огромную бутылку минеральной воды, но выглядит по-прежнему пугающе.

— Как дела? — осведомилась Мэри Стюарт.

Зоя пожала плечами:

— Не очень-то хорошо. Он сказал, что завтра мне полегчает. Я подхватила здесь какую-то заразу.

— Как жаль!

Таня чувствовала себя виноватой. В Мэри Стюарт сразу проснулись материнские инстинкты: она стала поправлять больной постель, принесла ей сухие крекеры, кувшин лимонада на случай, если ей опротивеет простая вода, и банан для пополнения запасов калия, потерянного организмом при поносе.

— Вы такие молодцы! — На глазах Зои выступили слезы. Она пребывала в расстроенных чувствах и скучала по своему ребенку. — Я должна уехать. — Она разрыдалась, потом разозлилась на себя. — Врач думает, что я останусь еще на неделю, — произнесла она со страхом, словно это было не продление ее отпуска, а смертный приговор.

Увы, разговор с врачом о ее состоянии этим не ограничился. Она снова представила себе ситуацию во всей ее неприглядности. К несчастью, Зоя разбиралась в своем страшном недуге лучше, чем он, и знала, на что может рассчитывать. Недаром она ежедневно имела дело с этой болезнью. Подруги наблюдали за ней со страхом: им было невдомек, почему она рыдает. Их забота только добавила ей жалости к себе. Она еще не до конца смирилась с тем, что у нее нет будущего.

— Может быть, тебя еще что-то тревожит, Зоя? — Мэри Стюарт присела к ней на постель. Обычно Зоя умела держать себя в руках. Ее моральное состояние пугало подруг еще больше, чем мертвенная бледность.

— Нет, ничего. — Она еще раз высморкалась и хлебнула воды. На душе у нее было очень тяжело: ее ждала скорая смерть, и ей некуда пристроить дочь. Она уже думала о подругах и решила, что они не подходят: у Тани никогда не было детей, Мэри Стюарт своих уже вырастила. Обе еще могли бы и родить, так что совсем сбрасывать их со счетов как приемных матерей преждевременно, но ей тяжело затевать с ними этот разговор. Ведь пришлось бы признаться, что у нее СПИД. Как врач ни советовал открыться подругам и положиться на их помощь, она не считала это возможным. Она услышала от него те же самые слова, которые сама твердила своим пациентам. — Просто надорвалась на работе.

— В таком случае пусть это послужит тебе уроком, — проговорила Таня нарочито спокойно. Состояние Зои вызывало у нее сильную тревогу. — После возвращения тебе придется сбавить обороты, может быть, даже пригласить в клинику партнера.

Зоя и сама об этом подумывала. Единственным пригодным кандидатом был Сэм, но она боялась, что он не согласится. Раньше его не привлекала постоянная практика. Он был полностью удовлетворен ролью подменного врача.

— Тебе ли читать мне нотации? — раздраженно бросила она Тане, удивив обеих подруг. — Ты вкалываешь больше, чем я.

— Ничего подобного. К тому же пение не такой источник стресса, как уход за умирающими.

Эти ее слова вызвали у Зои новый поток слез. Она чувствовала себя беспомощной. Зачем она притащилась в Вайоминг? Ведь не хотела, чтобы подруги видели ее в таком состоянии...

— Перестань, Зоя, прошу тебя! — взмолилась Таня. — У тебя упадок сил, вот ты и воспринимаешь все в мрачном свете. Лежи и спи. Если хочешь, я побуду с тобой. Вот увидишь, к вечеру ты оживешь.

— Ничего подобного! — упрямо буркнула она, ненавидя свою участь.

— Я тоже никуда не поеду, — заявила Мэри Стюарт решительно.

Зоя улыбнулась сквозь слезы:

— Лучше ступайте обе. Мне станет только хуже, если я буду знать, что из-за меня вы лишаете себя радостей. Просто мне стало жалко саму себя. Я поправлюсь, честное слово! — Она уже успокаивалась, и Таня, глядя на нее, впервые за утро перевела дух. — К тому же вас ждут кавалеры. — Она высморкалась. В отличие от нее подруги при всех своих невзгодах вели нормальную, полноценную жизнь.

— Я бы так этого не называла, — возразила Мэри Стюарт с улыбкой. — Вряд ли Хартли понравится роль *кавалера*.

— Гордон и подавно обалдеет, если поймет, что кто-то еще знает о его говорливости, — добавила Таня.

— То-то вы прошлой ночью провели на улице несколько часов! — Несмотря на утомление, Зоя не могла не радоваться за подруг. — Главное — осторожность!

Мэри Стюарт кивнула в знак согласия. Обе знали, что обычно Таня помнит о благоразумии, но иногда больше доверяет сердцу и совершает ошибки.

— А теперь спи, — ласково попросила Мэри Стюарт.

Зоя кивнула.

Как ни странно, ей не хотелось, чтобы они ее покидали. Она бы предпочла побыть с ними. Еще немного — и она вообразит, что это не подруги, а ее родители.

— Придется позвонить Сэму, — проговорила Зоя сонным голосом. — Не уверена, что он сможет подменять меня на следующей неделе. Если нет, я должна буду вернуться любой ценой, чтобы мои больные не остались без присмотра.

— Большей глупости нельзя себе представить. — Таня выразительно посмотрела на Мэри Стюарт. — Мы никуда тебя не отпустим. Ты теперь наша заложница. — Зоя встретила эти слова смехом, который быстро сменился слезами. Мэри Стюарт наклонилась к ней и поцеловала.

Зоя по-прежнему была очень плоха. Заглянув ей в глаза, Мэри Стюарт уловила в них испуг и грусть. Оставить подругу одну она не могла, лезть Зое в душу не хотела. Ею руководило лишь желание помочь. Наклонившись ниже, она спросила:

— Ты ничего от нас не скрываешь? Может, хочешь что-нибудь рассказать?

Что-то заставило ее задать этот вопрос — возможно, ощущение, что Зоя находится на самом краю и уже готова к признанию, только очень боится его сделать. Ответ прозвучал не сразу. Таня, уже готовившаяся выйти, обернулась и поддержала Мэри Стюарт:

— Выкладывай, Зоя!

Обе чувствовали: она что-то скрывает.

— Говори, что с тобой.

У Тани мелькнула страшная догадка — рак. Но гадать больше не пришлось. Глядя на подруг глазами, полными слез, Зоя еле слышно ответила:

— У меня СПИД.

Наступила оглушительная тишина. Мэри Стюарт, не сказав ни слова, обняла ее, смешав Зоины слезы со своими. Рак иногда удается излечить, СПИД — никогда.

— Господи! — Таня вернулась и села рядом с Зоей. — Господи, почему ты столько времени молчала?

— Я сама узнала об этом совсем недавно и никому не хотела говорить. Как ухаживать за пациентами, если они будут знать, что я сама больна? И они, и многие другие ждут от меня помощи. Я много думала о том, как это повлияет на мою жизнь, работу, ребенка. Пока не знаю, что станет с дочкой, когда я умру или хотя бы всерьез слягу. — Она в ужасе переводила взгляд с Мэри Стюарт на Таню. — Вы о ней позаботитесь? — Они были ее лучшими подругами, и ей важнее всего знать, что Джейд окажется под их присмотром.

— Я возьму ее, — без малейшей запинки заверила Таня. — Я удочерю твою девочку.

— Если это почему-то не получится у Тани, я буду счастлива сделать это. — Мэри Стюарт заявила это со всей решительностью, но Зоя все еще пребывала в тревоге, хотя ее глаза светились благодарностью.

— Что, если Билл ее отвергнет?

— Так или иначе я от него ухожу, — отчеканила Мэри Стюарт. Зоя не сомневалась в ее намерениях. — Если по какой-то причине с этим выйдет заминка, его нежелание станет дополнительным поводом расстаться.

— А надо мной вообще нет командиров, — подхватила Таня с теплой улыбкой, беря подругу за руку. Рука была ледяная и невесомая. — Но ты все равно должна хорошо заботиться о себе. Ты можешь еще долго прожить. Это твоя обязанность — перед ней, перед нами, перед твоими больными. А этот врач, который тебя подменяет? Ему ты все сказала? Тебе потребуется его помощь, так что не тяни.

То же самое она услышала утром от доктора Кронера. Но у нее пока что не было желания ставить в известность Сэма. Достаточно двух посвященных — Тани и Мэри Стюарт. Теперь они будут над ней хлопотать, сдувать с нее пылинки, подсказывать, что можно и чего нельзя.

С другой стороны, ей очень поможет их поддержка и любовь. Та же проблема обычно мучила всех ее пациентов. Хорошо, что она рассказала Тане и Мэри Стюарт о своей беде. Теперь она по крайней мере знает, что Джейд окажется под Таниным крылышком, и может готовить необходимые бумаги. Она надеялась, что развязка наступит еще не скоро, но полной уверенности в таких случаях быть не должно...

— Ему я не хочу открываться, — сказала Зоя, имея в виду Сэма. — Не хватало только дать волю слухам! Я не смогу помогать своим больным.

— Наоборот, — возразила Мэри Стюарт, — они еще больше к тебе прислушаются. Ведь они будут знать, что ты руководствуешься собственным опытом. — Ей хотелось задать один вопрос, как бы жестоко он ни звучал. — Между прочим, как ты заразилась?

— Укололась иглой, которой делала инъекцию девочке, больной СПИДом. Она ерзала, я тоже... Настоящее невезение! Сначала я испугалась, потом призвала себя к философскому спокойствию. Со временем я почти забыла об этом инциденте, но потом у меня начались недомогания. Сперва я пыталась не обращать на это внимания, потом сдала кровь на анализ. Результат стал известен как раз перед моим звонком тебе, — сказала она Тане, сидевшей на краю ее кровати и беззвучно проливавшей слезы.

— Не могу в это поверить! — Для Тани это стало страшным потрясением.

— Ничего, обойдется. Пищеварение наладится, и мне полегчает. — Зоя немного приободрилась. Они так стремились ей помочь, что ей было стыдно их расстраивать. Теперь Таня и Мэри Стюарт выглядели даже хуже самой Зои.

— Не хочу, чтобы вы сидели здесь и кисли. Займитесь собой! — твердо произнесла Зоя. Подошло, кстати, время ленча.

— Сперва пообещай нам, что будешь лежать и отдыхать, — потребовала Таня.

Зоя кивнула:

— Буду дрыхнуть весь день. Надеюсь, к вечеру опять стану человеком.

— Во всяком случае, к завтрашнему вечеру ты просто обязана встать на ноги, — подхватила Мэри Стюарт. — Ведь нам предстоит учиться тустепу! Давай не забывать о главном. — Все трое заулыбались сквозь слезы, держась за руки.

Зоя опять поблагодарила судьбу за то, что очутилась в Вайоминге. Давно ей так не везло: ведь она оказалась с подругами и определила будущее своей дочери. К тому же помирилась с Мэри Стюарт и даже смирилась со своей болезнью. Конечно, она ненавидела саму мысль о СПИДе, но уже находила в себе силы верить, что сможет продлить жизнь и даже улучшить свое состояние, если будет правильно себя вести. Подруги заключили соглашение о том, что никто больше об этом не должен знать. Если кто-то проявит настойчивость, следует объяснять, что у Зои язва или даже рак желудка — что угодно, только не вирус смертельной болезни. Ей не хотелось вызывать у людей ужас и жалость. Подруги обещали ее не подводить.

В конце концов она выгнала их из дома. Едва выйдя на воздух, Мэри Стюарт и Таня залились слезами, хоть и молчали, пока не удалились на приличное расстояние.

— Боже, что за ужасный день! — простонала Мэри Стюарт на полпути к стойлам. Они даже не знали, куда направляются, а просто брели наугад, обливаясь слезами и поддерживая друг друга, чтобы не упасть. — До сих пор не могу в это поверить.

— Мне все время не давала покоя ее бледность, — отозвалась Таня. — Вообще-то у нее всегда была просвечивающая кожа, хорошо сочетающаяся с рыжими волосами, но такой бледной, как здесь, я ее не помню. К тому же она очень быстро утомляется.

— Теперь все это получило объяснение. — Мэри Стюарт выглядела безутешной. Одно ее радовало: они с Зоей успели помириться. — Слава Богу, что она перестала нас обманывать. Представляешь, какой тяжкий груз несла в полном одиночестве! Надеюсь, мы сумеем хоть как-то ей помочь.

— Кроме нас, ей придется поставить в известность своего сменщика, Сэма. Либо он будет помогать ей сам, либо найдет кого-то, кто этим займется. — Практичная Таня уже думала о будущем.

— Кажется, теперь понятно, почему она ни с кем не встречается, — добавила Мэри Стюарт.

— Не понимаю, почему она должна лишать себя радостей. Главное — осторожность, — сказала Таня, размышляя. — Уверена, другие на ее месте ведут себя иначе. Нельзя же полностью себя изолировать — это вредно для здоровья! Господи, поверить не могу... — Обе дружно всхлипнули.

Завидя их, Хартли и Гордон взяли под уздцы их лошадей. Женщины чуть не натолкнулись на них. Мужчины сразу поняли: дело неладно.

— Что случилось? — спросил Хартли. Он не знал покоя с самого утра, когда услышал от Мэри Стюарт, что они этим утром никуда не поедут.

Гордон тоже не находил себе места: он вообразил, что Таня опомнилась и не хочет больше с ним знаться. Теперь оба смекнули, что дело обстоит еще хуже. Сначала обе женщины хранили молчание.

— У тебя неприятности? — осторожно спросил Гордон Таню. По ее виду можно было подумать, что она потеряла близкого человека. В действительности этого еще не произошло, но вопрос теперь только в сроках. Худшее — впереди.

— Нет, все в порядке, — прошептала Таня, убирая волосы со лба. От этого ее жеста его ударило, как электрическим током.

— Как ваша подруга?

Таня не ответила. Мэри Стюарт, разговаривая с Хартли, не могла сдержать слез. Таня знала, что Мэри Стюарт не нарушит данное Зое обещание. Значит, она может назвать Зоину болезнь раком, как договаривались. Таня решила сказать то же самое Гордону. Услышав приговор, он побледнел, понимая горе подруг, для которых Зоя была родным человеком.

— Я знаю ее с восемнадцати лет, — безутешно проговорила Таня. — Двадцатишестилетняя дружба — это не шутка.

Он многое отдал бы, чтобы ее обнять, но находился на работе, и об этом сейчас не могло идти речи.

— Никогда бы не подумал, — сказал он.

Она улыбнулась.

— Спасибо за комплимент. Очевидно, я лет на десять старше тебя. Официально мне тридцать шесть — это так, на всякий случай. А по-настоящему — сорок четыре.

Ему в отличие от нее это казалось такой мелочью, что он рассмеялся.

— А мне по-настоящему — сорок два, я — ковбой, родился в Техасе и сейчас подохну от испуга. Я ведь решил, что ты, проснувшись, одумалась и теперь не хочешь иметь со мной дело. — Гордон все утро находился в тревоге и почти не замечал Хартли. Ему повезло, что, кроме Хартли, у него не оказалось подопечных.

— Я вскочила в шесть утра, чтобы с тобой повидаться, и была в таком волнении, что не могла уснуть. Чувствовала себя четырнадцатилетней дурочкой, влюбившейся впервые в жизни. — То же самое с ней происходило в восьмом классе, когда она влюбилась в Бобби Джо, только сейчас все ощущалось гораздо острее. — Всю ночь не могла больше ни о чем думать. А с утра все перевернулось с ног на голову. Зоя так расхворалась, что пришлось вызвать врача. Он долго с ней сидел, и только потом она во всем нам призналась.

— Она поправится? Я хочу сказать — сейчас? Может, ей лучше лечь в больницу?

— Врач так не считает, — ответила Таня. — Разве что если ей станет еще хуже. Ей хочется домой, на работу.

— Поразительная женщина! — Он посмотрел на Таню, переживая за ее подругу и за нее саму — ведь ей предстоит тяжелая утрата. Ситуация напомнила Тане о судьбе Элли. Как все тогда из-за нее убивались! С Зоей получится и того хуже. — Ты тоже поразительная женщина! Никогда еще не встречал таких. Никогда бы не поверил, что ты — женщина из плоти и крови, как все остальные, только лучше. Я-то думал, что ты будешь донимать всех своими прихотями, а ты оказалась совсем простой, проще не бывает. — Это звучало не как оскорбление, а как комплимент. — Так как насчет воскресенья?

— Попытаюсь. Все будет зависеть от состояния Зои. — Она знала, что встреча в воскресенье — их единственный шанс побыть вдвоем. Его рабочая неделя длилась шесть дней, а в следующее воскресенье, когда у него снова будет выходной, они уже уедут.

— Неужели все это по правде, Таня? — неожиданно спросил он, стоя с ней под густым дубом. Ему хотелось утвердительного ответа, но он очень боялся, что она снимет маску и окажется ослепительной голливудской кинозвездой, которая, потешившись с ним, быстро выбросит его из головы. Впрочем, это как будто на нее не похоже.

— По правде, — прошептала она в ответ. — Не знаю, когда и как это произошло. Наверное, еще в понедельник, когда ты разозлил меня своим нежеланием со мной разговаривать. Впрочем, не важно, когда это случилось, — главное, я никогда ничего подобного не испытывала! Все по правде, Гордон, можешь мне поверить.

Его вид говорил о том, что он сражен наповал.

— Я почему с тобой не говорил? Потому что боялся. А потом ты оказалась совсем не такой, как я думал, и тут уж я ничего не смог с собой поделать. Дай мне волю, я бы по гроб жизни скакал с тобой по этим горам.

— Чем займемся сейчас? — Ей хотелось смотреть на него, разговаривать с ним, быть с ним рядом, проверяя свое чувство, но она знала, что для него это чревато неприятностями, вплоть до увольнения.

— Может, встретимся вечером? — предложил он тихо, чтобы их никто не мог подслушать. Она согласно кивнула, подняла глаза и улыбнулась ему.

— А завтра покатаемся. Сегодняшний день мы проведем с Зоей, если ее не сморит сон. Посмотрим, как она будет себя чувствовать после обеда. Кстати, как насчет завтрашнего вечера? Ты собираешься учить меня танцевать тустеп? В брошюре сказано, что нашими наставниками будут ковбои. Смотри не увиливай! — Она находила в себе силы для юмора, и за это он еще больше ее любил. Глаза обоих были полны волнения и любви. Обоим хотелось объятий и поцелуев, но и соблюдение осторожности имело свои достоинства: тайна способствовала нежности чувств. — Ну, будете моим учителем, мистер Уошбоу?

— Да, мэм, непременно. — Он собирался не только присутствовать на танцах, но и сполна использовать эту возможность себе на пользу. — Между прочим, в субботу я снова участвую в родео.

— Я приеду, — шепотом пообещала она.

— И опять споешь?

— Может быть. — Она улыбнулась. — В первый раз мне понравилось. — Оба испытали тогда не только радость, но и страх. — Смотря в каком настроении будет публика.

— Как же здорово ты смотрелась на той гривастой лошадке! — Она бы все отдала, чтобы ускакать на той лошадке с ним далеко-далеко. — Воскресенье принадлежит нам, а дальше видно будет.

— Звучит многообещающе. — Это было ново для обоих, и оба дрожали от предвкушения и страха.

Они подошли к Мэри Стюарт и Хартли. Прежде чем уйти, Гордон сжал Танину руку. Он был совсем близко, но она все равно не могла накинуться на него с поцелуями. От этого можно сойти с ума.

— Как покатались? — спросила она у Хартли.

Тот сочувственно посмотрел на нее:

— Мэри Стюарт рассказала мне о бедняжке Зое. Рак желудка — страшная болезнь. От него умер мой бостонский кузен. — (Таня кивнула. Мэри Стюарт не обманула ее ожиданий). — Как печально!

— Не то слово! — Таня переглянулась с Мэри Стюарт. — Она, наверное, протянет еще сколько-нибудь, но скоро могут начаться осложнения. — Ей было нелегко сочинять, но он согласно кивал.

— То же самое было с моим кузеном. Близким ничего не остается, кроме заботы об удобстве умирающего. Пусть делает, что хочет, зная, что вы окажетесь с ней рядом по первому ее зову.

Таня спохватилась, что забыла предупредить Гордона о своем решении удочерить Зоину девочку. Существовало немало причин, по которым ей хотелось поставить его в известность. Главное, она стремилась проверить его реакцию. Она не торопилась признаваться самой себе, что после трехдневного знакомства репетирует будущую совместную жизнь, но раз они собираются продолжить встречи, надо знать, как он отнесется к некоторым обстоятельствам, в частности к ребенку Зои.

Хартли составил им компанию за обедом. Все разговоры были посвящены одной Зое: ее здоровью, карьере, клинике, ребенку, ее будущему, блестящим способностям, ее самоотверженной преданности людям. Пока они возносили ей хвалу, объект их интереса сидел у себя в комнате, погрузившись в размышления. Зоя знала, что должна позвонить Сэму, но откладывала звонок. Предстояло спросить его, заменит ли он ее еще на несколько дней, но она боялась, что он расслышит в ее голосе что-то новое.

Пока она боролась с нерешительностью и подумывала, не лучше ли оставить ему сообщение, раздался телефонный звонок. В дело вмешалось Провидение: звонил сам Сэм, которому потребовался ее совет относительно одной из больных. Ей нужно сменить лекарства, и Сэм стремился сперва заручиться Зоиным согласием. Застав ее на месте, Сэм удивился: он собирался оставить для нее сообщение в администрации, но сперва решил проверить, не заглянула ли она на минутку к себе.

— Рад, что поймал тебя! — радостно произнес он и сразу задал свой вопрос, на который она дала обстоятельный ответ.

Зоя была довольна, что он обратился к ней за советом: мало кто из подменяющих врачей удосуживался предоставлять решение лечащему доктору.

— Спасибо, что спросил, — поблагодарила она. Именно поэтому и отдавала Зоя ему предпочтение среди всех возможных кандидатов. Другие в ее отсутствие вносили путаницу в систему лечения многих больных, не ставя ее об этом в известность.

— И тебе спасибо. — Он был крайне занят и страшно этим доволен. Оказалось, устроил себе короткий обеденный перерыв. — У тебя тут не больно разжиреешь. Никогда еще так не носился, с самого медицинского факультета. — Прежде он подменял ее на ночь, на полдня, отпуская на ужин, в театр, на прием. Впервые ему выдалось пробыть без нее целую неделю, и он находился на вершине блаженства. — У тебя тут настоящий цирк! Пациенты души в тебе не чают. Представляю, как нелегко было этого добиться.

— Теперь они, наверное, и думать обо мне забыли? Привыкли к другому врачу — доктору Уорнеру.

— Хотелось бы...

Прислушиваясь к ее голосу, он улавливал странные нотки. То ли она устала, то ли только что проснулась, то ли недавно плакала. Он встревожился и потребовал объяснений. Ее поразила его догадливость, и Зоя не сразу нашлась, что ответить. Немного помолчав, она залилась слезами. На связный ответ уже не приходилось рассчитывать. Теперь он разволновался не на шутку.

— Что-то случилось с одной из твоих подруг? — спросил он. — Или с тобой? — Его интуиция пугала ее до икоты.

— Нет-нет, они в полном порядке. — Она вспомнила, что должна спросить его насчет следующей недели. — Кстати, я все равно собиралась тебе звонить. Нам тут так понравилось, что я подумала... — Она запнулась и выпалила на одном дыхании, надеясь, что он не заметит фальши: — Не смог бы ты поработать вместо меня еще недельку? Это максимум. Скорее всего получится меньше. Я вернусь самое позднее в следующее воскресенье. Я не была уверена, свободен ли ты и как к этому отнесешься, поэтому решила спросить.

— Я бы с радостью, — тихо ответил он, напряженно прислушиваясь к ее интонации. Он не сомневался, что она плачет. — Только я все равно чувствую, что-то там не так. Скажи, чем я могу тебе помочь?

— Ничем. — Она не собиралась открывать ему правду. — Главное, скажи: сможешь ли ты пробыть в моей клинике еще неделю?

— Я уже сказал, что смогу, не беспокойся. Дело не в этом. Признайся, Зоя, что случилось? Вечно ты что-то от меня скрываешь! Зачем эта таинственность? В чем дело, детка? Я ведь слышу, как ты плачешь... Пожалуйста, окажи мне доверие! Я так хочу тебе помочь! — Он тоже был близок к слезам.

В трубке раздались всхлипывания.

— Не могу, Сэм. Пожалуйста, не проси.

— Почему? Неужели это такой страх, что ты обязана таиться и одна сгибаться под неподъемной тяжестью?

Собственно, зачем мучить ее вопросами? Ведь он и сам догадался. Это то же самое, с чем он сталкивается в последние дни ежеминутно. Бедствие, по сравнению с которым меркнет любая беда, губительный стыд, горе без дна. Имя ему — СПИД. Она отказывалась ему говорить, но теперь он сам это знал.

— Зоя?

Теперь и она поняла по его голосу: что-то произошло. Она притихла. Он бессильно закрыл глаза. Это сразу все объясняло: почему она ни с кем не желает знаться, почему так плохо выглядит. Эта ловушка подстерегала многих врачей, отваживающихся сражаться со СПИДом, при всей их осторожности. Ошибиться может любой: неверное движение — и укол, предназначенный больному, достается тебе. Усталость, оплошность — причин может быть множество, а результат один: летальный.

— Зоя? — повторил он тихо. Сейчас он хотел одного: оказаться с ней рядом, обнять, попытаться утешить. — Ты укололась? Я должен знать. Прошу тебя...

Последовало нескончаемое молчание, потом обреченный вздох. Дальнейшая борьба потеряла смысл. Он сам вывел ее на чистую воду.

— Да, в прошлом году. Девочка-крошка, ни секунды покоя, вот и...

— Господи! Так и знал! Почему ты скрывала? Каким же я был глупцом! И ты не лучше. Что ты делаешь? Почему от меня прячешься? Сейчас тебе плохо? — Он был близок к обмороку: у нее СПИД, а он ничего не сделал, чтобы ей помочь, всего лишь заменил ее на работе. Сердце билось с удвоенной скоростью, мысли путались. — Тебе плохо?

— Не очень хорошо. Ничего серьезного, но здешний врач советует соблюдать покой. Думаю, к понедельнику поправлюсь. Врач говорит, что надо выдержать неделю, чтобы избежать повторной инфекции.

— Делай то, что рекомендует врач. Что за инфекция? — Он заговорил убедительно, как и подобает медику, и она поневоле улыбнулась. — Респираторная?

Ее голос не выдавал простуду. Она плакала, но не кашляла.

— Нет, обычная гадость, сопровождающая эту болезнь: страшный понос. Я уже думала, что не переживу ночь. Странно, что еще жива.

— Ты еще долго не умрешь, — уверенно произнес он. — Я тебе не позволю.

— Я сама через это прошла, Сэм, — грустно молвила Зоя. — Не хватает, чтобы теперь то же самое повторилось с тобой! Помнишь, я рассказывала, как занялась СПИДом?

Человек, с которым я жила, заразился при переливании крови. Я открыла клинику благодаря ему. Самое страшное, что было у меня в жизни, — это то, как он умирал. Перед этим мы прожили вместе несколько хороших лет. Никому бы такого не пожелала. Разве можно так начинать? Здесь впору не начинать, а все заканчивать. Я на это никогда не пойду.

— Ты сожалеешь о содеянном? Считаешь, что напрасно была с ним рядом?

— Нет, конечно! — Она любила Адама до самого конца. Просто не хотела, чтобы Сэму достались те же муки, что и ей.

— Предположим, он сказал бы, что не позволит? Попытался бы отправить тебя куда подальше?

— Думаешь, он не пытался? Сколько раз! Я затыкала уши и не уходила. Не хотела оставлять его одного. — Она спохватилась, что отвечает именно так, как требует логика его мысли. — Но это совсем другое дело. Я бы почувствовала себя обманщицей. — Ее мысли занимал Сэм. С одной стороны, она едва его знала, с другой — знала всю жизнь.

— Зачем ты пытаешься меня провести? — Он не хотел ходить вокруг да около, притворяться, скрывать свои чувства. — Я люблю тебя. Получается, что люблю уже давно, может быть, с самого Стэнфорда. Наверное, тогда я был глуп и сам не мог в себе разобраться. К тому же ты никогда не предоставляла мне возможности признаться в моих чувствах. Все. Теперь я тебе не позволю заткнуть мне рот. Я буду рядом с тобой. Какая мне разница, что делает с тобой подлая болезнь? Что мне до твоего поноса, язв на лице, пневмонии? Я хочу помочь тебе остаться в живых, хочу работать вместе с тобой. Я буду заботиться о тебе и о Джейд. Пожалуйста, позволь мне тебя любить! В мире так мало любви! Если мы ее нашли, то давай разделим на двоих. Зачем сорить любовью? То, что ты больна СПИДом, ничего не меняет: от этого моя любовь к тебе не становится меньше, наоборот, это только повышает ее ценность. Я не позволю тебе ею пренебречь. Слишком она для меня важна... — Теперь плакал и он. Она была так растрогана, что не могла говорить. — Зоя, я тебя люблю. Если бы не твоя клиника, я бы прилетел первым же самолетом и сказал тебе то же самое не по телефону, а в глаза, но ты бы сама меня убила, если бы я так поступил и оставил лавочку без присмотра. — Оба засмеялись сквозь слезы.

— Да, убила бы. Не смей покидать лавочку!

— Придется подчиниться, иначе уже вечером ты имела бы удовольствие меня лицезреть. К тому же я по тебе соскучился. Слишком долго ты отсутствуешь.

— Опомнись, Сэм, не дури! Зачем тебе обрекать себя на такие муки?

— Затем, что такие вещи не выбирают. В кого влюбишься, в того и влюбишься, что ж тут поделаешь! Лучше бы ты оказалась здоровой, но это не главное. Вдруг женщина, в которую я влюбился бы вместо тебя, попала завтра под поезд? В нашем случае по крайней мере известно, на каком мы свете. У нас есть время — может, много, может, совсем чуть-чуть. Я хочу воспользоваться тем, что есть. А ты? Предпочтешь махнуть на все это рукой?

— Представляешь, какую тебе пришлось бы соблюдать осторожность? — Она хотела его вразумить, но он был глух к доводам разума. Он совершенно уверен в своем чувстве.

— Осторожность — очень невысокая цена. Разве игра не стоит свеч? Боже, как я по тебе скучаю, Зоя! Просто сплю и вижу, чтобы обнять тебя и подарить счастье.

— Ты будешь со мной работать? Постоянно или хотя бы по совместительству? — Для нее это было так же важно, как личная жизнь, а может, еще важнее. Она ощущала ответственность перед многими людьми и заботилась о них не меньше, а может, и больше, чем о самой себе. Ей требовался помощник и именно такой, как Сэм.

Его не пришлось уговаривать.

— Я стану работать с тобой день и ночь, только позови. — Сказав так, он тотчас уточнил: — Вернее, я буду отрабатывать по две смены подряд, а ты больше отдыхай. Давай уделять немного времени самим себе. Не допущу, чтобы ты и впредь работала на износ. Я буду о тебе заботиться. Договорились? Так мы придадим надежды своим пациентам. Советую тебе прислушаться к моим словам. Для тебя врач — я.

— Да, сэр. — Она улыбнулась и утерла глаза. Столько переживаний за одно утро! Она открыла свою тайну лучшим подругам и Сэму, и все трое не подвели ее, напротив, проявили настоящее сострадание. Как оказалось, Сэм готов пойти еще дальше.

— Давай поженимся! — предложил он.

Она не поверила своим ушам. Наверное, окончательно спятил. За это она любила его еще больше. Широко улыбаясь, она ответила:

— Таких безумцев надо лишать дееспособности! Даже не заикайся.

Его предложение ужаснуло ее, но одновременно тронуло до глубины души.

— Я бы захотел взять тебя в жены независимо от того, больна ты СПИДом или нет.

— Дело в том, что я больна. Тебе совершенно не обязательно так поступать.

— Кажется, своим пациентам ты велишь делать все, чтобы чувствовать себя счастливыми.

— Откуда ты знаешь, что я буду счастлива?

— Потому что я тебя люблю. — Как он хотел до нее достучаться!

— Я тоже тебя люблю, — ответила она, сама удивляясь звучанию этих слов, — но давай не торопиться. Всему свое время.

Ее слова подняли ему настроение: она считает, что у нее остается время для принятия решения. Это значит, что она настроена оптимистически. Очень важное обстоятельство! Он всерьез хотел на ней жениться и не сомневался, что сумеет ее уломать.

— Ужасно рад, что позвонил тебе, — сказал он. — Я получил рекомендацию, как лечить больного, работу, причем, возможно, постоянную, а также, вероятно, жену. Очень плодотворные переговоры!

— Не пойму, как меня угораздило доверить клинику такому сумасшедшему, как ты.

— И я не пойму. Правда, твоим больным я нравлюсь. Ты только представь, как они обрадуются, когда мы станем супругами Уорнерами.

— Разве я обязана взять твою фамилию? — засмеялась она.

Оказалось, Зоя тоже в него влюблена. Он давно ей нравился, но она не позволяла своим чувствам выйти наружу. Занятость не позволяла ей становиться кем-то еще, кроме врача и матери.

— Можешь взять любую, только выйди за меня, — великодушно отозвался Сэм. — Я на все согласен.

— Ты просто псих. — Оба пребывали в веселом настроении, но она позволила себе внести серьезную нотку. — Большое спасибо, Сэм. Ты просто чудо. Я по-настоящему тебя люблю. Раньше это меня пугало, и я не хотела затаскивать тебя в такое болото. Но ты сам в него вляпался. Ничего, у тебя еще остается возможность передумать и выбраться на твердую почву.

— Я вляпался навсегда, — спокойно отозвался он.

— Хотелось бы мне, чтобы у меня в распоряжении было так же много времени, как у тебя, — грустно молвила она.

— Это вполне осуществимо. Я сделаю все от меня зависящее, и даже больше.

— Во всяком случае, после меня останутся моя работа, клиника, Джейд, ты, друзья...

— По-моему, это так много, что понадобится твой персональный контроль.

— Сделаю все, что смогу, Сэм, обещаю.

— Отлично! Отдыхай побольше, пока там, и возвращайся здоровой. Если понос не прекратится, ложись в больницу.

— Уже прекратился, — сказала она, ободрив его.

— Побольше пей.

— Знаю. Я все-таки тоже врач. Не беспокойся, не буду нарушать режим, честное слово.

— Я тебя люблю. — Как странно, как неожиданно! Он чувствовал себя совершенно счастливым. Она его любит! Конечно, СПИД — ужасное известие, но он почему-то все равно счастлив, как и Зоя.

Вернувшись с ленча, Таня и Мэри Стюарт были приятно удивлены ее сияющим видом.

— Что с тобой? — подозрительно спросила Таня. — Ты сейчас буквально как кошка, слопавшая канарейку.

— Я разговаривала с Сэмом. Он согласился перейти ко мне в клинику на постоянную работу.

— Отличная новость! — оживилась Мэри Стюарт, понимавшая, как это важно для Зои.

— Погоди! Разве ты не видишь, что она водит нас за нос? — Таня, прищурившись, наблюдала за подругой. — Это далеко не все. Она что-то скрывает.

— Ничего подобного! — Зоя не смогла сдержать смех. Горестное настроение утра успело полностью улетучиться.

— Что еще он тебе сказал?

Зоя улыбалась во весь рот и мотала головой:

— Ничего. — Она посерьезнела. — Это я ему сказала, что анализ показал наличие у меня в крови вируса СПИД. — Произнеся эти отвратительные слова, она уставилась на подруг расширенными глазами, все еще не освоившись с тем, что услышала от Сэма.

— Ладно, говори, что еще ты от него услышала, — мягко попросила Мэри Стюарт.

Зоя восхищенно покачала головой.

— Он сделал мне предложение! Можете вы в это поверить?

Обе подруги широко разинули рты и уставились на Зою со смешанным чувством радости и недоверия. Таня первой обрела дар речи:

— Мы обязаны поставить тебя на ноги, чтобы ты поспела обратно еще до того, как его сцапает другая. Сокровища на дороге не валяются, детка!

— Действительно... — Зоя еще не решила, как поступит. Она готова быть с ним рядом, работать вместе, испытать все, на что расщедрится жизнь. Если его желание жениться окажется твердым, она выйдет за него. Но независимо от этого она знает: она любит его, а он любит ее. И это важнее всего остального.

— Провалиться мне на этом месте! — воскликнула Мэри Стюарт: доктор Сэм Уорнер сразил ее наповал.

Три подруги немного поболтали, после чего Мэри Стюарт и Таня с облегчением отправились гулять. Зоя явно шла на поправку. Хартли и Мэри Стюарт решили совершить пешую прогулку, чтобы обсудить важные темы, в особенности Зою и славного человека, решившего взять в жены женщину, находящуюся на грани жизни и смерти. Оба считали это героическим поступком и заочно полюбили Сэма.

Таня и Гордон сели на лошадей. На сей раз им повезло: охотников составить им компанию не нашлось. Хартли и Мэри Стюарт избрали пешеходные тропинки, врачи из Чикаго предпочли рыбную ловлю. Таня и Гордон неожиданно остались одни. Гордон повез ее к водопаду, рядом с которым они спешились, чтобы поваляться в траве, среди диких цветов, и вдоволь нацеловаться. Потребовалось сверхчеловеческое усилие, чтобы не пойти дальше, однако обоим не хотелось спешить, чтобы не разрушать очарования встречи. Им и так казалось, что они попали в несущийся на всех парах экспресс.

Это был чудеснейший день в ее жизни: она лежала, глядя на него, потом он подвинулся ближе, и они стали любоваться горами. Потом немного побродили, держась за руки и ведя за собой лошадей, вспоминая детство, жалея Зою и восхищаясь Сэмом. Отважная пара, умевшая сопротивляться трудностям. Таня им под стать. Она проделала в жизни долгий путь; теперь рядом с ней появился надежный и одновременно нежный человек. Ей становилось страшно при мысли, что́ раздует из этого пресса, и она не скрывала от него зло, которое им могут причинить, однако это его не пугало. Он всего лишь предложил ей внимательно посмотреть вокруг.

— Пока у нас есть это, зачем отвлекаться на всякую ерунду? Все такая мелочь! Мы с тобой — вот и все, что имеет значение. Мы и наши отношения.

— А если всего этого у нас не будет? — спросила она, думая о возвращении в Калифорнию.

— Будет, — тихо ответил он, — как же иначе? Ведь останутся эти места, куда мы всегда можем вернуться, чтобы прийти в себя. А все остальные пусть безумствуют, сколько влезет.

Мысль любопытная, и Таня ею зажглась. Возможно, он прав: надо купить в Вайоминге дом. Она может себе это позволить. Если потребуется, она продаст дом в Малибу. Он слишком велик, к тому же она почти никогда там не бывает.

— У меня ощущение, будто я стою на пороге новой жизни, — призналась она, оказавшись вместе с ним на утесе, откуда открывался вид на долину.

Внизу они видели бизонов, лосей, коров, лошадей. То было потрясающее зрелище! Она понимала, почему он привел ее сюда.

— Ты действительно стоишь на пороге новой жизни, — тихо сказал он, повернул ее лицом к себе, обнял и поцеловал.

Глава 17

Утром в пятницу, зайдя на цыпочках к Зое в комнату, Таня нашла ее мирно спящей. Накануне вечером Зоя с аппетитом поела. Мэри Стюарт, заглянувшая к Зое следом за Таней, согласилась, что у больной улучшился цвет лица.

Подруги одевались для конной прогулки, когда Зоя появилась в гостиной в халате. Они оказались правы: ей и вправду полегчало. Выглядела она несравненно лучше, чем накануне.

— Как твое самочувствие? — участливо осведомилась Мэри Стюарт. Обе не знали покоя от волнения.

— Такое впечатление, словно я родилась заново. — Зоя уже сожалела, что открыла им свой секрет. Можно ли было без этого обойтись? Но что сделано, то сделано: кот уже извлечен из мешка. К тому же для нее очень много значит их поддержка. — Мне так стыдно, что я вчера доставила вам столько хлопот!

Таня хотела было обмолвиться, что год назад надо было соблюдать осторожность и не тыкать себя в палец подозрительной иглой, но вовремя спохватилась.

— Не дури! — Их глаза встретились. Мысли друг друга не составляли для них тайны. Таких мыслей нет нужды стесняться: в них только любовь, сострадание, забота. Подобная дружба завязывается раз в жизни, и то далеко не у всех. — Сегодня оставайся в постели и как следует отдохни. Я загляну к тебе в обед узнать, не нужно ли чего, — пообещала Таня, обняв Зою за плечи и вздрогнув от неожиданности: под халатом Зоя оказалась еще более тощей.

— Хочешь, мы останемся с тобой? — великодушно предложила Мэри Стюарт, но Зоя, естественно, покачала головой.

— Наоборот, я хочу, чтобы вы не теряли времени зря. Вы обе этого заслуживаете. — Все они, каждая по-своему, пережили непростые времена: смерть, развод, невзгоды. Из всего этого и состоит жизнь.

— Ты заслуживаешь этого даже больше, чем мы, — напомнила ей Мэри Стюарт.

— Я хочу одного: поскорее вернуться к работе. — Зоя уже кляла себя за лень. Вторая неделя вне клиники казалась ей настоящим грехом. С другой стороны, она понимала, что сперва должна полностью оправиться от недомогания.

— Будь умницей, побалуй себя, — проворковала Таня и погрозила ей пальцем. Через минуту они с Мэри Стюарт отправились завтракать.

Хартли осведомился о Зоином здоровье. Все восхищались ее отвагой, а Таня с благодарностью думала о самоотверженности Сэма.

— Какой удивительный человек! — восхищенно произнес Хартли, услышав от Мэри Стюарт о реакции Сэма на Зоины слова. О том, что Зоя больна не раком, а СПИДом, подруги умолчали, не желая нарушать обещание.

— Может, она еще выкарабкается?.. — с надеждой предположил он, хотя, судя по всему, не считал это вероятным, как и они. — Я знаю еще одну пару, образовавшуюся примерно при таких же обстоятельствах: они поженились, узнав о неутешительном диагнозе. Это были самые чудесные люди, с какими меня только сводила судьба, и, наверное, самые счастливые. Полагаю, именно благодаря этому жена прожила гораздо дольше, чем ей сперва прочили. Муж отказывался ее отпускать, она тоже отчаянно сопротивлялась судьбе, вот любовь и добавила ей несколько лишних лет. Никогда их не забуду. По-моему, после ее смерти он так и не женился, а написал книгу о пережитом, о ней — самое трогательное откровение, которое мне доводилось читать. Я проплакал от начала до конца. Не могу передать, какое удовольствие получил от книги и ее автора. Так, как он, ни один другой мужчина еще не любил.

Мэри Стюарт слушала его рассказ, не стесняясь слез. Как же она желала того же Зое!

Во второй половине дня Сэм опять позвонил Зое. Разговаривали долго. Он всерьез требовал от нее обещания, что они поженятся, а она по-прежнему корила его за безумное намерение.

— Ты не можешь делать мне предложение. — Она была тронута и польщена до слез. — Ты вообще плохо меня знаешь.

— По-твоему, двадцать два года с хвостиком — недостаточный срок, чтобы узнать человека? Из них пять лет я время от времени с тобой сотрудничал. Последнее двадцатилетие был в тебя влюблен. Если мы оба оказались слепы и тупы, это не моя вина. Ты постоянно о ком-нибудь заботишься, потому и не замечаешь, что творится у тебя под самым носом. Я хочу быть с тобой рядом. — Он произнес это нежно и одновременно грубовато, полным соблазна тоном.

— Ты и так всегда рядом, Сэм, — ответила она ему.

— И останусь с тобой столько, сколько ты захочешь. Между прочим, нам еще только предстоит первое свидание.

— Знаю. Ты еще не пробовал мою лазанью. — Их еще столько всего ждало, столько открытий друг о друге предстояло совершить!

— Я тоже повар что надо. Какое твое любимое блюдо? — Он мало знал о ней, а хотел знать все в подробностях. Мечтал баловать ее, ублажать любой ее каприз. Втайне он мечтал войти в историю первым исцелением больного СПИДом. Если не получится — что ж, он будет с ней до самого конца, как бы горек он ни был. Он проникся убежденностью, что такова его судьба, и никакие уговоры его не переубедят.

— Мое любимое блюдо? — с улыбкой переспросила Зоя. Она почти забыла, что больна. Сегодня ей гораздо лучше, и она была счастлива. Больше ничего и не требовалось: только продлить это волшебное мгновение и не переживать из-за наступления завтра. — Дай сообразить... Блюда, которые продают на вынос. Еда быстрого приготовления. Которую держишь на полке в кабинете и глотаешь, когда вышел один больной и еще не вошел другой.

— Какая гадость! С этим покончено. Теперь ты будешь лакомиться самыми отменными кушаньями. Посмотрим, может, я вообще перейду на кулинарию и заброшу медицину.

На самом деле только сейчас ему предстояло стать настоящим медиком, и обоим нравилась эта мысль. Он был в восторге от перспективы ежедневно работать бок о бок с ней. Кроме прочего, это позволит ему за ней приглядывать и не давать перетруждаться.

— Кстати, — напомнил он, — нам придется найти нового сменного врача: раз мы будем работать вместе, кто-то должен ездить на вызовы.

Она уже освоилась с мыслью, что им предстоит большую часть времени проводить вместе. Это ее устраивало, раз он в курсе ее положения; более того, у нее было предчувствие, что все сложится даже лучше, чем оба рассчитывают. Она улыбнулась, вспоминая Дика Франклина. С ним подобное сотрудничество невозможно: он никогда не стал бы ей таким близким человеком. Встреча с Сэмом Уорнером — главная удача ее жизни.

— У нас будет возможность подменять друг друга, — нашелся Сэм. — Я поспрашиваю, не найдется ли у кого-нибудь среди знакомых надежная кандидатура сменного врача. Мне уже приходит на ум один приятный человек, с которым я одно время работал, и еще одна женщина, тоже занимавшаяся больными СПИДом. Несмотря на молодость, она хороший врач. Думаю, тебе понравится.

— Симпатичная? — испуганно спросила Зоя.

Сэм рассмеялся:

— С этой стороны вам ничто не угрожает, доктор Филлипс. — Судя по тону, он был польщен. — Вот не знал, что вы умеете ревновать!

Все это было безумием, чудесным безумием. Их жизнь переменилась мгновенно, как по волшебству.

— Вовсе я не ревнивая, просто умею соображать и не забываю об осторожности.

— Что ж, внесу коррективы: для подмены нам нужны только мужчины и некрасивые женщины. Я люблю тебя, Зоя!

В его голосе звучало столько нежности, что она, слушая его, не удержалась от слез.

— И я тебя люблю, Сэм, — ответила она.

Он пообещал перезвонить ей сегодня же, когда кончится рабочий день.

— Твои больные уже образовали очередь. Вернусь-ка я к делам, пока меня не линчевали. Отдыхай! Позвоню позже.

— Может быть, я даже пойду ужинать. — Она чувствовала несомненное облегчение.

— Не слишком усердствуй. Лучше двигаться вперед мелкими шажками. Когда ты вернешься, я приглашу тебя на ужин. Хочу побывать в одном новом ресторанчике. — От его слов и настроения веяло надеждой.

Когда к ней наведался доктор Кронер, она радостно сообщила ему об улучшении. Впрочем, он и сам все видел. Признаки обезвоживания еще сохранялись, однако она выглядела человеком, родившимся второй раз. Оба знали, что такие кризисы будут повторяться: сильное недомогание, приступы отчаяния, сменяющиеся приливами сил. Со временем ей все чаще будет становиться хуже и реже — лучше. Возможно, пройдет немало времени, прежде чем наступит настоящее ухудшение. Нельзя исключать и противоположное — все может кончиться очень быстро. Не может быть только одного — точного прогноза. Она знала это лучше, чем доктор Кронер.

— Может быть, врач, сменивший вас в клинике, сумеет продержаться еще какое-то время? — спросил он, осмотрев пациентку.

— Наверное, сумеет, — ответила она со смехом, припомнив разговор с Сэмом. — Он продержится еще долго и уже согласился перейти ко мне на постоянную работу. — Беседа доставляла ей явное удовольствие.

— Вот и отлично! — Настроение пациентки радовало врача. Более того, он удивлялся Зоиной беззаботности. Вчерашнее недомогание сменилось у нее приливом энергии. Нестандартная реакция для столь тяжелой больной! — И какой же объем работы вы готовы переложить на его плечи? Так или иначе от чего-то вам придется отказаться, доктор Филлипс.

Она кивнула, продолжая улыбаться.

— Не объем, а непомерный груз! — Зоя помедлила, наблюдая за реакцией собеседника. — Он хочет жениться!

Она чувствовала себя ребенком — и не больным, а шаловливым. Правда, уверенности, что они с Сэмом поженятся, у нее еще не было, но важен сам факт, что он к этому стремится. Его твердое намерение быть с ней рядом значит для нее все, тогда как замужество *вообще* — крайне мало.

Это как глазурь на пироге — вкусно, но вовсе не обязательно. Несравнимо важнее его близость — всегда: больна она или здорова, в счастье и в горе. Все остальное не имеет значения.

Доктор Кронер поздравил Зою. Его тревога за нее уменьшилась. Этой женщине определенно повезло — у нее любящий жених. Вот и подруги, которым она рассказала о своем недуге, обещали помогать. Люди, игравшие роль в Зоиной жизни, стремились ее поддержать. Чего еще желать?

— Вам лучше меня известно, насколько это важно, — подхватил он. — Но нельзя забывать и другое: не всем можно доверять, открывая правду о себе.

Найдутся и такие, которые шарахнутся от нее в ужасе. Но, к счастью, у нее, как и у многих, есть на кого положиться.

Они еще немного побеседовали о ее планах на будущее, работе, клинике, о Сэме и Джейд, о делах, ожидающих ее после возвращения. Он — в который раз — напомнил ей о необходимости копить силы, и Зоя поклялась быть сверхосторожной. Доктор махнул рукой, не веря ее обещаниям...

Зое не терпелось вернуться к своим больным, хотя и в Вайоминге она получала огромное удовольствие. Ей казалось, что поездка пошла на пользу — подобно остальным, она ощущала волшебный магнетизм этих мест и объясняла его влиянием гор.

Доктор, вдруг немного смутившись, попросил Зою об услуге. Просьба молодого врача — осмотреть кое-кого из его пациентов — тронула ее. У него не больше полудюжины больных СПИДом. Сам он читал об этой напасти все, что мог найти, в частности, не пропустил ни одной Зоиной статьи. Но совсем другое дело — ее собственный визит. Со своими знаниями и опытом она оказала бы ему неоценимую помощь.

— Сперва вам, конечно, надо окрепнуть. Подождем несколько дней. — Он смотрел на нее полными надежды глазами, и она не могла не согласиться, ответив, что это будет для нее большой честью.

— Как у вас организована помощь на дому? — осведомилась она по-деловому.

— По-разному и довольно эффективно, — скромно ответил он, испытывая к ней признательность за интерес. — Работает отличный хоспис, самоотверженные медицинские сестры. Я сам бываю у всех больных и объясняю их родным и друзьям, что нельзя сидеть сложа руки. Мы пытаемся создать что-то вроде общей кухни. Это похоже на проект «Открытая ладонь» в Сан-Франциско, только, конечно, в уменьшенном масштабе. Очень надеюсь, что у нас никогда не наберется столько больных СПИДом. Пока что, как я сказал, их немного. Но мы ощущаем прилив переселенцев из городов. Среди них работники шоу-бизнеса, писатели, просто люди, мечтающие жить на лоне природы. Рано или поздно у нас подскочит процент инфицированных, а также больных на поздних стадиях. Медицина должна быть наготове. Любое ваше содействие будет крайне ценно для нас.

Зоя задумчиво кивала. Она обещала прислать ему книги, которыми с успехом пользовалась сама, а также статьи, рекомендованные Сэмом. Разговор перешел на различные методы лечения. Когда они опомнились, оказалось, что проговорили добрых два часа. Зоя была утомлена, и врач предложил ей поспать перед ужином. Ей очень хотелось пойти в ресторан и понаблюдать за уроком танцев, который должен был начаться после ужина. Она знала, что подруги примут в этом шоу участие. Как ей хотелось к ним присоединиться!

— Я наведаюсь к вам в больницу через несколько дней. Если пожелаете взять меня с собой на вызовы, я готова. Решайте сами, что вам полезнее. — Зое очень хотелось помочь. — Я на все готова, только позовите.

Из врача и больного они превратились в ученика и учителя. Он знал, что ей хорошо — лучше, чем ему самому, — известно, что ей требуется. Зоя еще раз поблагодарила доктора Кронера за помощь.

После его ухода она уснула. Подруги, вернувшись с прогулки, застали ее крепко спящей. Для них день сложился удачно. Они, как всегда, разделились на пары: Хартли поехал с Мэри Стюарт, Таня ускакала вперед с Гордоном. Она была рада, что вечером он явится на танцы, где ковбои получали редкую возможность пообщаться с гостями накоротке. К тому же Гордон слыл на ранчо хорошим танцором.

Зоя проснулась не поздно и успела одеться к ужину. Одеваясь, она увлеченно болтала с подругами. Обе, видя ее настроение, облегченно перевели дух. Все трое были влюблены и потому болтали без умолку, смеялись и хихикали. Снова вспомнились прежние деньки в Беркли.

— Кажется, мы опять впали в детство! — провозгласила Таня. — Может, все дело в свойствах здешней воды? — Она за долгие годы ни с кем столько не разговаривала, сколько за эти дни с Гордоном.

Мэри Стюарт с Хартли и подавно выглядели так, словно всю жизнь были неразлучны. Им было поразительно легко и удобно друг с другом, на многое у них часто совпадали взгляды.

— Никогда не знала таких людей, как он, — призналась она. Ей вспоминалась жизнь с Биллом еще до смерти Тодда. На многое они смотрели по-разному, и ей это казалось нормальным, даже нравилось. Они часто спорили с Биллом. Ей думалось, что так жить интереснее. Однако с Хартли оказалось не в пример легче. Только теперь ей стало понятно, что значит иметь общие взгляды, смотреть на вещи одинаково. Она даже представить не могла себя с Биллом в танцевальном зале.

Этим вечером Мэри Стюарт натянула джинсы красного цвета, свитер им в тон, покрасила губы ярко-красной помадой, зачесала назад волосы. Подруги уже ушли, а она задержалась, не сразу найдя свои красные ковбойские сапожки. Она натянула их и кинулась было к двери, но раздавшийся телефонный звонок приковал ее к месту. Ей не хотелось брать трубку. Поразмыслив, решила подойти: вдруг это новости о Зоиной дочери или о ее больных, предупреждение Тане об опасности или назревающей проблеме? Она вернулась назад в гостиную и, задыхаясь, схватила трубку.

— Алло!

— Можно миссис Уолкер?

Сперва она не поняла, кто говорит. Мужской голос показался ей незнакомым.

— У телефона. Кто спрашивает? — спросила она официальным тоном и тут же вздрогнула.

— Мэри Стюарт? Я тебя не узнал.

Билл!

Как же далеко они разошлись... Муж с женой уже не узнают друг друга. Правда, они не разговаривали уже несколько дней, ограничиваясь лаконичными и лишенными всякого интереса факсами.

— Я тоже тебя не узнала. Я торопилась на ужин.

— Прости, если отвлек, — сухо проговорил он.

Она сообразила, что у него на часах три ночи. Зачем звонить в такой поздний час?

— У Алисы все в порядке? — У нее сжалось сердце. Трудно представить какую-либо другую причину для неурочного звонка.

— В полном порядке, — спокойно ответил он. — Я вчера с ней разговаривал. У нее бал в Вене. Они только что прикатили туда из Страсбурга. Мотаются с места на место и рады до потери сознания. Боюсь, мы все лето ее не увидим.

Мэри Стюарт улыбнулась, узнав в этом свою непоседу дочь.

— Когда будешь снова с ней разговаривать, обязательно передай от меня привет. Она так мне и не звонила. Наверное, из-за разницы во времени. Я так и думала, что у нее все в порядке, иначе она поставила бы тебя в известность. Сейчас в Лондоне глубокая ночь. Что ты делаешь в такой поздний час? — Это напоминало обмен новостями между деловыми партнерами, лишенный всякого тепла.

— Работал допоздна, да еще сглупил — напился кофе, вот и не смог уснуть. Дай, думаю, позвоню тебе. Вечно у меня нелады с разницей во времени!

«Как и с браком», — хотела добавить она, но смолчала.

— Молодец, что позвонил, — сказала Мэри Стюарт не очень убедительным тоном. У нее уже пропало желание притворяться, искать в душе крупицы былого тепла. Решение принято — она рвалась на волю. И Хартли Боумен здесь абсолютно ни при чем. Виноват в этом лишь Уильям Уолкер.

— Чем ты там занимаешься? В своих факсах не приводишь подробностей. Кажется, мы уже несколько дней не разговаривали лично. Или разговаривали?

Какая дырявая память! Впрочем, Мэри Стюарт уже нет дела до его памяти.

— Ты тоже скуп на детали, — напомнила она ему.

— Мне нечего рассказывать: работаю, света белого не вижу, нигде не бываю. Вкалываю как проклятый день и ночь. Все готовлюсь к процессу. Удовольствия мало, зато есть перспектива выиграть дело. Мы очень хорошо подготовлены.

— Чудесно, — выдавила она, глядя на носки своих красных сапог и усиленно вспоминая мужа. В трубке звучал его голос, но в голове упорно возникал образ Хартли. Сравнение выходило не в пользу Билла. Она не могла представить такого же тягучего разговора с Хартли Боуменом. Вряд ли с ним она прожила бы целый год в таком отчуждении, как с Биллом. Ей не хотелось возврата к прошлому.

— А ты? — встревоженно спросил он, чувствуя ее нежелание поддерживать разговор и гадая, в чем причина.

— Каждый день катаемся верхом. Тут необыкновенно красиво. Никогда не видела настолько чудесных мест. Горы Титон — это нечто потрясающее.

— Как подруги?

Откуда этот внезапный интерес? Она ломала голову и не находила ответа.

— Отлично. — Она не стала ничего говорить о Зое. — Сейчас ждут меня в ресторане.

Ни слова ни о танцах, ни о Зоиной болезни. Ей ничем не хотелось с ним делиться.

— Что ж, не стану больше тебя задерживать. Передай им от меня привет.

Она собиралась поблагодарить его и сухо попрощаться, но томительная пауза заставила ее напрячься. Он звонил ей в три часа ночи, они не виделись уже несколько недель...

— Стью... Я по тебе скучаю...

Вдруг наступила тишина, которой, казалось, не будет конца. Зачем он произнес эти слова? После целого года молчания и боли — зачем? Может быть, он ощущает свою вину, сожалеет об утраченном? Она не хотела продолжать разговор. Все: возврата нет!

Ей вдруг показалось по его интонации, что он выпил лишнего. Это так на него не похоже, но глухая ночь и одиночество кого угодно заставят махнуть рукой на привычки...

— Смотри не перетрудись, — только и сказала Мэри Стюарт. Месяц назад, полгода или тем более год она бы назвала себя бездушным чудовищем. Сейчас же ничего не почувствовала, простившись и повесив трубку. Ее ждали подруги и вкусный ужин.

Танцевальный вечер оказался еще веселее, чем они предполагали. На него явились все гости, даже Зоя, обмотанная синей кашемировой шалью. В платье из замши и чудесных бирюзовых серьгах она выглядела красавицей. Некоторые гостьи были в коротких юбочках, разлетавшихся в танце. Таня смотрелась, как всегда, великолепно в белом кружевном платье викторианского покроя, придававшем ей одновременно невинный и невыносимо соблазнительный вид. Увидев ее, Гордон едва устоял на ногах. На нем были джинсы и ковбойская рубаха, черная ковбойская шляпа и такого же цвета сапоги. Таня поспешила сравнить его с ковбоем из кинофильма, и он гордо приосанился.

Шарлотта Коллинз предложила Гордону исполнить тустеп с кем-нибудь из гостей: недаром он являлся обладателем нескольких призов за исполнение тустепа.

— Гордон у нас первый не только на родео, хотя сам никогда в этом не признается! — провозгласила хозяйка.

Эта мудрая и с хитрецой пожилая женщина не спускала заботливого, почти материнского взгляда с Зои, смирно сидевшей на кушетке. Та еще не накопила сил для танца и довольствовалась беседой с Джоном Кронером, тоже приглашенным на вечер. Шарлотта часто направляла ему подобные приглашения. На этот раз он явился ради удовольствия пообщаться лишний раз с Зоей.

— Кто-нибудь из присутствующих умеет танцевать тустеп? — обратилась Шарлотта к публике.

Гордон выступил вперед. Несколько человек неуверенно подняли руки. Таня тоже не удержалась.

— И я! Только я не делала этого с четырнадцати лет! — воскликнула она.

— Вот и отлично! — Шарлотта улыбнулась гостям. — У нас тут девушка из Техаса желает попытаться.

Можно было подумать, что она заручилась Таниным согласием. Гости радостно зааплодировали, приготовившись лицезреть популярную певицу в танце.

— Боюсь, опозорюсь, — ответила Таня со смехом. — И вас опозорю, — добавила она, обращаясь к шагнувшему к ней Гордону.

Однако соблазн станцевать с ним был слишком велик, да и сам он очень соблазнителен. Она подала ему руку и вышла с ним на середину зала. Заиграла музыка. Шарлотта объяснила гостям правила. Гордон начал не спеша, но очень скоро стал вертеть партнершей изо всех сил. Публика бешено зааплодировала великолепной паре. Выступление выглядело вполне профессионально. У Гордона был такой вид, словно он вот-вот умрет от радости. Таня увлеченно кружилась вокруг него. По завершении танца он заключил ее в объятия.

— Настоящая техасская индюшка! — грубоватым шепотом пошутил он, улыбаясь до ушей. — Ты заткнула меня за пояс! Можешь больше не твердить, что никогда прежде не танцевала этот танец.

— Почти никогда, — ответила она ему также шепотом.

Танец возобновился, их примеру последовали другие пары. У остальных получалось не в пример хуже, многие отчаянно сбивались. Таня и Гордон станцевали еще четыре раза, после чего он стал менять партнерш, превратившись в опытного наставника. Под конец он вернулся к ней, и они исполнили заключительный танец. И танцоры, и публика получили огромное удовольствие. Зрители были без ума от Тани, но не решались к ней приставать. Большее, на что они отваживались в ее присутствии, — это восторженный шепот. К ней привыкли, и она чувствовала себя на ранчо, как дома, даже лучше, особенно в обществе Гордона.

Когда отыграла музыка, ковбои, в том числе Гордон, стали запросто общаться с гостями. После пяти дней отдыха все успели подружиться; кое у кого возникла не просто дружба, а сильная привязанность, хотя никто, кроме Тани и Гордона, не мог бы похвастаться настоящим романом. К их облегчению, никто вокруг не подозревал о силе их чувств.

— Я отлично позабавился, — произнес он с улыбкой.

Она смотрела на него глазами, полными восторга и веселья.

— И я. Вы прекрасный танцор, мистер Уошбоу!

— Благодарю, мэм, — сказал он с техасским акцентом и отвесил низкий поклон.

На их смех поспешила Шарлотта Коллинз.

— Вам самое место на конкурсе на ярмарке штата! — сообщила она с широкой улыбкой. — Этот танец надо танцевать либо хорошо, либо вообще никак.

— Боюсь, я неважно двигаюсь, — скромно молвила Таня.

В действительности они с Бобби Джо когда-то не пропускали ни одного танцевального конкурса и во всех выходили победителями.

— Все в порядке? — спросила Шарлотта, имея в виду Зоино здоровье. Джон Кронер не открыл ей, чем больна рыжая гостья, ограничившись сообщением, что состояние тяжелое. Хозяйка не находила себе места от волнения. — Сегодня доктор Филлипс выглядит гораздо лучше.

Конечно, Зоя еще оставалась бледной и, несмотря на свое оживление, была очень слаба.

— Сегодня вечером она буквально ожила, — ответила Таня.

Ее беспокойство несколько ослабло, хотя Зоя продолжала вызывать у нее огромную жалость. Стоило отойти чуть в сторону — и становилось особенно заметно, как подруга худа и бледна, правда, при разговоре Зоя проявляла такую живость, что ее болезнь была почти незаметна.

— Как я погляжу, завтра вы снова отправляетесь на родео, — сказала Шарлотта Тане. (Перед ужином подруги заказали себе билеты.) — Опять собираетесь петь? После прошлого раза только о вас и говорят.

— Я бы не отказалась. — Таня, откидывая назад длинные волосы, уголком глаза заметила, что Гордон хмурится, услышав ее слова. — Посмотрим, попросят ли меня спеть еще раз, а самое главное — каким будет настроение публики.

— Попросят, вот увидите! Ваше выступление в Джексон-Хоуле стало событием года, а то и целого десятилетия. Вы такая молодец, что согласились! — Хозяйка, улыбаясь, двинулась к другим гостям.

Гордон по-прежнему хмурился.

— Не хочу, чтобы ты выступала, — прошептал он. — Не нравится мне, что делается с людьми, когда рядом оказываешься ты. Сцена — другое дело: там есть служба безопасности, там до тебя не дотянутся.

— Еще как дотянутся! — Она знала, что опасность существует всегда. Как-то на Филиппинах она выступала в пуленепробиваемом жилете и потом дала себе слово, что это в первый и последний раз. На протяжении всего концерта певица дрожала с головы до ног и боялась, что ее вырвет. — Потому я и ухватилась за предложение петь из седла. В случае чего я смогла бы ускакать.

— Мне не нравится, когда ты так рискуешь, — гнул он свое. Ему не хотелось навязываться, просто он сильно за нее волновался.

— А мне не нравится, когда ты садишься верхом на мустангов и бычков! — парировала Таня, глядя ему в глаза.

Она хорошо знала, что́ собой представляет жизнь ковбоя — недаром вышла из той же самой среды, — и понимала, с какими опасностями все это сопряжено.

— Значит, так, — продолжал он. — Мы заключим соглашение: ты перестаешь рисковать, а я больше не смотрю на мустангов и бычков.

— Ловлю тебя на слове, — сказала она, но тут же оговорилась, желая оставаться с ним до конца честной: — От концертов я все равно не откажусь, Гордон. Ими я зарабатываю на жизнь.

— Знаю. Этого я бы и не стал от тебя требовать. Просто не хочу, чтобы ты шла у них на поводу и подвергала себя опасности. Они того не стоят, а ты этого не заслуживаешь.

— Понятно! — вздохнула она, не сводя с него взгляда. Ей трудно было поверить, что они действительно обсуждают свое будущее. Впрочем, взаимные обязательства не сулят вреда обоим. — Но иногда так хочется попеть просто так, без импресарио, контрактов, рекламы и шумихи. Ради собственного удовольствия.

— Тогда пой для меня, — с улыбкой предложил он.

— С радостью!..

Таня вспомнила старую техасскую песню, которую исполнила бы для него хоть сейчас. В детстве она пела ее на школьных вечерах. С той поры песенка приобрела популярность, но про себя певица продолжала называть ее *своей*.

— Подожди, еще спою.

— Я тоже ловлю тебя на слове. — Они не колеблясь давали друг другу гору обещаний.

Наговорившись, Мэри Стюарт и Таня отвели Зою домой. Гордон дал слово заглянуть попозже, если у него выдастся свободная минутка. О своем появлении он оповестит стуком в окно. Таня подсказала ему, в которое стучаться, после чего Гордон отправился по своим делам. Хартли проводил женщин до дому, а затем предложил Мэри Стюарт немного прогуляться. Таня с Зоей скрылись в доме, не переставая болтать.

Мэри Стюарт поведала Хартли о звонке Билла. Он задумчиво выслушал ее.

— Наверное, муж спохватился, что много потерял и теперь потерянного не вернуть, — проговорил он, глядя на нее. — Как ты поступишь, если он захочет восстановить отношения?

— Ума не приложу, — искренне ответила она. — Но во время разговора с ним я кое-что поняла. Не хочу ничего восстанавливать, не хочу возвращаться назад. Последний год был так гадок, что его не зачеркнуть. Тодда не оживишь. По-моему, я не сумею простить мужу его поведение. Можешь считать меня злопамятной и вредной, но, честно говоря, он сам похоронил наш брак.

— А если нет? Если он вернется и признается тебе в любви? Если скажет, что был кругом не прав? Что тогда?

Он посоветовал ей хорошенько обо всем поразмыслить и не наделать второпях ошибок. Их сильно влекло друг к другу, но они помнили об осторожности. Хартли не хотелось, чтобы и его отправили в отставку.

— Не знаю, Хартли... Не уверена. По-моему, я знаю. Кажется, для меня все кончено, хотя до тех пор, пока мы с ним не увидимся, не могу дать никаких гарантий. Уверенность возникнет только после встречи.

— Зачем же ждать сентября?

В последнее время она тоже задавала себе этот вопрос. Сначала считала, что ей понадобится время для того, чтобы принять решение, и радовалась, что в ее распоряжении целое лето. Но, приехав в Вайоминг, поняла, что уже готова к ответственному решению. Ей даже пришло в голову, что можно слетать в Англию для разговора с Биллом, о чем она и сообщила Хартли.

— Думаю, это правильно, — одобрил он ее намерение, — если ты, конечно, готова. Не хочу тебя подталкивать.

Они знакомы всего пять дней, и это стало для обоих огромным событием. Однако оба боялись, как бы это не оказалось сном, иллюзией. Ответ могло дать только время. Существовала, впрочем, проблема, с которой требовалось разобраться в первую очередь, — муж Мэри Стюарт. До тех пор пока она не будет решена, оба не хотели ничего предпринимать. Как ни заманчиво им сблизиться и физически, она знала, что с этим не стоит торопиться.

— Отсюда я направлюсь в Лос-Анджелес, к Тане. Я бы хотела побыть с ней неделю, но она слишком занята. — Мэри Стюарт размышляла вслух. — Сокращу-ка я визит до нескольких дней, а затем полечу в Лондон. Сюда я приехала, чтобы хорошенько поразмыслить и решить, чего же мне хочется. Стоило мне здесь оказаться, как ответ стал ясен. Наверное, он был готов заранее.

Уже покидая свою нью-йоркскую квартиру, она знала, что никогда не станет вести там прежнюю жизнь. Мэри Стюарт простилась со своим прошлым и сейчас не стала скрывать этого от Хартли.

— В этих горах есть нечто такое, дающее ответ на многие вопросы, — ответил Хартли. — После смерти Мег мне их очень недоставало. — Улыбаясь, он взял Мэри Стюарт за руку. — Это судьба, если окажется, что здесь меня поджидала новая жизнь и я приехал сюда, чтобы обрести тебя. — Его взгляд стал печален. — Но даже если из этого ничего не выйдет, даже если ты к нему вернешься, знай: ты сделала меня счастливым. Ты показала мне, что я не так одинок, как раньше думал, и еще может найтись человек, способный вызвать у меня любовь. Ты — прекрасный дар, какого я не смел ждать, видение жизни, какую могли бы вести два счастливых человека...

То же самое она могла бы сказать и о себе. Он живое доказательство, что она не всем безразлична и ее еще можно любить. Обретя его, она не желала с ним расставаться. Он не говорил об этом, но Мэри Стюарт чувствовала, что он хочет от нее уверенности в отношении мужа. Она почти приняла решение...

— Вряд ли, увидевшись с ним, я передумаю, — ласково проговорила она, поднося руку Хартли к губам. Он стал ей очень дорог, ей понадобился короткий срок, чтобы его полюбить. В то же время она обязана доказать себе, что утратила к Биллу всякое чувство. Хартли не собирался торопить, поспешить ей необходимо самой.

— Его звонок такой странный! У меня возникло ощущение, что я говорю с совершенно чужим человеком. Сначала даже не узнала его, он меня тоже. Я терялась в догадках, почему он позвонил. Как это печально — чувствовать полную отчужденность человека, которого раньше любила! Никогда не думала, что такое может с нами произойти.

— Жизнь нанесла вам один из жесточайших ударов, — сочувственно произнес он. — Обычно браки не выдерживают таких испытаний и разваливаются. На сей счет существует ужасная статистика: процентов девяносто супругов, потерявших детей, разводятся. Чтобы перенести такое, нужна беспримерная сила воли.

— У нас ее, наверное, не оказалось.

— Мне хорошо с тобой, Мэри Стюарт, — сказал он с улыбкой, желая сменить тему.

Он провел в одиночестве два года и больше не в силах ждать. Она должна съездить в Лондон и увидеться с мужем. Если вернется с уверенностью, что поступает правильно, перед ними откроются неисчерпаемые возможности. Ничто не сможет их разлучить. Если кто его и беспокоил, то только ее дочь. У него никогда не было своих детей, и он боялся, как бы Алиса не восстала против него, не обвинила в разводе родителей, не стала его ненавидеть из любви к отцу. Конечно, причиной развода стал бы совсем не он, но ей было бы очень трудно с этим смириться. Только сегодня он говорил на эту тему с Мэри Стюарт, и она согласилась, что ей придется серьезно поговорить с Алисой. С другой стороны, она не собиралась оставаться ради нее с ее отцом — дочери предстояло построить собственную жизнь.

Мэри Стюарт понимала, что прожила больше половины отведенного ей срока и теперь у нее, быть может, последняя возможность обрести человека, способного по-настоящему о ней позаботиться, по-настоящему ее полюбить. Она не упустит этого шанса ради прошлого, ибо в настоящем ее уже ничто не связывает с мужчиной, переставшим ее любить. Ей хотелось одного: быть рядом с Хартли.

Они долго сидели вместе, обсуждая прошлое, настоящее и будущее и во всем приходя к полному согласию. Не позднее чем через неделю после отъезда из Вайоминга, она отправится ненадолго в Лондон и там поговорит с Биллом. Если представится возможность, она проведет денек с Алисой. Мэри Стюарт пока не собиралась ставить дочь в известность о предстоящем разводе родителей, разве что на этом настоит Билл. Она скажет ей об этом в сентябре, дома. Ей просто хотелось повидаться с Алисой. Затем она возвратится домой и постарается начать жить по-новому.

Как Билл предпочтет поступить с квартирой? Пожелает сохранить ее за собой, продать, остаться в ней или уступить ее жене? Свое решение Мэри Стюарт уже приняла: она откажется жить там, где ее никогда не отпустит боль. Стоит ей пройти мимо комнаты Тодда, как накатываются страшные воспоминания, независимо от того, пуста комната или по-прежнему забита вещами сына. Ей достаточно того, что он здесь жил, здесь висел принстонский флажок, здесь стояли спортивные призы, а здесь сидел плюшевый медвежонок, когда сын был еще малышом...

Она убрала вещи из его комнаты, теперь настало время выносить свои. Им всем пора начать новую жизнь. Если ей повезет и судьба будет к ней на этот раз милосердна, она проведет остаток отпущенного ей срока с Хартли.

— Хочешь, съездим вместе на остров Фишер, когда ты вернешься? — осторожно спросил он. — У меня там чудесный старый домик. После смерти Маргарет я там почти не бывал. В августе было бы самое время туда наведаться.

Она с благодарностью посмотрела на него и кивнула. Каждого преследовало свое прошлое...

— С удовольствием! Я вообще не знала, куда себя девать в этом году, тем более что Билл так надолго уехал. Собиралась навестить друзей в Хэмптоне.

— Лучше побудь со мной! — взмолился он, целуя ее в шею. Ему ничего так сильно не хотелось, как просыпаться с ней рядом, слушать шум океана, любить ее на протяжении всего дня, всей ночи, всего утра, вести с ней задушевные беседы, показывать свои любимые книги. Он уже открыл в ней страстную любительницу хорошей литературы; оказалось, что они любят одних и тех же писателей. В его коллекции есть редкие издания, которыми ему не терпелось с ней поделиться. Как хорошо идти с ней по жизни, держась за руки и доверяя ей все сокровенное! Впрочем, секретов от нее у него почти и не осталось... Как хорошо скакать им вдвоем среди диких цветов Вайоминга. Все это чудесно, а могло стать еще лучше.

Он долго не мог от нее оторваться и опомнился, когда уже наступила ночь. Оба остались довольны намеченным планом: на следующей неделе она летит в Лондон, затем возвращается и отправляется с ним на остров Фишер. Важнее всего — путешествие в Лондон. Прежде чем пожелать ей спокойной ночи, он решился задать вопрос, не дающий ему покоя:

— А если он снова тебя завоюет?

— Не завоюет, — уверенно ответила она, отвечая поцелуем на его поцелуй.

— Он будет дураком, если не попытается, — прошептал Хартли. Что ж, тогда ему придется научиться жить без нее. — Давай придумаем условный сигнал, чтобы я знал: кончена моя жизнь или только начинается.

— Не волнуйся, — Они поцеловались еще раз. Он не был властен над собой — так сильно его влечение. — Я тебя люблю, — добавила она, и он почувствовал, что это правда, идущая от самого сердца.

Она едва его знала, но это не мешало ей сознавать, что с ним можно провести остаток жизни и ни разу не пожалеть о своем решении. Хартли — полная противоположность Биллу. Она могла бы прожить счастливо и с одним, и с другим. Но что поделать, если сроку, отведенному судьбой их совместной жизни с Биллом, наступил конец. А жизнь с Хартли только начинается...

Глава 18

По дороге на родео все находились в прекрасном настроении. Зоя не составила им компании, не пожелав растрачивать силы на поездку, — лучше их не расходовать, а копить. Она осталась дома почитать последнюю книгу Хартли, а также хотела созвониться с Сэмом и поговорить с дочерью.

Спутником Тани и Мэри Стюарт стал Хартли. Он нахлобучил новую ковбойскую шляпу, только что купленную в городе. Мэри Стюарт тоже получила от него в подарок шляпу. Таня назвала их вылитыми техасскими скотоводами. Шляпы сделали на заказ: для Мэри Стюарт приподняли тулью, для обоих загнули поля. В этих шляпах они выглядели еще более симпатичной парой. В довершение всего оба оделись в синее; Хартли сказал, что так часто поступают, не сговариваясь, любящие супруги. Таня осталась довольна обоими.

— Вы такие красавчики! — восклицала время от времени она, покачиваясь в своем автобусе и закинув ногу на ногу. Ей не терпелось встретиться с Гордоном. Хартли догадывался о происходящем, но вел себя деликатно, и Таня не сомневалась, что он их не выдаст. Однако он, как и Гордон, волновался за ее безопасность.

— Почему вы отказались от охраны? — спросил он. Мэри Стюарт была с ним заодно: она тоже считала, что Тане опасно присутствовать на родео.

Таня с ними не соглашалась:

— В Лос-Анджелесе я бы ни за что не сунулась на подобное представление без телохранителей, но здесь живет достойный народ. Мне не причинят вреда. Самое худшее, что меня ожидает, — это просьбы надавать кучу автографов. С этим можно смириться. Непростительное пижонство — тащить на провинциальное родео телохранителей. Мне было бы очень стыдно.

— Стыдно, зато разумно, — не уступал Хартли. — По крайней мере не забывайте об осторожности. — Она встретила его напоминание улыбкой.

Ей нравилось его трогательное отношение к Мэри Стюарт. Биллу Уолкеру она никогда особенно не симпатизировала: всегда считала, что он слишком строг с Мэри Стюарт, слишком много от нее требует. С Таниной точки зрения, Билл напрасно считал, что все так и должно быть: безупречный дом, безупречная жена, безупречные дети. Понимал ли он когда-нибудь, насколько ему повезло, благодарил ли жену за свое счастье? Зато сообщение Мэри Стюарт, что между ними все кончено, вызовет у него оцепенение. Таню бесили даже его бездушные факсы: такие холодные, отстраненные, недружелюбные! Хартли ни капельки не походил на Билла: он, напротив, внимателен, добр, полон сострадания, готов любому прийти на помощь. Она считала, что он составит для Мэри Стюарт наилучшую партию и что вместе они будут сногсшибательной парой. Между ними есть где-то даже внешнее сходство, хотя Хартли сед — неудивительно, ведь он на десять лет ее старше! Он вырвал у Тани обещание, что она весь вечер будет начеку и обратится за помощью к полиции, лишь только возникнет самая пустяковая проблема.

— Будь все время поблизости, никуда не забредай, — наказала подруге Мэри Стюарт, словно обращалась к дочери.

— Хорошо, мамочка! — откликнулась Таня.

Она так волновалась, что не могла усидеть на месте. Стоило автобусу зарулить на стоянку, прыгая на ухабах и разгоняя детей и лошадей, как его окружили те же люди, что и в прошлый раз, — не поклонники, а администраторы, устроившие в среду Танино выступление. Они набросились на вышедшую из автобуса Таню с предложением еще раз спеть гимн. Все будет в точности так же, как в прошлый раз. Именно так угодно Господу, подчеркивали они.

Их настойчивость растрогала Таню. Пока длился разговор с ними, она дала полдюжины автографов. Хартли и Мэри Стюарт волновались за нее, хоть и знали, что это — самая суть ее жизни. Боясь поклонников, она все же не могла их отвергнуть. В конце концов она согласилась спеть. Ей посулили ту же самую пятнистую лошадку с длинной гривой, и она попросила разрешения исполнить еще одну песню — либо перед гимном, либо после. Ей предложили сначала спеть гимн, а потом свою песню. Она сказала, что это будет «Боже, благослови Америку». На родео на нее всегда накатывало патриотическое настроение.

— А как насчет ваших собственных песен, мисс Томас? — с надеждой спросил церемониймейстер, но получил отказ. Она не собиралась исполнять свой репертуар под аккомпанемент школьного оркестра, без репетиции, к тому же здесь не самое подходящее для этого место. Либо «Боже, благослови Америку», либо вообще ничего. Ему пришлось согласиться.

Она уселась рядом с Мэри Стюарт и Хартли и устремила взгляд в сторону загонов, но Гордона не увидела. Спустя несколько минут за ней пришли. Все взгляды были обращены на нее. Она знала, что ее узнают, но никто, за исключением некоторых детей, не осмелился к ней пристать. Она отправилась петь для них в своих синих джинсах и красной рубашке. Мэри Стюарт дала ей свои красные ковбойские сапожки, благо у них до сих пор одинаковый размер обуви. Она опять распустила волосы, надела красную бандану. Публика завороженно провожала ее взглядами. Достаточно ее всего раз увидеть, чтобы понять: это особенная женщина.

— Не перестаю ею восхищаться! — произнес Хартли, глядя ей вслед. Таня величественно и грациозно рассекала толпу. Ей было присуще восхитительное сочетание прекрасных манер и всепобеждающей доброты. В ней не было ни на йоту высокомерия суперзвезды. — Но меня беспокоит ее безопасность. Невменяемость музыкальных фанатов кого угодно сведет с ума. Мне-то везет: подписал книжку-другую — и все. Зато на таких, как она, слетаются все безумцы.

— Я тоже не перестаю за нее тревожиться, — созналась Мэри Стюарт, провожая глазами подругу. Таня уже находилась в дальнем углу арены, где несколько всадников давали размяться своим лошадям.

И тут Хартли задал ей неожиданный вопрос:

— Ты считаешь, что у них с ковбоем серьезный роман? — Он огляделся — удостовериться, что их никто не слышит. Рядом не оказалось ни знакомых, ни гостей ранчо.

— Не знаю, а что? — Мэри Стюарт решила, что ему известно что-то неведомое ей.

— Просто странноватое сочетание: она — сама утонченность, а он — обитатель совсем иного мира. Представляю, какая у нее сложная жизнь! Такое не очень-то просто вынести.

— Верно, — согласилась она. Впрочем, Гордон напоминал ей Бобби Джо, только более зрелого, умудренного жизненным опытом. Она была уверена, что это улавливает и Таня, пусть неосознанно. — Между прочим, он — копия ее первого мужа. И потом ее утонченность — только видимость. На самом деле она со всеми потрохами принадлежит к его миру. Все остальное в ее жизни — чистая случайность. В глубине души она так и осталась техасской девчонкой. Кто знает — может, из этого выйдет толк.

Разве кто-то в силах что-либо предсказать? Все происходит по воле случая. Может статься, Танин роман закончится полным разочарованием. Мэри Стюарт искренне надеялась на лучшее.

Как бы откликаясь на ее мысли, в поле ее зрения появился Гордон. Он забрался на брусья над загонами и наблюдал оттуда за Таней, уже севшей на лошадь и что-то говорившей церемониймейстеру.

Любуясь ею, он все еще не мог поверить в свою удачу, постоянно твердил себе, что все это происходит не с ним. Так не бывает! Такие люди, как Таня Томас, не прыгают запросто в седло и не скачут вместе с простыми ковбоями навстречу закату. Не исключено, что для нее это всего лишь игра, отпускное развлечение. Но разговоры с ней служили подтверждением ее естественности и искренности. Он верил каждому ее слову. Недаром они просидели у ее домика до трех часов утра, болтая, обнимаясь и целуясь. Сейчас ей достаточно было сделать по арене один круг, чтобы успокоить публику. С трибун раздалось несколько выкриков, кто-то из поклонников выкликал, как заведенный, ее имя, но ей хватило одного взгляда в сторону крикунов — и наступила тишина. Она обладала поистине харизматической силой.

Потом Таня исполнила гимн, как обещала, и «Боже, благослови Америку». На трибунах заливались слезами. Ее сильный голос обволакивал всех до одного и достигал небес; даже Гордон пару раз утер глаза. Она широко улыбнулась, помахала всем рукой, заставила лошадь сделать изящный пируэт и галопом покинула арену. Изданный ею при этом техасский клич окончательно свел публику с ума. Все разом вскочили, словно с намерением кинуться за ней следом.

На сей раз она проявила осмотрительность и вовремя скрылась из виду. Чмокнув церемониймейстера в щеку и поблагодарив его за предоставленную возможность исполнить две песни, она буквально растворилась в толпе.

Никто не заметил, как она стянула красную тенниску и завязала ее на талии. Под красной тенниской обнаружилась белая. Преображение было мгновенным. Она поспешно закинула волосы назад, скрутила их в хвост и перехватила резинкой.

К загону подошла уже совершенно другая женщина. Гордон даже вздрогнул от удивления.

— Да ты волшебница! — проговорил он восхищенно. Он стоял так близко к ней, как только было возможно, и сгорал от желания наброситься на нее с поцелуями.

— На том стоим. — Она сорвала с его головы ковбойскую шляпу и надвинула ее себе на лоб, окончательно став неузнаваемой.

— Молодчина! — Он облегченно перевел дух. — Это было потрясающе! — Он имел в виду ее исполнение.

— Я всегда считала, что национальным гимном надо бы провозгласить «Боже, благослови Америку», а не «Звездно-полосатый флаг». Обожаю эту песню!

— А я обожаю все, что угодно, лишь бы в твоем исполнении, — признался он, по-прежнему не веря в свое везение. — Что бы ты ни запела, хоть колыбельную, у меня тут же глаза на мокром месте.

— Приятно слышать, — отозвалась она, обволакивая его ласковым взглядом.

Гордон предложил ей глоток пива. Здесь, у загона с бычками, с бутылкой в руке, она выглядела настоящей спутницей ковбоя.

— Танни, ты сводишь меня с ума!.. — прошептал он.

Она усмехнулась:

— Не буду говорить, что ты делаешь со мной.

Какое-то время они вместе следили за ходом родео, потом она вернулась к своим, чтобы не причинять им волнений.

— Осторожнее! — сказала Гордону напоследок. — Пусть твоя лошадь зарубит себе на носу: если она сделает тебе больно, я вернусь и пристрелю ее.

— Будет исполнено, мэм! — отчеканил он.

Она вернула ему шляпу. Наступил самый удобный момент для поцелуя, но он постеснялся. Если бы поблизости случился фоторепортер, снимок мгновенно обошел бы все газеты. К тому же он опасался, как бы среди зрителей не оказалось Шарлотты Коллинз. Да и ковбои не отказались бы от удовольствия посплетничать. Оба знали, что лучше сохранить свои отношения в тайне.

— Постараюсь наведаться к тебе позднее, — пообещала она. — Если не получится, сам загляни на огонек.

Он еще раньше обещал, что вечером будет у нее. Им нравилось болтать и целоваться при свете луны. Встреча была назначена и на следующее утро: они приедут в Муз по отдельности, там встретятся и проведут вместе весь день. Ему хотелось показать ей миллион прелестных местечек.

Пожелав удачи, она вернулась на свое место — к заждавшимся Мэри Стюарт и Хартли. Те потеряли ее из виду в тот момент, когда она покинула арену. Только сейчас, увидев ее в белой майке и с зачесанными назад волосами, сообразили, в чем фокус.

— Умница! — похвалила Мэри Стюарт Таню и тут же спросила, где она была, хотя и догадывалась.

— В загонах с бычками, — ответила Таня с техасским акцентом, вызвав у Мэри Стюарт приступ хохота.

— Помнится, когда-то ты не умела говорить иначе. Как же мне это нравилось!

— С тех пор меня испортили большие города.

Несмотря на перемену в ее облике, публика вокруг уже перешептывалась и показывала на нее пальцами. Мэри Стюарт надела ей на голову свою новую голубую шляпу, и Таня облегченно спряталась под полями от любопытных, опустив глаза.

Она напряженно ждала появления Гордона. На сей раз он выступал без седла, что было более опасно. Таня не могла без испуга смотреть, как дикий конь подбрасывает его в воздух, грозя убить. Все шло гладко, пока мустанг не взмыл в воздух и не врезался в ворота загона. Он был готов на все, даже на самоубийство, лишь бы избавиться от цепкого седока.

Сбросив Гордона, он волочил его за собой футов пятьдесят, пока не вмешались помощники. Гордон покинул арену сгорбленным, с повисшей рукой. Правда, в последний миг он обернулся и помахал здоровой рукой. Таня знала, что этот жест обращен к ней и является просьбой не беспокоиться.

Ей хотелось броситься вниз, найти его, выяснить, не сильно ли ему досталось, но это значило бы привлечь к себе всеобщее внимание, поэтому она осталась сидеть. Он вскарабкался на прежнее место. Было видно, какую боль причиняет ему поврежденная рука. Ведущий поздравил его с отличным выступлением и присудил второе место по очкам. Это была победа, но завоеванная дорогой ценой.

— Думаете, ему не очень больно? — спросила Таня, наклонившись к Хартли.

— Надеюсь, что нет, — ответил Хартли. — Иначе его унесли бы или вызвали санитаров.

Еще в прошлый раз все трое были неприятно поражены тем, что большинство ковбоев покидали арену травмированными: один прихрамывал, другой держался за ушибленную спину, третий волочил ногу, четвертый поддерживал вывихнутую руку, кому-то бинтовали голову или массировали живот. Тем не менее все они спустя три дня снова были готовы к бою. Ведущий громогласно поздравил одного из героев за то, что тот успел оправиться *после сильного сотрясения мозга* при падении с бычка в среду.

С Таниной точки зрения, это не геройство, а чистой воды идиотизм. Что ж, таков их мир. Даже пятилетние детишки выбегали в перерывах на арену, чтобы обменяться билетиками в тир и на бесплатную ярмарку, и потехи ради привязывали друг друга к хвостам телят и годовалых бычков. Мэри Стюарт твердила Хартли, что кто-то из них обязательно получит копытом в лоб.

Хартли отвечал:

— Добро пожаловать в Вайоминг! Для них это то же самое, что для испанцев коррида: с их точки зрения, все это наполнено глубоким смыслом.

Впрочем, даже Таня, уроженка Техаса, видела в этом только массовое помешательство.

— Меня тошнит от этого пустого бравирования на волосок от гибели! — поделилась она с Хартли, когда один из молодых укротителей бычков был сброшен на землю и получил всеми четырьмя копытами по почкам. Устроители вызвали «скорую помощь», но раненый уже успел ползком покинуть арену. Публика приветствовала его дружным ревом.

— Это гораздо хуже того, чем занимаюсь я, — заключила Таня.

Хартли и Мэри Стюарт понимающе усмехнулись. Немного погодя Таня отлучилась, чтобы проведать Гордона.

— Ты ранен? — спросила она с расширенными от страха глазами. Перед уходом она вернула Мэри Стюарт шляпу, чтобы не испачкать ее и не отдать кому-нибудь на сувенир. С нее нередко срывали предметы одежды. Такие инциденты ее расстраивали и пугали. — Как твоя рука?

Он улыбнулся, благодарный ей за заботу. Таня видела, что кисть распухла, но он положил на нее лед и утверждал, что боль прошла.

— Все ты врешь, дурачок! Что будет, если я дерну тебя за больную руку? Уверена, ты дашь мне сдачи, если не свалишься от болевого шока.

— Нет, только немножко похнычу, — ответил он со смехом, вызвав у нее невольную улыбку.

— Вы все сумасшедшие. Только что одного из вашей братии затоптал бык.

— Ничего с ним не сделалось. Он даже отказался от больницы. Крепкий малый! Будет неделю мочиться кровью. Ему не привыкать.

— Если ты не откажешься от родео, я оставлю от тебя мокрое место, — пообещала она. — Это действует мне на нервы.

— А для моих нервов это, наоборот, хорошо, — возразил он, подходя ближе. Она почувствовала запах его лосьона после бритья в сочетании с конским потом. Заметив, что некоторые обращают на них внимание, он развернул ее, поставив спиной к зевакам. В субботу родео пользовалось еще большей популярностью, чем в среду, к тому же многие зрители были уже навеселе. — Будь осторожнее, покидая трибуну, слышишь, Тан?

— Есть, сэр! — Она лихо отдала честь.

У нее было спокойно на душе. Ей нравилось воображать себя невидимкой, она убеждала себя, что ее никто не узнает, если она сама этого не захочет и никому не будет смотреть в глаза.

Он подходил к ситуации более трезво:

— Все знают, что ты здесь. Пусть Хартли приставит к тебе полицейских. Сегодня суббота, и многие навеселе.

— Ничего со мной не случится, — отмахнулась она. — Увидимся!

Она погладила его по щеке и убежала. До самого конца родео он не спускал с нее глаз, но момента ее ухода не увидел, так как заговорился с приятелями. Речь шла о ковбое, которого дисквалифицировали за объездку оседланного мустанга и который отказался от предложенного ему повторного выступления. Ковбойская политика...

Мэри Стюарт и Хартли прокладывали путь в толпе, зажав Таню в клещи. Поблизости располагались охранники и местные полицейские, следившие за их безопасностью. Как обычно, к Тане бросились поклонники с блокнотами и ручками, моля об автографах, некоторые щелкали фотоаппаратами, но все это было вполне невинно, и Таня не ощущала угрозы. Всего в двадцати футах от автобуса к ней протолкались двое мужчин, следом за которыми крался телеоператор: местные репортеры, которым приспичило выяснить, что побудило ее спеть гимн, взяла ли она за это плату, бывала ли прежде на родео, собирается ли переехать в Джексон-Хоул. Она попыталась быть с ними учтивой, но, отвечая, продолжала двигаться к автобусу.

Все же интервью спровоцировало затор, и она не сумела спрятаться в автобусе. Оттолкнуть репортеров оказалось невозможно, охранники сдерживали напор фанатичных поклонников и не могли помочь ей. Хартли попытался отпихнуть репортеров, но те, не обращая на него внимания, продолжали щелкать фотоаппаратом, снимать телекамерой и выстреливать вопрос за вопросом. Дальше случилось неизбежное: все фанатики, оказавшиеся поблизости, поняли, где она находится, и ей была отрезана дорога в убежище. Том распахнул дверцу автобуса, чтобы она могла спрятаться, но его мигом оттеснили. Дюжина молодчиков проникла внутрь, разыскивая ее, хватая все, что подвернется под руку, и фотографируя интерьер. Полиция принялась расталкивать всех подряд, Таню куда-то потащили, порвали на ней тенниску, кто-то дернул ее за волосы. Очутившийся рядом пьяница попытался поцеловать...

Несмотря на свой испуг, Таня не оставляла попыток пробиться мимо репортеров к автобусу, но они умело сопротивлялись. Толпа отсекла от нее Мэри Стюарт и Хартли. Казалось, всех обуревает одно желание — разорвать ее на части. Люди уже не знали, что творят. Полицейские орали в громкоговорители, требуя, чтобы толпа расступилась, и угрожали операторам, устроившим столпотворение, расправой. В автобусе уже орудовали, срывая занавески, человек пятьдесят.

Только сейчас до Тани дошло, в какой опасный переплет она угодила. Она не могла избавиться от толпы, уже представлявшей угрозу для ее жизни.

Внезапно сильная рука ухватила ее за талию и оторвала от земли. У нее на глазах чей-то кулак врезался в чью-то перекошенную физиономию. Ее поволокли к какому-то грузовику, нисколько не заботясь о ее состоянии. Она уже вообразила, что ее похитили, но в следующее мгновение поняла, кто похититель.

Гордон! С него слетела шляпа, рубаха была разодрана, зато взгляд сулил смерть любому, кто посмеет до нее дотронуться. Он оказался ее единственной защитой. Полиции было не до нее.

— Бежим, Тан! — крикнул он, увлекая ее за собой.

Толпа кинулась их догонять. Гордон, вовремя заметив суматоху, подъехал как можно ближе к эпицентру и не выключил мотор. Они мчались к грузовику что было сил. Мимо пронеслись четверо всадников. Достигнув кабины, Гордон втолкнул Таню внутрь, прыгнул на сиденье и поспешно тронулся, растолкав бампером дюжину людей и нескольких всадников. Они уезжали, оставляя позади настоящую кучу малу. Он целую милю не убирал ноги с акселератора. Лишь когда до них перестали доноситься безумные крики, он съехал на обочину и остановился. Обоих била дрожь.

— Спасибо, — пролепетала она срывающимся голосом, дрожа всем телом. Никогда еще ей не приходилось подвергаться такой опасности: толпа вышла из-под контроля, а рядом с ней не оказалось охраны. Если бы не подоспел Гордон, она бы сильно пострадала, а то и погибла. Оба понимали, как им повезло. — Кажется, ты спас мне жизнь.

Она из последних сил боролась со слезами. Он тяжело дышал и пристально смотрел на нее.

— Не говори мне после этого, что мустанги опаснее людей. Лучше каждый день объезжать дикого жеребца. Что за бес в них вселился? Казалось бы, обыкновенные посетители субботнего родео, и вдруг... Стоит тебе появиться, как все сходят с ума. Как это назвать?

— Массовым помешательством, что ли... Им нужно мной завладеть, даже если для этого придется разорвать меня на кусочки. Каждому что-нибудь да достанется: кому клок от рубашки, кому прядь волос, кому ухо, кому палец... — У нее останавливалось сердце при воспоминании, как ее дергали за волосы, желая заиметь трофей. Она побывала среди безумцев.

Таня силилась улыбнуться, но оба не находили в ситуации ничего смешного. Они оставили Мэри Стюарт и Хартли отбиваться самостоятельно, но помочь им ничем не могли в отличие от полиции.

— Эти проклятые фотографы! — проскрежетал Гордон, обнимая ее и привлекая к себе. Ее рассказ о том, как с нее чуть было не сняли скальп, вызвал у него гнев. — Если бы не они, ты бы добралась до своего автобуса и спаслась. Они специально устроили затор, чтобы была сенсация.

— И добились своего. Это гораздо интереснее, чем выпытывать, заплатили ли мне за гимн.

— Вот черт!

Он удрученно покачал головой, уже представляя заголовок на полполосы: ТАНЯ ТОМАС — ПРИЧИНА БЕСПОРЯДКОВ В ВАЙОМИНГЕ. Довольно любой мелочи, чтобы превратить ее жизнь в ад. Оставалось гадать, как она это выносит.

— Неужели этому есть оправдание, Тан?

Она видела на его лице искреннее недоумение. Он не понимал, зачем ей все это надо.

— Не знаю. — Она пожала плечами. — Иногда есть. Так уж я живу. Раньше я была близка к тому, чтобы отказаться от продолжения карьеры, но это значило бы, что они победили. Разве можно позволить им лишить меня любимого дела только потому, что они стремятся испортить мне жизнь?

— Твоя правда. Но тебе надо все хорошенько взвесить. Ты должна как-то себя защитить.

— Я так и делаю. Дома у меня телохранители, колючая проволока, электронные ворота, камеры, цепные псы и все такое прочее. — Казалось, она считает все это атрибутами нормальной жизни.

— Не жизнь, а тюрьма! Я о другом. Лучше, чтобы людей не подмывало рвать тебе волосы всякий раз, когда ты выходишь купить мороженое. — Картина, свидетелем которой он только что стал, произвела на него неизгладимое впечатление. Он переживал за нее всей душой, считая, что она живет в нечеловеческих условиях.

— Давай-ка подъедем к телефону-автомату. — Ей не терпелось позвонить Тому в автобус, сообщить, что ей повезло и она в безопасности. Ее похитил друг. Она с улыбкой поведала Гордону о том, какой страх обуял ее в тот момент, когда он схватил ее в толпе. Она почувствовала, что такой силище невозможно сопротивляться.

— Бедняжка! Я хотел всего лишь быстрее тебя увезти.

Он подвез ее к автомату на заправке и стал внимательно наблюдать, как она набирает номер, надеясь, что ее больше никто не узнает. Том немедленно схватил трубку. С ним в автобусе находились не только Мэри Стюарт и Хартли, но и полицейские. Они знали, что она позвонит, если все обойдется. Хартли уже догадался, что ее *похитителем* стал Гордон, но поостерегся делиться своей догадкой. Полицейские услышали от них одно: на родео у нее были друзья, поэтому можно надеяться, что она скрылась с ними. Услышав ее голос, Мэри Стюарт облегченно перевела дух.

— Ты цела? — крикнула она, все еще дрожа.

Ужас пережила не только Таня, но и остальные. Они получили наглядный пример, чем является Танино существование.

— Цела. Вид, конечно, страшный, но кости не поломаны. Я просто перепугалась. Ты уж меня прости, Стью! Хартли, наверное, в бешенстве?

Она представила себе, как он негодует. До того как на ней женился Тони, многие знакомые мужчины отказывались появляться с ней в общественных местах, говоря, что поход с ней в кино превращается в боксерский матч.

— Что ты! — возмутилась Мэри Стюарт. — Ты же не виновата. Он негодует на прессу. Твердит, что завтра устроит разнос владельцу газеты и местной телекомпании.

— Пускай зря не старается. Я даже не уверена, что ребята здешние. Кто-то натравил на нас более крупных хищников. Я не заметила их опознавательных символов. Но это не важно, у них все равно ничего не выйдет. Автобус сильно пострадал?

Мэри Стюарт оглянулась. Урон был значительный: безумцы утащили пепельницы, подушки, перебили посуду, сорвали занавески. Впрочем, непоправимых изъянов не заметно. Выслушав водителя, Мэри Стюарт сказала Тане:

— Том говорит, что это похоже на Санта-Фе, но не так плохо, как в Денвере или Лас-Вегасе. Неужели такое происходит с тобой регулярно? — Мэри Стюарт всплеснула руками. — Бедная Таня! Что за кошмар!

— Более или менее, — спокойно ответила Таня. — Скоро увидимся.

При этих словах Гордон прикоснулся к ее руке:

— Подожди давать обещания.

Он сам покраснел от своей дерзости. Хотел предложить ей куда-нибудь заехать, чтобы выпить по стаканчику и прийти в себя, но не посмел. Лучше отвезти ее к себе домой и спокойно поговорить по душам у камина. Ему больше не хотелось показываться с ней на людях. Она слишком настрадалась, и теперь самое время привести ее в себя крепкими объятиями. Кто знает, что могло бы за этим последовать...

Прочитав его мысли, Таня улыбнулась и кивнула:

— Не волнуйся за меня. Возможно, вернусь поздно. Я в надежных руках.

Мэри Стюарт поняла.

— Значит, встретимся только завтра? — предположила она с усмешкой.

Таня рассмеялась:

— Не знаю, что и сказать... Передай привет Зое и скажи ей, что она правильно сделала, оставшись дома. Еще раз передай Хартли мои извинения.

— Хватит оправдываться! Мы все понимаем тебя. Передай мою благодарность своему другу. Он постарался на славу.

— Он вообще славный, — согласилась Таня и улыбнулась Гордону из телефонной будки.

— Мне тоже так кажется, — тихо ответила Мэри Стюарт. — Береги себя, Тан. Мы тебя любим.

— Я тоже тебя люблю, Стью. Спокойной ночи.

Таня повесила трубку и обернулась. Гордон ждал этого момента, чтобы заключить ее в объятия. Постояв так довольно долго, он посадил ее обратно в грузовик и повез к своему домику на ранчо позади загона. Тихо остановившись, он выключил фары.

Какое-то время они сидели молча. Они многое пережили за этот вечер, и Таня еще не до конца опомнилась. Сначала его выступление на родео, потом несравненно худшее испытание...

— Как ты себя чувствуешь, Танни? — участливо спросил Гордон.

— Кажется, нормально. — До ее дома отсюда всего четверть мили, но ей туда не хотелось. — Я всегда медленно прихожу в себя после таких встрясок.

— Хочешь зайти? — спросил он.

Он бы не обиделся, если бы Таня отказалась, предпочтя вернуться к себе и уснуть. Но ему хотелось побыть с ней еще, и он был готов нарушить предписание владельцев ранчо. Лучше это, чем попасться на глаза у ее дома. Если бы кто-то увидел их вдвоем, он в любом случае лишился бы места, но Гордон уже несколько дней назад принял решение, что ради нее можно пожертвовать работой.

— Ты вовсе не обязана поступать вопреки своему желанию, Танни, — напомнил он ей тихо. — Если хочешь, я провожу тебя домой.

— Нет, лучше к тебе, — так же тихо ответила она.

Ей не терпелось посмотреть, как он живет, какими вещами себя окружил, что ему нравится. Но главное — ей хотелось быть с ним рядом.

— По-моему, вокруг пусто, но все равно лучше перестраховаться.

Она знала, какие у него будут неприятности, если их увидят вместе, и волновалась за него. До других домов рукой подать, хотя его жилище — несколько в стороне от остальных. Если их заметят — пиши пропало.

— Ты не навредишь себе? — взволнованно спросила она. От его улыбки у нее чуть не выскочило сердце.

— Ни в коем случае. — С этими словами он вылез из кабины и быстро зашагал к домику.

Таня последовала за ним. Он запер дверь, опустил шторы и включил свет. Она удивилась порядку и уюту в его жилище, так как ожидала увидеть гораздо более грубую и неряшливую обстановку. Сам домик был кокетливый, с мебелью в стиле вестерн. Гордон развешал повсюду фотографии сына, родителей, любимого коня. Книги и журналы были сложены аккуратными стопками, инструменты лежали в отдельном ящике. Целый шкаф был забит кассетами и дисками. Она поразилась, как много у него ее альбомов, хотя одобрила и прочие его увлечения.

Таня увидела гостиную и большую кухню-столовую, где тоже царила чистота. Холодильник был забит до отказа. Хозяин назвал его содержимое *холостяцкой пищей*: арахисовое масло, авокадо, лимоны, помидоры, содовая, много пива и печенье «Орео», которого хватило бы на две жизни.

— Видимо, ты редко готовишь? — догадалась она.

— Я питаюсь в столовой для персонала. — Говоря это, он извлек из холодильника яйца, бекон, джем, масло и английские булочки.

— Все, убил! — засмеялась она.

Он поставил варить кофе, затем предложил ей вина или виски, полагая, что после такой заварухи ей не помешает небольшой глоток. Но Таня отказалась. Выходя из кухни с чашкой кофе в руках, она увидела его спальню — маленькую и скромную. Кроме кровати, в ней помещались комод и удобное кресло. Он сказал, что проводит в спальне не так уж много времени. Ей понравилось в его мирке: она увидела, как он живет, и почувствовала себя здесь как дома. У него гораздо приятнее, чем в большинстве домов, которые ей довелось посетить.

— Этот дом в точности такого же размера, как тот, в котором я вырос, — объяснил он. — Там были две спальни: родительская и детская, в которой мы помещались вшестером.

— Как это похоже на мое детство! — воскликнула она. — Я бы так там и осталась, если бы не заработала стипендию в Беркли. Это все изменило.

Она тут же вспомнила подруг.

— А ты изменила меня, — ласково произнес он, усаживая ее на диван и обвивая рукой ее талию.

Через несколько минут он включил музыку. Здесь было так хорошо, так спокойно, что она не могла представить, что ей может что-либо угрожать. Она чувствовала себя под надежной защитой, в полной безопасности. Гордон поцеловал ее, и это окончательно излечило Таню от страха, который охватил ее во время битвы с поклонниками и до этой минуты не отпускал. Поцелуи и объятия продолжались очень долго.

Вдруг Гордон оторвался от нее и пристально посмотрел ей в глаза. Он не хотел ни к чему ее принуждать, не хотел, чтобы она совершила то, о чем потом пожалеет, и был готов в любой момент проводить ее домой, если она, конечно, захочет.

— Танни? — донесся до нее его тихий голос. — Он выключил свет, зажег камин, комнату заполнила музыка. Они неторопливо исследовали тела друг друга. — Как ты к этому относишься? Не хочу поступать вопреки твоему желанию.

— Все в порядке, — нежно ответила она и снова его поцеловала, доверяя ему свое сердце и все существо.

Он лег с ней рядом и медленно стянул с нее рваную тенниску. Полностью ее раздев, он испытал потрясение от красоты ее тела. В его объятиях лежала молоденькая девушка, загорелая и изящная, ее ногам, казалось, нет конца. Они лежали бок о бок, нагие, и улыбались друг другу. Никогда еще он не был так счастлив, никогда еще не любил женщину так сильно. Она обвила руками его шею, дав сигнал тому, о чем он мечтал с первого же дня знакомства...

Потом они перешли в спальню, и она уснула в его объятиях. На заре он проснулся, увидел ее и испугался, что это сон, что все это — чудесная фантазия, которая вот-вот улетучится. Она вернется к себе в Голливуд и забудет о его существовании. Но она не позволила ему додумать невеселую мысль до конца: открыв глаза, Таня без промедления призналась ему в любви.

— Мне боязно, — сказал он при первых проблесках утра. Никто никогда не слышал от него таких слов, но ей можно доверить все секреты. — Вдруг всего этого не было? Что, если все пройдет, как сон? Что, если...

— Перестань. Я люблю тебя и никуда не денусь. Я — техасская девчонка. Или ты забыл?..

Он засмеялся, приветствуя ее и солнце. Они снова предались любви, после чего уснули и очнулись только в десять. Она выскочила в гостиную, как была, обнаженная.

— Боже! — простонал он, любуясь ею. — Неужели это происходит со мной? — Он свесил ноги с кровати и недоуменно покрутил головой.

Она встретила его слова счастливым смехом:

— По-моему, где-то в полночь мы оба сочли, что это будет неплохой идеей. Или ты был пьян и ничего не помнишь?

Он никак не мог опомниться.

— Я не об этом. Достаточно одного взгляда на тебя, чтобы тронуться рассудком. Господи, вы только на нее посмотрите! Сама Таня Томас расхаживает по моей гостиной в чем мать родила, да еще пользуется моей кофейной чашкой из моей кухни!

Они дружно рассмеялись. Все это было чудесным сумасшествием: он, она, все, что с ними произошло накануне.

— Ты тоже выглядишь неплохо, — ответила она и доказала ему искренность своих слов: сначала на полу в гостиной, затем на кушетке, потом снова в спальне.

Он разрывался между двумя желаниями: посвятить весь день любви или показать ей все окрестные диковины. На помощь пришел здравый смысл: лучше всего ускользнуть в обеденное время, когда все отправятся в ресторан.

В полдень они крадучись покинули его дом и, к огромному облегчению, ни с кем не столкнулись. Она была в джинсах и старой шляпе, а вместо порванной тенниски надела его старую рабочую рубашку, завязав ее узлом под грудью. В таком одеянии она тоже выглядела сногсшибательно, и он покачал головой в шутливом унынии: судьба не предоставила ему выбора. Она включила в кабине радио и настроилась на музыкальную станцию.

Перед отъездом она оставила подругам записку, что вернется вечером. Ей хотелось провести с ним весь день.

Сначала они побывали у водопада, потом поднялись в горы, откуда открывался захватывающий вид. Они долго гуляли. Он рассказывал ей о своем детстве, семье, мечтах. Она не припоминала, чтобы с кем-либо ей было так же хорошо и спокойно, как с ним.

На обратном пути они остановились у заколоченного ранчо. Гордон объяснил, что некогда его владелец был самым зажиточным в округе, но потом он умер, а для публики, посещающей Джексон-Хоул, оно не представляет интереса. Правда, как-то сюда наведались две кинозвезды, потом заглянул какой-то немец.

Гордон сообщил Тане, что ранчо продается по сходной цене, но требует ремонта. Потенциальные покупатели отказываются от него из-за удаленности и несовременности. От Джексон-Хоула досюда сорок минут пути. Таня мысленно сравнила ранчо с декорациями из старого ковбойского фильма.

Они обошли дом и заглянули внутрь. Хозяйский дом довольно просторен, а рядом располагались вполне приличные домики для работников. Тут же — полуразрушенные конюшни и большой амбар с прохудившейся крышей. Поместье производило благоприятное впечатление. Таня поняла, что Гордон неравнодушен к нему.

— Когда-нибудь мне хотелось бы приобрести такое ранчо, — признался он, глядя на горы и щуря глаза. От порога дома открывался потрясающий вид на долину. Здесь есть где кататься верхом и пасти коней.

— Чем бы ты тут занимался?

— Привел бы все в божеский вид, разводил бы лошадей. На этом можно неплохо заработать. Главное — стартовый капитал, сама покупка. — Ему было стыдно за сограждан, не отваживавшихся купить это золотое дно. Неужели на свете не осталось сообразительных деловых людей?

Таня признала его правоту. Ей пришлась по вкусу первозданность этого места, и она уже представляла себе, как прячется здесь на всю зиму. Ранчо сулило массу заманчивых возможностей.

— Разве отсюда можно выбраться, когда навалит снега? — поинтересовалась она.

Гордон утвердительно кивнул:

— Запросто! Дорога отличная. Понадобится только снеговой плуг. Часть лошадей пришлось бы отправлять на зиму на юг, но часть можно было бы оставлять здесь, в отапливаемых стойлах.

Он засмеялся: какой смысл строить планы в отношении ранчо, которое ему не принадлежит? Впрочем, Тане не пришло в голову назвать его прожектером.

Они еще немного поколесили по окрестностям, затем Гордон пригласил ее поужинать в старый ветхий ресторан в получасе езды от города, куда любили наведываться ковбои. Он мог бы пригласить ее в местечко поизящнее, однако боялся, что, где бы они ни появились, люди узнают ее и начнут бесноваться.

Ей понравился старый, ресторан. Утолив голод, они вернулись к нему.

Таня была в восторге от его общества и, зная, что пора возвращаться, оттягивала расставание. Они сидели у него в гостиной и слушали музыку. Потом он поставил ее любимый компакт-диск. Дослушав запись, она спела ему ту же песню. Он снова решил, что ему снится сон. Она подняла его на смех.

— Доказать, что все это явь? — Она стала стягивать с него одежду.

— Тем более! Чистые фантазии: я слушаю Таню Томас, которая в это время меня раздевает.

— Ничего подобного!

Они хохотали, возились, как малые дети, без устали целовались. Ему не верилось, что в его жизни появилась такая любовь, что он так ее вожделеет. Через минуту они убежали в спальню. К моменту, когда они пресытились любовью, стрелка часов давно оставила позади полуночную отметку.

— Наверное, правильнее бы взять и перетащить сюда мои вещи, — проговорила она хрипловатым, полным соблазна голосом, сводившим его с ума.

Он улыбнулся, думая о ней и о своей любви:

— Уверен, миссис Коллинз с радостью предложит нам свою помощь, стоит только сообщить ей, что ты доживешь свой срок в моем доме.

Оба прыснули.

— Может, ты сам переедешь к нам?

— А что, неплохо. В таком цветнике я бы...

Она заставила его умолкнуть, опять предложив ему любовь, и он застонал от ее прикосновения:

— О, как хорошо, Танни...

Они лежали так до рассвета. Она помнила, что должна уйти тайком, чтобы ее никто не заметил. Как же она ненавидела приближающийся миг ухода!

— Не хочу тебя отпускать, — грустно признался он, наблюдая, как она одевается. Он сам вымыл ее в своей крохотной ванной. Там они чуть было не набросились друг на друга снова, но вовремя остановились. — Что же я буду делать, когда ты уедешь?

Он так походил на потерявшегося мальчонку, что она улыбнулась ему материнской улыбкой. Ей тоже до смерти не хотелось с ним разлучаться — в следующее воскресенье она улетит в Лос-Анджелес, чтобы снова выйти на поле битвы...

— Может, поедешь со мной? — предложила она, сознавая, что это звучит дико, но испытывая боль при одной мысли о скорой разлуке.

Он оказался дальновиднее ее.

— Думаешь, это надолго? Что бы я там делал? Отвечал на звонки? Расставлял дома цветы, преподнесенные тебе почитателями твоего таланта? Просматривал твою почту? Состоял бы при тебе телохранителем? Совсем скоро ты бы меня возненавидела, да я и сам стал бы себе противен. Нет, Танни, — обреченно заключил он, — мне там не место.

— И мне, — удрученно созналась она, не представляя, как вырваться из замкнутого круга.

— Это твоя, а не моя жизнь. Говорю тебе: скоро ты меня возненавидишь. — Он знал, о чем говорит. То же самое сказал ей когда-то Бобби Джо, вернувшийся в Техас, исполненный ненависти к бывшей жене. — Я этого не хочу.

— Как же нам быть? — простонала Таня, готовая запаниковать.

— Не знаю. Подумай сама. Я бы мог иногда к тебе наведываться, пока это не надоест одному из нас или сразу обоим. Ты тоже могла бы сюда заглядывать. Купи себе здесь дом. Это пошло бы тебе на пользу: было бы где спрятаться после всего этого безумия, которым я любовался после родео, и прийти в себя. Другое дело, если бы ты тут жила. Могла бы проводить здесь часть года, а я бы всегда ждал твоего появления, Тан. Если бы мы жили здесь вместе, то появился бы смысл и в моих наездах в Лос-Анджелес. Я бы делал все, что ты пожелаешь: оставался, не приставал, исчезал, ждал тебя столько, сколько понадобится. Но чего я не хочу, так это переезда в Лос-Анджелес, отказа от жизни, которой живу, твоей ненависти ко мне, которая в таком случае неминуема.

— Нет, на ненависть не надейся, — возразила она со всей искренностью. Бобби Джо она не смогла возненавидеть.

— Зато я возненавижу сам себя, и это повлияет на тебя. Лучше возвращайся сюда. — Он обнял ее и прижал к себе так крепко, что при поцелуе у нее перехватило дыхание. — Я буду ждать. Если захочешь, я *постоянно* буду ждать.

— Ты правда будешь иногда наведываться в Лос-Анджелес?

Ее охватило беспокойство. Что, если они никогда больше не увидятся? Что, если он забудет ее, как только она скроется из виду, и переедет на другое ранчо, в другой город, прибьется к другой женщине?

— Обязательно! — заверил он ее. — Наведываться, потом возвращаться сюда. А как насчет того, чтобы ты могла жить здесь хотя бы какое-то время?

— Никогда ни о чем таком не помышляла, — призналась она, раздумывая. — Вообще-то было бы неплохо.

— Неплохо — не то слово. Чудесно!

— Предположим, я купила бы ранчо. Ты бы стал им заниматься?

— Стал бы, — ответил он. — Только я не буду твоим наемным работником.

— Что ты хочешь этим сказать? — Она недоуменно приподняла брови.

— Не хочу, чтобы ты оплачивала мой труд, — тихо ответил он. Она видела по его глазам, что Гордон не ломается, а говорит правду.

— Как же ты будешь жить? — Ей не терпелось уже сейчас все обговорить.

— Я скопил деньжат, все эти годы работая небесплатно. Купил бы лошадей, занялся их разведением, более активно работал бы в пансионате. От твоего ранчо мне потребовалось бы только жилье и все самое необходимое для хозяйства. Ничего сложного. — Он снова притянул ее к себе. — Уверен, все получится.

У него немного поднялось настроение: он так ее любил, что был готов на все. Главное, чтобы они оставались равными партнерами, а не она содержала бы его.

Ей понравилось его предложение. Пока он целовал ее, она обдумывала услышанное.

— Не хочу с тобой расставаться, — в который раз повторила Таня. Он понимал, что она имеет в виду свой отъезд через неделю.

— За чем же дело стало? — проговорил он хрипло. Он опять был расположен к любви. Никогда еще он не был так увлечен. Она пленила его душу и тело. — Не уезжай.

— Не могу. В предстоящие недели у меня полно дел, в частности запись нового альбома. — Потом она вспомнила о концертном турне. Одеваясь, она подробно рассказывала ему о программе, он внимательно слушал. — Поедешь со мной? — Пришлось бы выдать его прессе, но рано или поздно это все равно должно произойти, так чего же тянуть, раз они готовы?

— Поеду, если захочешь, — ответил он, задумавшись.

С одной стороны, предложение было заманчивым, с другой — пугающим. Ему хотелось находиться с ней рядом, ограждать от грязи, летевшей в нее со всех сторон. Но долго ли он продержится, став частью всей этой свистопляски? Что ж, раз он решил, что будет с ней, значит, надо хотя бы изредка окунаться с головой в ее... ее мир. Глупо надеяться, что она навсегда спрячется с ним в Вайоминге.

— Согласен, — заявил он и тут же получил благодарный поцелуй. — Но по большому счету я еще не знаю, как быть, Тан. Уж больно у тебя сложная жизнь. Ладно, что-нибудь придумаем.

Следующий его вопрос прозвучал совершенно неожиданно:

— А дети? Как вышло, что ты не завела детей? — Эта тема не давала ему покоя с первой минуты их знакомства. Она была так добра, так сердечна, что ее бездетность он считал абсурдом.

— Не представилось подходящего момента. Вечно я была замужем не за теми, за кем надо, и не тогда, когда надо, вечно меня толкали в спину менеджеры и агенты. Представляю, как бы они рвали на себе волосы, если бы я забеременела. Да они бы меня растерзали!

Он ласково кивнул, хорошо понимая ее проблемы и от всей души жалея ее. Из нее получилась бы превосходная мать.

— А как ты к этому относишься сейчас? Хочешь ребенка?

Вопрос всполошил ее.

— Сейчас не знаю... — ответила она искренне. — Несколько лет назад страшно хотела. — Тогда она пыталась уговорить Тони, но тому уже хватало детей, поэтому он отмахивался, говоря, что больше не хочет головной боли. — Врач предупреждал, что в моем возрасте это будет нелегко.

Однако слова Гордона сделали свое дело: она снова стала об этом думать и пришла к выводу, что ее желание иметь ребенка не иссякло. Таня засмеялась: Гордон произвел настоящий переворот в ее жизни. Он склонял ее к переезду в Вайоминг, к жизни на ранчо, к материнству. Она сказала ему об этом, он усмехнулся:

— Говорят, стиль жизни — и тот нелегко поменять, а тут...

— Конечно, я могу захотеть ребенка. А что, если нет?

— Твое слово — закон. — Его поцелуи опять стали страстными, он снова принялся стаскивать с нее одежду, хотя оба знали: она должна уйти еще до того, как ранчо оживет и персонал примется за работу. — Просто я подумал, как здорово, если бы мы с тобой завели своего ребенка.

Уже много лет у него не возникало таких желаний. Таня поспешила поведать ему о дочке Зои и спросила, как бы он прореагировал, если бы Зоя оставила свою девочку ей. Она давно хотела ему об этом сказать, но все не представлялось случая. Он ответил, что не видит никаких препятствий. Главное — как решит сама Таня.

Ему потребовалось сделать над собой героическое усилие, чтобы разжать объятия и позволить ей одеться. Сам он натянул джинсы и стоял посреди гостиной босиком. Будь на то его воля, он не выпустил бы ее ни на секунду. Сейчас шесть утра, через три часа им предстояло выехать на конную прогулку, но она не хотела с ним разлучаться даже на это время.

— Представляешь, даже несчастные три часа кажутся мне вечностью! — призналась Таня, округлив глаза. — Прямо не знаю, как мы расстанемся в следующее воскресенье.

— И я не знаю. — Он зажмурился и слегка ее приобнял. — Ладно, ступай. — Он покосился на часы. В любую минуту ковбои могли потянуться из своих домиков к загону, остальные служащие — на завтрак. — Как насчет сегодняшнего вечера? — спросил он с тревогой, словно его все еще одолевали сомнения.

Она не удержалась от улыбки:

— А ты как думаешь? — Она поцеловала его на прощание, помахала рукой и побежала вверх по тропинке, наслаждаясь лучами восходящего солнца, ласкающими ее и вершины гор.

Из головы Тани не выходил Гордон и все, что они пережили вместе. Он оказался воплощением самых ее несбыточных грез. Оказывается, в этих местах ее поджидало счастье. Теперь ей предстояло многое обдумать, спланировать, решить.

Пока что она знала одно: простой техасский ковбой всего за неделю перевернул всю ее жизнь вверх дном.

Глава 19

Вернувшись в понедельник утром, Таня застала Зою на ногах: подруга варила кофе. Она окончательно пришла в себя, исчезла накопившаяся усталость, с которой Зоя приехала в Вайоминг. При виде Тани она погрозила ей пальцем:

— Что ты себе позволяешь? Погоди, дай догадаться. Готовишься в монахини-отшельницы? — Однажды Зоя сама придумала такую нелепую отговорку, чтобы успокоить Таниных родителей, когда их дочь упорхнула с молодым человеком на целый уик-энд.

— Вот это догадливость! — Таня широко улыбалась. На протяжении полутора суток они с Гордоном предавались безудержным фантазиям, но она была счастлива не только этим, но и чувством, которое расцвело в ее сердце.

— Значит ли это, что ты бросаешь Голливуд и переезжаешь в Вайоминг?

— Пока еще нет, — ответила Таня, наливая себе кофе.

— Мы имеем дело с легким увлечением, или скоро зазвонят свадебные колокола?

Разумеется, по истечении всего лишь недели задавать такие вопросы преждевременно, но ранчо оказывало на своих гостей волшебное действие.

— Для колоколов еще рановато, — рассудительно ответила Таня. — Он все-таки поумнее Бобби Джо. И старше. Говорит, что в Лос-Анджелес не переедет, разве что будет туда наезжать.

— И правильно говорит, — одобрила Зоя. — Твой Лос-Анджелес за пять минут превратил бы его в выжатый лимон. Рада, что ему хватило ума понять это. Дело не в том, что ему это не по плечу, просто не его стихия.

— И он так считает. После последнего родео он хлебнул этого добра и сыт по горло.

Зоя озабоченно кивнула:

— Мэри Стюарт все мне рассказала. Вчера звонил Том: он уже привел автобус в порядок. Осталось повесить новые занавески.

— Нет, ты можешь это себе представить?! — Таня с омерзением фыркнула.

К ним присоединилась сонная Мэри Стюарт:

— Что представить, Тан? Твою половую жизнь? Нет, не могу!

— Не буди во мне зверя! — огрызнулась Таня и тут же прыснула. Она ничем так не дорожила, как их дружбой, и была на седьмом небе от счастья, что они снова собрались втроем.

— Ну, как он себя проявил под одеялом? — не отставала Мэри Стюарт.

— Заткнись! — Таня огрела ее подушкой.

Мэри Стюарт закатилась злорадным смехом. Ей хотелось подробностей.

— Сжалься, я целый год не спала с мужем! А теперь связалась с мужчиной, который не ляжет со мной, пока не убедится, что я твердо решила развестись. Что же мне еще остается, кроме мысленного греха заодно с подружками? — Она повернулась к Зое: — Это и к тебе относится. Желаю знать в деталях, чем ты займешься со своим Сэмом по возвращении.

— Остается надеяться, что к тому времени тебе уже будет не до подружек, — отрезала Зоя.

Все засмеялись.

— Господи, ну и влипли мы! — заявила Мэри Стюарт, хотя отлично понимала, что это не так. У всех троих за спиной полная радостей, хотя и нелегкая жизнь, они многое приобрели, много страдали, с лихвой переплатили за посулы судьбы. Теперь всем подругам предстояло преодолеть новую полосу препятствий, чтобы добиться желаемого.

— А по-моему, мы — большие молодцы! — возразила Таня, гордо разглядывая подруг. — Я обожаю вас обеих.

— Понятное дело: приступ любви к человечеству как следствие половых сношений, — поставила диагноз Мэри Стюарт, за что снова схлопотала от Тани подушкой по голове.

— Как у тебя только язык поворачивается! — проговорила Таня, отсмеявшись. Ей хотелось поделиться с лучшими подругами самым сокровенным, поэтому она не удержалась и призналась: — Я в него влюбилась.

Подруги долго смеялись, потом Зоя выдавила:

— Другого мы не ждали.

— Это не пошлая похоть, а настоящая любовь.

Подруги притихли, устремив на нее восторженный взгляд.

— У тебя страшно запутанная жизнь, Тан, — высказалась Мэри Стюарт. — Советую сначала убедиться, что он ее облегчит, а не усложнит. Сперва удостоверься, что он выдюжит, а уж потом бросайся с ним вместе с обрыва.

— Я так и сделаю, — пообещала Таня, хотя на самом деле всю испытательную работу брал на себя Гордон. — Он сам до смерти напуган. Знает, какие трудности нам могут грозить.

— Тогда я рада. — Сказав это, Мэри Стюарт поведала подругам о своих планах, касающихся Хартли. — Я лечу в Лондон.

— Возвращаешься к Биллу? — удивилась Таня. Неужели без нее здесь успели произойти кардинальные перемены?

— Нет, просто хочу с ним поговорить, — объяснила Мэри Стюарт. — Раньше я планировала дождаться конца лета, а теперь не хочу ждать. Кажется, уже уезжая из Нью-Йорка, я знала, как поступлю. Чего же тянуть?

— Ты совершенно уверена? — спросила Таня тихо. Все они принимали сейчас ответственнейшие решения.

— Совершенно.

— Билл знает, что ты у него появишься?

Мэри Стюарт покачала головой:

— Через пару дней я ему позвоню и поставлю в известность.

— Что, если он запретит тебе приезжать?

— Я не собиралась оставлять за ним право выбора. Те времена канули в прошлое.

— Аминь!.. — буркнула Зоя, самая независимая из трех подруг.

— Как Сэм? — спросила у нее Таня, отправляясь переодеваться.

— По-прежнему безумствует, — ответила Зоя с широкой улыбкой. Затем она уведомила подруг, что после обеда съездит в город, чтобы осмотреть нескольких пациентов доктора Джона Кронера.

— Я думала, у тебя отпуск, — упрекнула ее Мэри Стюарт.

— Ничего страшного, мне самой хочется. Утром покатаюсь верхом, пообедаю вместе с вами и отправлюсь. Шарлотта Коллинз обещала, что кто-нибудь обязательно меня подвезет.

— Лучше поедем со мной на автобусе, — предложила Таня. — Я тоже собираюсь в город, за покупками.

Предложение присоединиться было сделано и Мэри Стюарт, но та ответила, что предпочитает общество Хартли. Потом все стали поспешно собираться. Казалось, к ним вернулась ранняя молодость, и они снова торопятся на занятия.

Спустя час, позавтракав, они явились в конюшню, свежие и сияющие. Гордон был разочарован, узнав, что Таня после обеда собирается в город с Зоей.

— А вечером ты ко мне придешь? — по-детски спросил он, отъехав с ней подальше от остальных.

— Если ты пригласишь, — ответила она.

За взгляды, которыми они обменялись, желтая пресса без размышлений отвалила бы кучу золота!

— Люблю тебя! — прошептал он, она ответила теми же словами, и они бок о бок поскакали по полю. Казалось, их души за полтора дня слились воедино. Она чувствовала себя связанной с ним нерасторжимыми узами, он тоже пошел бы за ней на край света — но только не в Лос-Анджелес. Она напомнила ему об этом, когда они, развернувшись, поскакали навстречу остальной компании.

— Я же сказал, что навещу тебя.

— Когда? — Ей требовался конкретный ответ, ибо впереди был крайне насыщенный месяц.

Он ответил, что до конца августа не сможет покидать ранчо больше чем на один день в неделю.

— Лучше скажи, когда ты сама сможешь сюда вернуться.

Оказалось, что и она не располагает свободным временем. Но, мысленно перебрав предстоящие дела и встречи, она радостно подпрыгнула в седле: в конце августа у нее могла образоваться свободная неделька.

— Я смогла бы вернуться недели через три.

В следующий момент с ними поравнялся Хартли. Врачи из Чикаго покинули ранчо накануне, Бенджамин и его родители тоже уехали.

— Для меня это будет вечностью, — успел шепнуть Гордон.

Она относилась к этому точно так же, но изменить ничего не могла. В сентябре у нее тоже намечались свободные дни, так что она могла бы вернуться в Лос-Анджелес с ним.

Жизнь обещала быть интересной: сплошные перелеты из Вайоминга в Калифорнию.

— Какая сегодня красота! — сказал Хартли, закидывая голову.

Гордон и Таня переглянулись и согласно закивали.

Накатавшись, они отправились на ленч. Гордон не составил им компанию — ему надо было подковать коня и повозиться с бумагами. Накануне на ранчо пожаловали новые гости. Гордон, приставленный к Таниной группе, не должен их сопровождать, но в его обязанности входило позаботиться, чтобы их взяли под свою опеку другие ковбои и чтобы им были предоставлены хорошие кони. То, что у Тани появились собственные планы на вторую половину дня, оказалось даже кстати, так как ему предстояло доставить к ветеринару кобылу, вывихнувшую ногу.

Таня довезла Зою до местной больницы, где дожидался Джон Кронер, и отправилась по своим делам. Она назначила встречу еще с утра и осталась довольна ее результатом. Хватило времени и на покупки: Таня приобрела бирюзовые ковбойские сапоги. Зоя и Кронер уже ждали автобус у здания больницы. Кронер помахал им вслед. Зоя выглядела усталой, но довольной.

Упав вместе с ней на подушки, Таня спросила:

— Ну, как все прошло?

— Интересно. У него приятные пациенты. — Больные были очень благодарны ей за визит. Понимая, какую она оказывает услугу, персонал оказал ей теплый прием. Она пригласила Джона Кронера с другом — рентгенологом, год назад переехавшим из Денвера, — как-нибудь поужинать с ними на ранчо. Оба держались с Зоей крайне любезно. — И сам он просто прелесть.

— Соперник Сэма? — Таня приподняла бровь. — Или он для нас слишком молод?

Зоя весело рассмеялась:

— Ни то ни другое. Ты что, слепая? Он же *голубой*!

— Надо же, не заметила! Что ж, придется тебе ограничиться безумцем Сэмом. — Она была в отличном настроении, и они с Зоей хохотали и дурачились весь обратный путь.

— Ты неисправима! Чем ты занималась в городе?

— Так, разной ерундой. — Магазины были отличные, и все они уже накупили себе замши, кожи и ковбойских шляп. — Купила отличные ковбойские сапожки. Бирюзовые!

— Ну, теперь покрасуешься! Тебе не кажется, что ты здесь засиделась? Я тоже однажды отколола номер на горном курорте в Колорадо: купила розовые ковбойские сапоги до колен, решив почему-то, что смогу в них щеголять по больнице. Так и валяются, ни разу не надеванные, в глубине шкафа.

Вернувшись в свой домик, они застали там Мэри Стюарт и Хартли за разговором. Этой паре не приходилось выискивать темы для обсуждения. К тому же стоило взглянуть на них даже мельком, как становилось ясно, что они только что целовались. Это все равно что застать на месте преступления зеленых подростков. Заметив Танино недоумение, Мэри Стюарт густо покраснела.

— Прекрати! — прошипела она, выйдя вместе с подругой в кухню за напитками.

— Что я такого сделала? — невинно поинтересовалась Таня.

Они радовались любой возможности подурачиться, особенно после пережитых всеми тремя потрясений. Подтрунивание, веселье, любовные приключения шли им на пользу.

— Какова программа на вечер? — спросила Зоя, усаживаясь. Осмотр больных утомил ее, зато беседа с Джоном Кронером подняла настроение. — Урок танго? Коллективные пляски? Какие еще развлечения?

Ранчо предлагало своим гостям всевозможные увеселения, однако Таня и ее подруги участвовали далеко не во всех, чтобы Таня могла отдохнуть от внимания поклонников.

— По-моему, только ужин, — ответила Мэри Стюарт и покосилась на Таню. Наконец-то ей представился шанс поддеть подругу. — Вы не побрезгуете сегодня вечером нашим обществом, мисс Томас?

— Ни в коем случае, — ответила Таня как ни в чем не бывало. — Почему ты спрашиваешь?

— Хочешь, чтобы я объяснила? — Мэри Стюарт мстительно улыбнулась.

Таня чопорно сложила руки на коленях.

— Благодарю покорно. — После ужина она собиралась улизнуть к Гордону, но подруги этого не знали.

Они мило провели время за ужином вчетвером. Зоя рано ушла спать, устав за день. Хартли и Мэри Стюарт решили отправиться в город в кино. В восемь часов вечера Таня заторопилась к домику Гордона в своих старых желтых сапогах, синих джинсах и свободном белом свитере. Почувствовав в воздухе дымок, она предположила, что кто-то жарит барбекю.

Не желая быть узнанной первым встречным, она надела ковбойскую шляпу. Постучавшись, не стала ждать ответа, а шмыгнула внутрь, чтобы не привлекать внимание, переминаясь на пороге. Гордон смотрел телевизор и ждал ее.

— Что тебя задержало? — спросил он, как ребенок, заждавшийся Санта-Клауса.

Закрывая за собой дверь, она прыснула. Храня их тайну, он уже опустил жалюзи и задернул шторы.

— Что задержало? Ужин начался в семь, сейчас пять минут девятого. Кажется, успела вовремя. Я почти бежала.

— В следующий раз ешь быстрее! — потребовал он с мальчишеской улыбкой, после чего вскочил и накинулся на нее с поцелуями.

Она не заметила, как оба остались без одежды и, не в силах добраться до спальни, тут же предались любовным утехам — прямо на диване, перед работающим телевизором, не обращая внимания на сообщения диктора. Только позже, переведя дух, Гордон сообразил, что речь идет о пожаре на горе Шадоу. Он сел и прислушался.

— Это близко? — поинтересовалась она, заметив, как он волнуется.

— Над нами.

Таня припомнила запах дыма в воздухе. Диктор сообщил, что возгорание ограничено небольшим участком, однако огонь может распространиться из-за поднявшегося ветра, что вызвало беспокойство администрации национального парка. В новостях упомянули пожар в Йеллоустонском парке несколько лет назад и показали кадры причиненного им ущерба. Затем были возобновлены обычные передачи.

— Нас могут попросить покинуть помещения, — тихо предупредил Гордон. Он беспокоился за ранчо, особенно за лошадей.

— Может быть, мне лучше уйти? — предложила Таня. Она бы не обиделась, если бы он посоветовал ей вернуться к себе.

— Зачем? — Гордон улыбнулся. — Никто не узнает, что ты здесь. Эвакуация начнется только в том случае, если пожар превратится в настоящее бедствие.

Он ненадолго вышел, чтобы взглянуть на небо. Дым виден, но пламени Гордон не заметил и успокоился, а вернувшись, тут же забыл о пожаре и все внимание посвятил Тане. Он поставил ей свою любимую кассету, потом взял старую гитару, и она тихо, чтобы их никто не подслушал, спела несколько песен под его аккомпанемент. Ей понравилось совместное исполнение. Он засмеялся и погладил ее по щеке.

— Как в студии звукозаписи, — пошутила она.

Они еще немного попели, а в полночь перекусили — покатавшись с Мэри Стюарт и Хартли, он подкупил еды. Гордон признался Тане, что парочка ему очень симпатична.

— Кажется, у них тоже что-то наклевывается? — Он заметил, как их влечет друг к другу, еще на первой прогулке. — Она разведена?

— Собирается бросить мужа. На следующей неделе полетит в Лондон и поставит его перед фактом.

— Он англичанин?

Она покачала головой. Ей нравилось, что его интересуют ее друзья, ее жизнь, увлечения.

— Нет, просто уехал туда на лето работать.

— Почему она решила от него уйти? — спросил он, сидя с Таней за кухонным столом.

Она вздохнула.

— В прошлом году их сын покончил с собой. Не знаю всех подробностей, но, кажется, муж взвалил всю вину за эту трагедию на нее. Она совершенно ни в чем не виновата, просто Билл не нашел другого козла отпущения. Их брак не выдержал несчастья и треснул по всем швам.

— Может, он и раньше не был таким уж прочным?

— Возможно, — предположила она, но тут же возразила: — Был, был! Но не выдержал удара. Своим отношением муж нанес Мэри Стюарт глубокую рану. Путь назад перекрыт.

— Думаешь, теперь она сойдется с мистером Боуменом?

— Надеюсь, — улыбнулась Таня и погладила Гордона по руке. — А мы? Получится ли у нас с тобой что-нибудь?

— Лучше бы получилось. — Он наклонился к ней, заглянул в глаза. — Попробуй только меня бросить! Я примчусь к тебе в Голливуд на диком мустанге, найду и похищу.

Таня представила это зрелище и рассмеялась.

— Я думала, что ты больше не объезжаешь мустангов.

— Надо же быть в форме — вдруг придется скакать за тобой?

Она мыла посуду, в одной его рубашке, не думая ее застегивать. Он старался не смотреть на ее бесконечные ноги. Гордон не возражал бы запечатлеть ее такой на фотопленке, но знал, что и так ни за что ее не забудет. Она была настолько земной, что он покорен навсегда. Таня называла себя простой уроженкой Техаса не ради красного словца: она такой и осталась, хотя внешне — настоящая кинозвезда, и никто в целом свете не догадается, какая она на самом деле, не узнав ее поближе.

— Что ты со мной делаешь? — Он подошел к ней сзади, обнял за талию, прижался подбородком к ее плечу. — Через неделю все это покажется мне галлюцинацией.

Напрасно он напомнил ей о скором расставании: она сразу опечалилась.

— Будешь мне звонить? — спросила Таня.

— Постараюсь.

Она уронила блюдце в раковину, чудом его не разбив, и повернулась. Теперь они стояли лицом к лицу.

— То есть как *постараюсь*? Будешь или нет? — Ей было не до шуток.

— Обязательно! Просто не люблю телефонов, но тебе буду названивать.

У него не было домашнего телефона, звонить с ранчо он не может, чтобы не компрометировать ее. Придется наведываться в круглосуточный супермаркет. Она расстроилась еще больше, поняв, что не сможет звонить ему сама.

— Придется тебе не тянуть с возвращением, — сказал он.

— Честное слово! Три недели — и я снова здесь. Если получится, конечно. Придется приложить все старания. — Она уже звонила Джин, просила пересмотреть расписание. — Ты тоже не тяни с поездкой в Лос-Анджелес в начале осени.

Это было произнесено тоном заправской соблазнительницы. Он же ласкал ее, сбивая с мысли.

— Клянусь! Скажу Шарлотте, что в конце августа мне необходим отпуск.

Она уже прикидывала, когда в ее плотном расписании откроются окна, чтобы использовать их для поездок в Вайоминг. В Джексон-Хоул можно летать с пересадкой в Солт-Лейк-Сити или Денвере. Перспектива выглядела заманчиво.

Они снова оказались в объятиях друг друга...

Вдруг раздался стук в дверь. Таня подпрыгнула от неожиданности. Гордон заковылял к двери, натягивая на ходу штаны. Распахнув дверь, он увидел на пороге запыхавшегося молодого коллегу по ранчо.

— Только что звонили пожарные. Мы эвакуируемся!

— Прямо сейчас? — Задрав голову, Гордон увидел над горой Шадоу оранжевое зарево. — Почему нас не предупредили заранее?

— В полночь была объявлена готовность, но Шарлотта надеялась, что с огнем сумеют справиться. А тут поменялся ветер... — Ветер нес по земле сор. В домах как по цепочке загорался свет. — Шарлотта будит гостей. Наша задача — собрать лошадей в табун и отогнать вниз, в долину.

Поблизости находилось еще одно ранчо; ковбоям это не впервой, но перегонять в темноте столько лошадей с большой скоростью очень опасно: могли пострадать и лошади, и люди.

— Буду готов через пять минут, — пообещал Гордон пареньку и вернулся в дом, чтобы предупредить о случившемся Таню.

Он не забыл запереть дверь, чтобы к ним никто не ворвался.

— Вас переведут на другое ранчо. Позвони водителю, он приедет на автобусе. Мне надо заняться лошадьми. Мы должны быстро отогнать двести голов. — Говоря с ней, он стремительно двигался по дому. Напоследок остановился и поцеловал ее. — Я тебя люблю, техасское сокровище. О нас не волнуйся: мы обязательно будем вместе, даже если для этого мне придется нагрянуть в Голливуд. — Он знал, как она переживает, и сам беспокоился, но был полон решимости сдержать слово. Сейчас на очереди другие экстренные дела. — Одевайся и ступай к себе. Иди вдоль дороги, там, где трава повыше. Никто тебя не увидит. До скорого!

— Может быть, вам нужна наша помощь?

Ей казалось глупостью и эгоизмом переезжать в комфортабельном автобусе на другое ранчо, когда стольким людям и животным угрожает опасность.

— Это моя работа. — Гордон улыбнулся, нахлобучил шляпу и схватил на бегу старую матерчатую куртку. — Пока! — Он бросил на нее прощальный взгляд и исчез.

Она почувствовала одиночество и стала поспешно одеваться, чтобы ни о чем не думать. Отъезжая от дома на своем грузовичке, Гордон улыбнулся, увидев, как шевелится высокая трава у дороги. Он знал, кто пробирается в траве, и мысленно обнял ее и поцеловал.

Подъехав к загону, ковбой немедленно включился в работу. Следовало как можно быстрее выгнать всех лошадей из конюшен в загон, собрать их в табун и направить в долину. При этом надо было постараться, чтобы не пострадали ни одна лошадь и ни один погонщик.

Гордон возглавил бригаду из десяти мужчин и четырех женщин. Им требовалась подмога. На ближайшем ранчо уже освобождали место для нового поголовья. Если огонь доберется и туда, беды не избежать. К счастью, ветер дул в противоположном направлении.

Гордон надрывал глотку, распоряжаясь эвакуацией лошадей, сидя на старой пятнистой кобыле, лучше всего пригодной к такой работе.

Таня тем временем добралась до своего дома.

— Господи, где ты пропадала! — воскликнула Мэри Стюарт. Она была вне себя от волнения, Зоя спокойно одевалась. Им только что позвонили. Они знали, у кого находится Таня, но как бы они ее отыскали? — Нам велели эвакуироваться. Я не стала сообщать, что ты проводишь ночь у ковбоев. — Мэри Стюарт еще не успела отойти от волнения.

Поблагодарив ее, Таня позвонила Тому, чтобы он срочно приехал. Она собиралась предоставить свой автобус для эвакуации гостей с ранчо, которых насчитывалось около ста человек.

— Думаешь, ранчо сгорит? — спросила Мэри Стюарт.

Зоя появилась в гостиной в толстом свитере и джинсах с медицинским чемоданчиком в руках. На улице было зябко, дул сильный ветер.

— Вряд ли, — ответила Таня. — Гордон сказал, что пожары случаются часто и их всегда удается вовремя потушить. Ты куда? — окликнула она Зою.

— Собираюсь предложить свою помощь. Вдруг кто-то из пожарных пострадает?

— Разве они призывали на помощь добровольцев?

Судя по реакции Гордона, администрация могла пока обойтись без помощи отдыхающих. В следующую секунду в дом ворвался Хартли с сообщением, что их немедленно созывают в главное здание. Все кинулись туда. Толпа, карабкавшаяся на холм, выглядела забавно: люди, одетые как попало, не успели привести себя в порядок и прихватили с собой самые неожиданные предметы. Среди портфелей и дамских сумочек мелькали удочки. Хартли унес из своего домика чемоданчик с рукописью, над которой не переставал работать. Мэри Стюарт взяла его за руку и сразу успокоилась.

Шарлотта Коллинз дождалась всех гостей, спокойно и кратко изложила обстановку. Ранчо, по ее словам, не подвергалось опасности, однако осторожности ради администрация решила перевести их в другое место на случай перемены ветра, чтобы не оказаться в ситуации, когда придется действовать в условиях аврала. Всех перевезут на соседнее ранчо и разместят с максимальными удобствами в свободных помещениях. Отдельных комнат, разумеется, не хватит, поэтому владелица попросила их пока потесниться, тем более что возвращение обратно — дело нескольких часов.

— Ранчо есть ранчо, давайте относиться к этому как к приключению! — предложила Шарлотта.

Слушатели оценили ее спокойствие.

Людям предложили сандвичи и кофе из термосов. Было сказано, что перевозка не составит проблемы. Главная трудность — перегон лошадей, чем в данный момент занимаются опытные ковбои. Таня тут же подумала о Гордоне. Переезд на соседнее ранчо состоится в течение ближайшего получаса. На этом Шарлотта закончила свое выступление. Все разом зашумели, обсуждая события. Таня протолкалась к ней и предложила в распоряжение администрации свой автобус, чтобы развезти людей по безопасным местам.

Шарлотта поблагодарила ее за желание помочь и сообщила, что несколько автобусов с добровольцами уже едут на гору сражаться с огнем. Зоя намеревалась к ним присоединиться, благо у нее есть с собой все необходимое для оказания первой медицинской помощи. Шарлотта, зная, что имеет дело с опытным врачом, сначала колебалась, помня, что Зое недавно нездоровилось, но потом согласилась. Медицинская помощь в таких случаях всегда нужна позарез, а Зоя — самый подходящий специалист, чтобы ее оказать. Джон Кронер намекал, что она тяжело больна, но в данный момент это не заметно.

— Мы будем вам бесконечно признательны, доктор Филлипс, — поблагодарила Шарлотта.

Из толпы выступили еще двое с медицинскими чемоданчиками — гинеколог из Атланты и кардиолог из Сент-Луиса.

— Через пять минут я отправляю наверх вездеход, — пообещала Шарлотта врачам.

Те устроили короткое совещание. Специальных средств на случай ожогов не нашлось ни у кого, однако Шарлотта сказала, что у нее имеется специальный комплект. Кто-то немедленно приволок огромный тюк со всем необходимым.

Люди стали садиться в фургоны. Через двадцать минут подъехал Танин автобус, и Шарлотта направила оставшихся туда. Не прошло и получаса, как все были пристроены. Хартли и Мэри Стюарт отбыли среди первых, Таня задержалась поговорить с Шарлоттой.

— Можно, я поеду с вами в горы, миссис Коллинз? — попросилась она. Хозяйка напомнила, что ее можно называть по имени. — Мне бы хотелось оказать посильную помощь. Знаю, там у вас работают добровольцы. Я бы тоже могла помогать или быть на подхвате у Зои.

Немного поколебавшись, Шарлотта Коллинз кивнула. Сейчас было не время отказываться от чьей-либо помощи. Единственное, чего ей хотелось избежать, — осведомленности других гостей о том, что дела обстоят неважно. Достаточно одного взгляда на ночное небо, как сразу становилось ясно, насколько обстановка серьезная.

Таня бросилась к автобусу предупредить уезжающую Мэри Стюарт о своем решении. Подруга сначала удивилась, потом кивнула. Рядом с ней находился Хартли. Том тут же отъехал, чтобы не отстать от остального транспорта. Шарлотта взяла на себя руководство оставшимися добровольцами. Здесь собралось человек пять мужчин, три врача и Таня. Все они устремились в горы на джипах и в кузовах грузовиков вместе с несколькими десятками работников ранчо.

Отряд был небольшим, но полным решимости сражаться с огнем. У Тани не выходил из головы Гордон: успел он спасти лошадей?

Люди ехали с полчаса, потом дорогу преградили завалы, и они были вынуждены пройти оставшийся отрезок пути пешком. Добровольцы передавали по цепочке ведра с водой, самолеты поливали лесной пожар химикатами. Огонь обдавал смельчаков жаром и ревел, как гигантский водопад. Приходилось громко кричать, чтобы услышать друг друга. Таня сняла свитер и завязала его на поясе, оставшись в футболке Гордона: еще никогда в жизни ей не было так жарко. Она чувствовала, как пылает ее лицо, вокруг летали искры.

Даже здесь, не на самом опасном участке, страшно находиться. Таня боялась себе представить, что испытывают другие. Ей не досталось рукавиц, и она то и дело обжигала ладони. Земля жгла ей ступни сквозь подметки, вокруг с шумом падали деревья, мимо шмыгали мелкие зверьки, спасающиеся от гибели. Время от времени на глаза Тане попадалась Зоя, разбившая вместе с другими врачами и городскими медсестрами лазарет. Народу все прибывало, но прошло невесть сколько времени, прежде чем она увидела Гордона. Он проскочил мимо нее и тут же обернулся, не веря своим глазам. Здесь Таня ничем не отличалась от остальных — трудилась не жалея сил. Она позволила себе минутный перерыв: так устала, что едва не валилась с ног, натруженные руки отказывались подниматься.

— Что ты тут делаешь? — Гордон тоже устал и выпачкался с головы до ног, но был горд тем, что удачно переправил лошадей на другое ранчо. Табун теперь в безопасности, а он поспешил на помощь отряду, сдерживающему огонь.

— Мы с Зоей вызвались помочь. Я поняла, что у них каждый человек на счету.

— Кажется, ты только и ищешь, как бы попасть в переплет.

Ему не могло понравиться, что она тушит пожар. При изменении направления ветра люди могли оказаться в ловушке. Сражение с таким сильным пожаром — нешуточная угроза жизни.

— Я сейчас убегаю, но скоро вернусь. Оставайся здесь.

Она хотела его задержать, но понимала, что это его долг: как и остальные, он обязан защищать ранчо от огня.

Самолеты всю ночь поливали очаг возгорания химикатами. Минул полдень, но люди оставались на своих местах. Большинство было близко к обмороку от усталости. Один грузовик съездил за матрасами, которые расстелили прямо в кузовах, чтобы люди могли разбиться на смены и поочередно отдыхать. В кузове каждого грузовика спало одновременно человек по десять. Усталость была так велика, что каждый норовил уснуть прямо на ходу. Таня снова увидела Зою только днем. Гордон не показывался с раннего утра.

— Держишься? — спросила Таня подругу. Та выглядела на удивление бодрой и совершенно спокойной.

— Еще как! — улыбнулась Зоя. — Пока нам везет: обращаются только с мелкими травмами. Говорят, если ветер не переменится, к вечеру с пожаром будет покончено. Недавно я видела Гордона. Он просил передать тебе привет при встрече.

— Он не ранен? — Таня была так встревожена, что Зоя опять не удержалась от улыбки.

— Нет, в полном порядке. Немного поцарапал руку, но кто здесь обошелся без царапин? Наверное, спит без задних ног где-нибудь в кузове.

Женщины взбодрились горячим кофе и поспешили на свои места. Для обеих это было захватывающим приключением, и им хотелось принести пользу. Мэри Стюарт уже грозил шквал насмешек за лень и трусость. Они знали, конечно, что подруга до смерти боится дорожных аварий, пожаров — всего, что не поддается контролю и сулит малейшую опасность. Но если серьезно, Таня радовалась, что Мэри Стюарт оказалась под присмотром Хартли: здесь им нечего делать. Самой ей льстило, что ее помощь пришлась кстати, и она была счастлива находиться рядом с Гордоном, пускай и не видит его. К тому же здесь она могла присматривать за Зоей.

Только в четыре часа дня лесники сообщили, что пожар локализован и до наступления ночи огонь будет окончательно подавлен. Среди уставших людей пробежал вздох облегчения, сменившийся радостными возгласами. Минуло еще полчаса — и толпа перепачканных, но счастливых борцов с пожаром хлынула вниз. Одни воспользовались транспортом, другие предпочли спускаться пешком, чтобы всласть наговориться, пошутить, обменяться впечатлениями, а то и прихвастнуть. У каждого был заготовлен рассказ о героических поступках на горных склонах.

Бредя по обочине, Таня увидела грузовик с Зоей и остальными врачами. Несмотря на усталость, они выглядели победителями. Среди чумазых лиц Таня узнала Джона Кронера. Помахав им рукой, она продолжила спускаться. При всей усталости она сознательно отказалась от места в грузовике. Ей нравилось, спускаясь пешком, любоваться горами, вздымающимися над долиной. Эти вершины стали ее верными друзьями. Они всегда будут ждать ее здесь.

— Подвезти? — раздался мужской голос.

Таня обернулась и увидела за рулем притормозившего грузовичка Гордона — с закопченным лицом, в измочаленной шляпе. Его глаза скрывали летные очки, одна рука была забинтована.

— Живой? — спросила она.

Он кивнул. От усталости Гордон с трудом удерживал баранку.

В ресторане ранчо всех спустившихся с горы ждал обед, но он опасался, что не сможет открыть рта. Сев с ним рядом, она инстинктивно потянулась к нему и была награждена поцелуем. Потом оба вспомнили, что им нельзя забывать об осторожности, особенно в толпе.

— Прости, Гордон, — пролепетала она, — я не подумала...

— И я, — с улыбкой прошептал он. Сейчас ему хотелось одного — забраться с ней в постель, проспать часов двенадцать и проснуться утром с ней рядом.

— Как вы теперь поступите с табуном? — спросила она, наливая себе воды из его термоса. Вода пахла дымом, но ее мучила сильнейшая жажда.

— Пригоним вечером обратно. Я приду за тобой, когда закончу. Если не возражаешь, конечно.

— Даже требую!

Таня откинула голову и запела, глядя в окно. То была старая техасская песня, одна из ее любимых. Он тоже знал ее и поэтому стал подпевать. Люди, мимо которых они проезжали, провожали их улыбками. Стоило ей запеть, как все догадались, кто она такая. А ведь, борясь с пожаром, и не подозревали, кто находится с ними рядом. Ее поступок произвел впечатление на всех, особенно на Шарлотту Коллинз. Таня без устали трудилась всю ночь! Она пробыла на горе семнадцать часов, как и остальные, и старалась даже больше, чем мужчины. Шарлотта сама этому свидетель. Зоя тоже выложилась на все сто, но ей помогало сознание, что она в компании коллег.

Гости еще не вернулись, и в ресторане кормили работников. Люди утоляли волчий аппетит омлетом, колбасой, беконом, бифштексами, фаршированными помидорами, жареным картофелем, сладким и мороженым.

— Кое-чего здесь все-таки недостает, — усмехнулась Таня, плюхнувшись рядом с Гордоном. — Где овсянка?

— Точно. Как они здесь обходятся без самого главного кушанья?

К ним подсела Зоя, потом Джон Кронер со своим возлюбленным. Проговорив с час о пожаре, все разбрелись по своим домикам. Гордону еще предстояло собрать людей и отправиться за лошадьми.

— К ночи ты свалишься, — шепотом предостерегла его Таня, выйдя с ним на улицу. — Уверен, что будешь рад меня видеть?

— А ты как считаешь? — Его взгляд был выразительнее любых слов.

— Я считаю, что вы у нас силач из силачей, мистер объездчик диких мустангов, — сказала она, борясь с желанием его поцеловать.

— Смотри, как бы мне не пришлось искать работу на соседнем ранчо.

— Этого я уже не опасаюсь. — Она убедилась, как самоотверженно он трудится и как у него спорится работа. Уволить его могла бы только сумасшедшая, а Шарлотта Коллинз — женщина в своем уме. — Но все равно обещаю глядеть в оба.

Им было так хорошо вдвоем, словно они созданы друг для друга.

— На твоем месте я бы вцепилась в него мертвой хваткой, — посоветовала Тане Зоя, дождавшись автобуса, в котором вместе с остальными вернулась Мэри Стюарт.

Часы уже показывали семь вечера, и отдыхающих, как обычно, накормили ужином. Таня и Зоя успели подкрепиться в том же зале в компании пожарных-добровольцев и не испытывали голода. Тем не менее они посидели с Хартли и Мэри Стюарт, вспоминая в подробностях недавнее происшествие. В свой дом они еще не заглядывали. Зоя сдавала не пригодившиеся на пожаре санитарные принадлежности, Таня ей помогала. Пожар скрепил всех добровольцев узами товарищества, и Зоя призналась, что теперь Гордон вызывает у нее еще большее одобрение.

Ко времени их возвращения в дом пожар на горе окончательно захлебнулся. Об этом сообщили в новостях, и это известие быстро облетело ранчо. Таня приняла душ, потом целый час нежилась в джакузи. Не успела она вылезти и вытереться огромным полотенцем, как в окно постучали. Она отдернула штору и увидела покрытую копотью физиономию со следами от очков. Если бы не стекло, она бы тут же заключила его в объятия. Мэри Стюарт и Зоя уже легли: для обеих предыдущая ночь выдалась бессонной, и они засыпали на ходу. Таня тоже умирала от усталости, но желание быть с Гордоном пересилило сонливость. Зря, что ли, она яростно боролась с запахом дыма, пропитавшим ее кожу и волосы? Она снова стала розовой, чистенькой, от нее исходил приятный аромат духов.

Он поманил ее к себе, так как не мог больше ждать ни минуты от усталости. Но она все равно сделала ему жест потерпеть и бросилась к двери. Немного раньше ее посетила блестящая идея, и она выключила свет снаружи и в гостиной, чтобы их никто не увидел.

— Идем! — поторопил он ее.

— Лучше сам зайди. Не бойся, никто не узнает. Все спят. Даже если кто-то и увидит, мы вполне можем отговориться, что делимся впечатлениями о пожаре.

За истекшие сутки он привык к сюрпризам, поэтому колебался недолго. Проскользнув в гостиную, он осторожно прикрыл за собой дверь. Все шторы были задернуты. Она пригласила его к себе в спальню.

— Что ты придумала? — испуганно спросил он. — Мне нельзя здесь ночевать.

— Предлагаю тебе побаловаться джакузи, — сказала она. — Вон как ты вымотался! Давай! Если после ванны ты захочешь уйти, я уйду с тобой.

Он знал, что, раздевшись, никуда не захочет тащиться, но спорить не стал, не имея сил даже на пререкания. Перегон лошадей в загон окончательно его доконал.

Она сама включила воду и помогла ему стянуть одежду. Он был сейчас как малое дитя и радостно принимал помощь. Когда залез в ванну, она включила струи, и он зажмурился. Казалось, Гордон умер и попал в рай. Почувствовав, что засыпает, он заставил себя открыть глаза и устремил на нее полный признательности взгляд.

— Невероятно, Танни!

Она умолчала, что привыкла к большей роскоши, — роскошь его не интересовала. Она просто позволила ему отлежаться. Пока он блаженствовал, вымыла ему голову. Лучшего подарка она и не могла бы ему преподнести и радовалась, что настояла на его приходе.

Он провел в ванне не меньше часа. Потом поднял на Таню глаза. Он очень хотел спать, но сейчас определенно воспрянул.

— Желаешь присоединиться? — пригласил он.

Таня засмеялась. Она не могла поверить, что он способен даже помыслить о таких вещах после подобного испытания. Но стоило залезть к нему в ванну, как ей стало ясно, что у него на уме далеко не только сон.

— Невероятно! Час назад я была готова тебя похоронить.

— Я уже воскрес. Во всяком случае, частично. — Он был в отличной форме, и они занимались любовью прямо в джакузи.

Выбрались оттуда только после полуночи. Они долго пробыли в воде, Таня даже пожаловалась, что чувствует себя как размокшая виноградина.

— Не знаю, что ты чувствуешь, но вид у тебя что надо. — Он ласково погладил ей ягодицы.

Она обернулась:

— Хочешь вернуться к себе или остаться здесь?

Он ответил не сразу — знал, что ведет себя неразумно, но ничего не мог с собой поделать. В кои-то веки можно испытать судьбу.

— Остаться. Возможно, мне придется об этом пожалеть, особенно если ты не выпихнешь меня примерно в половине шестого. Это очень важно!

— Выпихну! — пообещала она.

— Гляди! А сейчас я все равно не доплелся бы до своей конуры. — По правде говоря, ему и не хотелось туда плестись.

Они расположились на ее огромной кровати, и он признался, что незнаком с такой роскошью. Простыни были образцом свежести и чистоты. Ее тело поражало гладкостью, пахло мылом и духами, даже волосы были совершенно чисты, словно в них и не было недавно гари. Он почувствовал себя избалованным ребенком и уснул еще до того, как Таня выключила свет.

Всю ночь он прижимал ее к себе. В пять двадцать она ласково разбудила его, как обещала. Ее собственному пробуждению помог будильник.

— Знал бы ты, как мне не хочется тебя будить! — прошептала она ему на ухо. Он перевернулся на другой бок и обнял ее. Даже во сне он был с ней нежен. Его невозможно не любить. — Пора вставать.

— Никогда больше не встану, — пробормотал он, не открывая глаз. — Ведь я умер и вознесся в рай.

— Вместе со мной. Но в раю тоже есть дела. Вставай, соня!

Он послушно открыл глаза и со стоном сполз с кровати, затем медленно натянул на себя одежду. Его вещи оставались грязными после пожара, а сам он был чист, но знал, что уже через несколько минут, добежав до своего домика, скинет грязную одежду, примет душ и оденется во все чистое, чтобы появиться на работе как ни в чем не бывало. Другое дело — расставаться с ней. Вот чего ему не хотелось!

— Спасибо, — молвил он, глядя на нее во все глаза. — В жизни никто не делал мне такого чудесного подарка! — Он имел в виду и джакузи, и любовь.

— Я знала, что это пойдет тебе на пользу, — сказала она с улыбкой и тут же вспомнила, что наступила среда. — Надеюсь, ты пропустишь сегодняшнее родео?

Немного помявшись, он кивнул:

— Сегодня от меня все равно будет мало толку — я слечу с мустанга уже через несколько секунд. Нет уж, в этот раз я пас.

— И я. — После неприятных субботних событий она больше не собиралась появляться на родео.

— Как насчет тихого вечера под музыку? Не возражаешь снова наведаться в мое скромное жилище?

— Не возражаю. — Она чмокнула его в щеку и выпроводила за дверь.

Он исчез бесшумно, не обратив на себя постороннего внимания.

В девять часов, встретившись с ним у загона, она поразилась тому, насколько Гордон опрятен, собран, даже официален: снова белая рубашка, ковбойская шляпа, джинсы. Кони спокойно стояли под седлами, люди выглядели отдохнувшими. Если бы не слабый запах дыма, нельзя было бы догадаться, что́ они пережили за последние сутки. Однако все разговоры были посвящены в этот день исключительно пожару на горе Шадоу.

День выдался мирным. Пообедав, Мэри Стюарт позвонила в Лондон Биллу. Он работал у себя в номере и удивился ее звонку. В последнее время она ограничивалась факсами и почти ему не звонила. Как, впрочем, и он ей.

— Что-то случилось? — испуганно спросил он. В Лондоне было уже десять вечера.

— Ничего, — спокойно ответила она. Помолчав немного, поинтересовалась, как продвигается его работа. Он ответил, что все идет по плану.

Затем повисла неловкая тишина. Она вышла из положения, рассказав о лесном пожаре, о добровольном участии в его тушении Тани и Зои, о том, что ее эвакуировали на соседнее ранчо. О Хартли, естественно, умолчала. Следующие ее слова стали для Билла полнейшей неожиданностью.

— На будущей неделе я, видимо, наведаюсь в Лондон.

— Я же тебя предупреждал, что очень занят! — раздраженно бросил он.

— Я в курсе. Просто нам пришло время поговорить. Не хочу дожидаться сентября.

Его это, по всей видимости, не волновало, зато ее волновало, даже очень.

— Я мог бы вернуться в конце августа.

— Не собираюсь ждать еще полтора месяца, — проговорила она.

— Конечно, я по тебе соскучился, — испугался он, — но занят день и ночь. Я же говорил! Иначе взял бы тебя с собой.

— Предпочитаешь, чтобы я отправила тебе факс? — холодно спросила она.

Возмутительно! Неужели он не может выкроить время, чтобы услышать, что их супружеству пришел конец?

— Давай не будем ссориться. Просто у меня нет времени.

— Это и будет темой моего визита. У тебя вообще нет времени: ни на разговоры, ни на любовь, ни на какие-либо еще супружеские обязанности. По-моему, Билл, дело не столько во времени, сколько в утрате интереса.

— Что ты хочешь этим сказать? — У него пробежал холодок по спине.

Только сейчас до него стало доходить, что все это значит: эти факсы, молчание, отсутствие звонков. Он опомнился, но поздно. Слишком поздно.

— Зачем ты сюда прилетишь? — спросил он напрямик. Билл всегда ненавидел неожиданности.

— Чтобы встретиться с тобой. Я не отниму у тебя много времени. Если хочешь, даже остановлюсь в другом отеле. Просто считаю, что после двадцати двух лет брака надо переброситься хотя бы словечком, прежде чем отправить все в мусорную корзину.

— Вот, значит, как ты к этому относишься?

Как ни поражен, как ни напуган он был, она ничего не стала отрицать.

— Да. Уверена, что и ты относишься к этому так же. Значит, нам есть о чем поговорить.

— Я против. — Он был совершенно раздавлен. — С чего ты вдруг?

— Еще спрашиваешь! Это печальнее всего.

— Мы оба пережили страшную трагедию. В Лондоне у меня ответственнейший судебный процесс, разве ты этого не знала?

— Знала, Билл.

Она уже устала его слушать. Он был до того недогадлив, что она засомневалась, стоит ли ей вообще лететь в Лондон. Ее угнетал даже разговор с мужем, не то что его вид.

— Поговорим через неделю.

— Это будет разговор или подписание бумаг? — сердито осведомился он.

— Сам решай.

На самом деле право решать принадлежало теперь не ему, а ей. Он мог тянуть до бесконечности: его устраивал брак с женщиной, до которой он больше не дотрагивается, с которой не говорит, на которую даже не смотрит. Такая перспектива вселяла в нее ужас. Она провела десять дней, беспрерывно беседуя с Хартли, и сама мысль о возврате к безмолвному сожительству, лишенному намека на любовь, казалась ей самоубийственной. Она твердо решила, что этому не бывать.

— Такое впечатление, что ты уже приняла решение, — огорченно проговорил Билл, и она едва не ответила утвердительно, но удержалась, чтобы не лишать смысла свою поездку в Лондон.

Она чувствовала, что обязана предоставить ему шанс, дать хотя бы возможность объяснить, почему он целый год так дурно с ней поступал, а уж потом сообщить ему о своем решении.

— Ты полетишь из Нью-Йорка? — спросил он, словно это имело какое-то значение.

— Из Лос-Анджелеса. Сначала проведу пару дней с Таней.

— Это она тебя надоумила? — (Можно было подумать, что у нее самой не хватило бы мозгов.) — Или другая твоя подруга, врачиха?

— Ее зовут Зоей. Нет, они тут ни при чем. Пойми, Билл, я все решила сама. Я много думала еще до отъезда из Нью-Йорка, и теперь не вижу смысла ждать еще два месяца, чтобы тебе сказать...

— Что ты собираешься сказать?

Он хотел вырвать у нее ответ. Чувствовал, что назревает разрыв, и был близок к панике. Его можно только пожалеть. Вместо того чтобы паниковать сейчас, когда уже поздно что-то изменить, ему надо было заметить неладное еще полгода назад или хотя бы двумя месяцами раньше. Тогда бы он смог сказать решающее слово. А теперь — нет.

— Что мне с тобой плохо. Неужели ты сам этого не замечал? Тебе тоже со мной несладко. Давай не будем кривить душой.

— Это были тяжелые времена, но я уверен, что все поправится.

Он отметал несчастье последнего года, всю горечь, безмолвие, ненависть.

— Как поправится? Почему это вдруг?

Несколько месяцев назад она предлагала ему обратиться к психоаналитику, но он отказался, предпочтя не смотреть правде в лицо, а прятать голову в песок. Откуда же возьмется улучшение теперь? Но для него, судя по его тону, это было вопросом жизни и смерти.

— Не знаю, что творится...

Он был совершенно растерян, абсолютно не подготовлен к ее обвинениям, словно не предполагал, что она способна что-то заметить. Неужели Мэри Стюарт для него — все равно что автомобиль, который можно припарковать, на время про него забыть, а при необходимости снова завести? Что ж, поздно: аккумулятор окончательно сел.

— Не понимаю, зачем тебе сюда мчаться?.. — Он по-прежнему твердил свое.

— Поговорим на следующей неделе. — Мэри Стюарт не желала продолжать этот разговор.

— Может быть, я сам прилечу в Нью-Йорк на выходные?

Можно было подумать, его больше всего страшит сам факт ее появления в Лондоне. Однако она отказывалась продлевать томительное ожидание.

— Это совершенно необязательно. Ты слишком занят. Честное слово, я не отниму у тебя много времени. Потом я попробую встретиться с Алисой.

— Она знает о твоем намерении?

Об этом еще никто не знал. Ему следовало бы не трусить, а взять себя в руки.

— Пока нет, — холодно ответила Мэри Стюарт. Она слишком долго его любила, слишком многое ему отдала, слишком долго ждала улучшения. Теперь ей уже нечего ему предложить. В ней не осталось даже сочувствия. — Постараюсь отловить ее по телефону перед приездом.

— Может, проведем уик-энд все вместе? — предложил он со слабой надеждой.

— Не хочу. Я прилечу не за этим. Пробыв в Лондоне день, от силы два, я отправлюсь туда, где она в тот момент окажется.

Она не позволит ему спрятаться за спиной дочери, изображая дружную семью, и тем ее переиграть. Это счеты между ней и мужем, и нечего приплетать к этому других, даже Алису.

— Если хочешь, можешь пробыть дольше...

Билл запнулся. Наконец-то почувствовал, что все средства исчерпаны. Он не был полным болваном, а она никогда не вела себя так бессердечно. Мысль о появлении в ее жизни другого мужчины не могла прийти ему в голову. Это не вытекало ни из ее слов, ни из характера. Билл не сомневался в ее верности и в этом отношении не ошибался. Но вот ее оскорбленный, нет, даже презрительный тон... Теперь он понимал, что дело зашло слишком далеко. Для него уже не составляло тайны, что он услышит от нее, когда Мэри Стюарт нагрянет в Лондон. Он был признателен ей за намерение уведомить его о своем решении лично, а не письмом. Но это, конечно, не избавит его от уныния.

Когда жена повесила трубку, он почувствовал себя растоптанным. Напрасно она потратит деньги на билет и будет скучать над океаном: он и так понял, какую весть она ему привезет, и не придумал ничего лучше, как отправить ей новый факс.

Спустя час, получив его послание, Мэри Стюарт, мельком взглянув на текст, отправила его в мусорную корзину. Не долетев до корзины, листок упал на пол. Немного погодя Зоя подняла его с пола, прочла и покачала головой — этот человек совершенно безнадежен.

«Жду встречи на следующей неделе. Привет подругам. Билл».

Это был утопающий. Ему следовало бы попробовать спастись, ухватиться за любую соломинку. Видно, что он не собирается этого делать.

Глава 20

Наступил четверг. Они цеплялись за оставшиеся дни, как нервнобольные — за лечебные четки. У каждой имелись на то свои причины. Зое больше остальных хотелось побыстрее попасть домой. Она ежедневно разговаривала с Сэмом, чувствовала себя здоровой, скучала по ребенку. Но она успела влюбиться в ранчо и понимала, что каждый проведенный здесь день — дополнительная польза для ее здоровья. По ее собственным словам, это походило на паломничество к святым мощам: она молитвенно взирала на горы и чувствовала, что вернется домой, готовая к решительной борьбе. Даже Джон Кронер соглашался, что это не беспочвенное суеверие.

Для остальных приближение отъезда было мучительно: каждый проходящий день они провожали как ценный дар, с которым вынуждены расстаться навсегда. Даже Хартли полагал теперь, что они с Мэри Стюарт проявили излишнюю щепетильность: не надо было ограничиваться поцелуями и объятиями, а познать друг друга по-настоящему. Догадываясь, как развиваются отношения Тани с Гордоном, он испытывал острую зависть.

Мэри Стюарт, услышав эти соображения, обозвала его дурнем: они поступают правильно. В конце концов он и сам, поразмыслив, с этим согласился. Она напомнила, как много осталось у каждого за спиной: сколько потерь, боли! И как важно не мчаться вперед очертя голову, а действовать с оглядкой. Ей не хотелось начинать их роман с измены Биллу, будто она бросает мужа ради Хартли. Зачем обоим всю оставшуюся жизнь тащить за собой шлейф вины? Для Хартли ее слова послужили целительным эликсиром: они избавили его от беспокойства.

— Раз впереди у нас вся оставшаяся жизнь, я готов подождать.

Конечно, ни он, ни она еще не были до конца уверены, чем все это кончится. Ей предстояла поездка в Лондон, тяжелый разговор с мужем. Но все указывало на счастливый результат. Любой внимательный человек, особенно Таня и Зоя, готов был бы побиться об заклад, что они будут вместе.

— Пока ты будешь в Лондоне, я успею сойти с ума, — сказал Хартли.

Мэри Стюарт повезло: она завоевала сердце милого, привлекательного мужчины. Хартли пригласил ее в Сиэтл, где должен был провести важные переговоры с дирекцией библиотеки. Из Сиэтла его путь лежал в Бостон, чтобы обсудить тезисы лекции, которую ему предстояло прочесть в Гарварде. Став его спутницей, она заживет интересной жизнью. Хартли мечтал, что она прочтет все им написанное, а пока предложил ознакомиться со своей последней рукописью. Для нее это большая честь. Теперь вопрос найти работу утратил для нее актуальность: Хартли не даст ей скучать.

Однако Мэри Стюарт отклонила его предложение поехать с ним в путешествие после отъезда из Вайоминга. Она предпочитала отправиться с Таней в Лос-Анджелес, провести там день-другой, а затем вылететь в Лондон. Покончив с главным, она встретится с ним в Нью-Йорке. Так лучше для обоих: ведь к тому моменту она станет свободной. Ничего не хотелось ей так сильно, как провести остаток лета с ним на острове Фишер. Хартли мечтал устроить в ее честь званый ужин, познакомить с друзьями, поделиться с ними своей радостью: после двух лет одиночества он вновь обрел счастье.

— Я немедленно позвоню тебе, как только все с ним решу.

Они не спеша прогуливались. Утром ездили верхом, а вторую половину дня решили посвятить отдыху. Им хотелось побыть наедине и поговорить по душам.

— Может быть, придумаем условный знак?

— Какой? — Она пыталась представить себя на его месте. Конечно, он заслуживает сочувствия, но нервничает, она считает, сверх меры. Ее полет в Лондон будет всего лишь данью вежливости, особенно после последнего телефонного разговора с мужем. — Предлагай!

— Точка-тире, точка-тире... — Он засмеялся, потом нахмурился. Мэри Стюарт видела, как он встревожен. — Просто предупреди меня по факсу. Дай знать, когда вернешься. Я встречу тебя в аэропорту.

— Успокойся! — Она поцеловала его, и они побрели обратно к ранчо рука об руку.

В эту самую минуту Гордон и Таня скакали вниз по склону горы Шадоу. Они ездили посмотреть, каких бед натворил пожар, и ужаснулись от увиденного.

Внезапно Таня заметила мужчину, вышедшего из зарослей на опушку. Издали он выглядел лесным бродягой: рваная одежда, длинные всклокоченные волосы. Он ковылял по пожарищу босиком. Понаблюдав за всадниками, скрылся среди деревьев.

— Кто это? — поинтересовалась Таня. Бродяга испугал ее своим видом, к тому же она заметила у него на плече ружье.

— Иногда мы встречаем в горах таких типов. Они скитаются по национальным паркам. Наверное, пожар согнал его с облюбованного места, вот он и ищет новое пристанище. Вообще-то они безобидные.

Видя, что Гордон совершенно спокоен, Таня облегченно перевела дух. Потом она вспомнила, что просила его съездить с ней в горы. Он пообещал, только предупредил, что надо выехать пораньше.

Они вернулись вовремя. Расставаясь с ним у загона, Таня пообещала снова прийти вечером. У них уже установился особый распорядок: она ужинала с подругами и возвращалась утром, когда они еще спали. Уже много лет она не испытывала такого счастья. Подругам не приходило в голову на нее ворчать.

Ужин прошел весело. Хартли и Мэри Стюарт выглядели довольными, Зоя тоже: она снова побывала в больнице Джона Кронера. Ей нравилось его общество, а он был признателен ей за помощь в лечении больных. За едой было столько шуток и смеха, что Таня ушла от подруг позже обычного. Все, даже Хартли, знали, куда она направляется. Правда, он удивился бы, узнав, как подолгу она пропадает. Что ж, Гордон — славный парень, и они с Таней отлично подходят друг другу. Хартли не находил в этой связи ничего шокирующего.

Она добралась до его домика тем же путем, что и обычно. В небе сияли бесчисленные звезды. Ночь была такой чудесной, что ей не хотелось в помещение. Проходя мимо лошадей, она услышала тихое ржание. Гордон поджидал ее, как обычно. Он поставил музыку, сварил к ее приходу кофе. Сначала они болтали, потом любили друг друга. Лежа в его объятиях, она жалела, что время нельзя обратить вспять. Как же быстро оно бежит!

Они разговаривали допоздна. Потом вдруг услышали какой-то треск. Раздался собачий лай, громкое конское ржание. Гордон замер и прислушался. Собака залаяла снова. Лошади ржали и беспокойно метались по загону.

— Что случилось? — тихо спросила Таня.

— Не знаю. Их часто кто-то тревожит: то в загон проберется койот, то кто-нибудь пройдет мимо... Скорее всего ничего особенного.

Но минуло десять минут, а лошади не только не успокоились, но разволновались еще больше.

Гордон решил одеться и наведаться в конюшню.

— Уверен, все нормально, — сказал он напоследок. В его обязанности входило приглядывать за порядком.

Таня знала, что не может пойти с ним.

— Я подожду, — пообещала она, наблюдая, как он натягивает штаны, обувается, надевает на голое тело свитер. В лунном свете он был так красив, что она едва не крикнула ему: «Остановись!» На прощание она наградила его таким призывным поцелуем, что он проговорил, выходя:

— Я тебя понял. Сейчас вернусь.

Гордон побежал к загону, потом, огибая угол, замедлил бег. Таня наблюдала за ним в кухонное окно и не заметила никакой опасности. Лошади продолжали ржать и шарахаться, в остальном же все было спокойно. Гордон долго не возвращался.

Через час Таня забеспокоилась. Она не знала, что и подумать. Вдруг одна из лошадей захворала и ему пришлось остаться, или еще какая-нибудь напасть? Она никого не могла позвать на помощь, никого не могла попросить взглянуть, в чем дело.

Наконец решила одеться и пойти на поиски самостоятельно. Даже если ей кто-нибудь повстречается, она сможет отговориться: мол, не спалось, вот и вышла прогуляться. Никто не догадается, где она только что была.

Она медленно двинулась к загону. Внезапно наступила полная тишина. Стоило ей свернуть за угол — и она увидела их: мужчину, которого они заметили днем на склоне, и Гордона. Мужчина держал Гордона на мушке ружья, а тот что-то ему говорил, не шевелясь. Несколько лошадей были забрызганы кровью, одна лежала на земле. Злодей был вооружен не только ружьем, но и огромным охотничьим ножом.

Поняв, что происходит, Таня попятилась, потом побежала. В тот самый момент, когда она должна была скрыться за углом, злодей увидел ее. Раздался выстрел.

Она не знала, кто в кого стрелял. Уж не в нее ли? Она просто бежала изо всех сил, зная, что обязана быстрее привести подмогу. Господи, только бы пуля не предназначалась Гордону! Она не могла думать ни о чем другом. Она больше не слышала выстрелов. Единственным звуком был ее собственный топот, потом — удары кулаками в дверь первого же домика по пути. Здесь обитал молоденький ковбой из Колорадо, которого она запомнила.

Он выскочил на крыльцо, обмотанный одеялом, решив, что снова начался лесной пожар. Иногда пожар, казалось бы, окончательно затушенный, разгорался снова. Однако по Таниному лицу понял, что случилось нечто несравненно худшее. Он мгновенно ее узнал. Она схватила его за руку и потянула за собой.

— Там, в загоне, человек с ружьем и ножом. Пострадали лошади. Он угрожает Гордону. Быстрее!

Он не знал, конечно, откуда ей все это известно, но спрашивать не стал. Бросив одеяло, поспешно натянул штаны. Таня отвернулась, дожидаясь, когда парень приведет себя в порядок. Он появился на крыльце, застегивая молнию, и постучал в соседнюю дверь. Человеку, вышедшему на стук, велел вызвать шерифа и разбудить остальных. Затем он и Таня бросились к загону что было сил и успели заметить, как злодей прыгнул на лошадь и поскакал в горы. На скаку он размахивал ружьем и выкрикивал непристойности, но больше не стрелял. Он погубил двух лошадей: одну зарезал, другую застрелил.

Гордон лежал на земле, раненный в руку, и истекал кровью. Таня сразу поняла, что у него рассечена артерия и он вот-вот умрет от потери крови. Она схватила его руку и зажала чуть выше раны. Ковбой получил приказ бежать за Зоей. Глядя на Гордона, она понимала, что дело плохо. Однако ей удалось замедлить кровотечение. Она уже была с головы до ног в крови, все вокруг было забрызгано кровью; рядом бесновались лошади.

— Ну же, милый... Не надо... Ответь мне, Гордон...

Продолжая зажимать ему рану, она пыталась не позволить ему лишиться чувств, но видела, что у него закатываются глаза.

— Нет! — крикнула она. Она зажимала рану обеими руками, иначе отвесила бы ему пощечину. — Очнись, Гордон! — Она кричала и плакала одновременно.

Появились коллеги Гордона. Все были ошеломлены и не сразу поняли, в чем дело. Никто ничего не слышал. Зажимая кровоточащую рану, она пыталась объяснить им, что произошло. Потом увидела Зою, спешащую изо всех сил вниз по склону в развевающемся халате. При ней был медицинский чемоданчик. Когда она подбежала, Таня увидела, что она успела натянуть резиновые перчатки, чтобы не поделиться с Гордоном своей страшной болезнью.

— Пустите! — потребовала она. — Вот так, спасибо.

Опустившись на колени, она вопросительно взглянула на Таню.

— Его полоснули охотничьим ножом...

Зоя видела, что Гордон чуть не лишился руки.

— Кажется, у него рассечена артерия, вон как хлещет... — Таня помнила, чему ее учили на курсах экстренной помощи, хотя с тех пор минуло невесть сколько лет.

— Не отпускай! — распорядилась Зоя и хотела было осмотреть рану, но стоило совсем немного изменить положение руки — и их окатил фонтан крови.

Таня усилила нажим, Зоя кое-как наложила жгут. Раненый был в тяжелом состоянии. Он находился в шоке, и у Зои не было уверенности, что он вытянет. Таня тоже это видела и твердила как заведенная его имя. Остальные в ужасе наблюдали за происходящим. На место происшествия вызвали Шарлотту Коллинз. Двое ковбоев горевали по погубленным лошадям. Незнакомец с гор был, судя по всему, умалишенным. Ковбой, разбуженный Таней, делился впечатлениями и строил предположения.

— Когда, по-вашему, поспеет «скорая»? — спросила Зоя.

— Через десять — пятнадцать минут, — ответили ей, и она нахмурилась: Гордон совсем плох, и она уже ничем не может ему помочь.

Требовались кровь для переливания, кислород, операционная, причем немедленно. В тот самый момент, когда она простилась с последней надеждой, ночь прорезала пронзительная сирена. Ковбои показали водителю, куда подрулить. Гордон уже был в беспамятстве, пульс едва прослушивался. Он потерял слишком много крови.

Таня рыдала, продолжая зажимать ему рану, Зоя пыталась ее подбодрить. Она поведала санитарам все, что знала, пока они укладывали раненого на носилки. Потом залезла вместе с ними в машину. Кто-то сунул Зое клеенчатый плащ, чтобы она накинула его поверх халата. Таня спросила, можно ли и ей поехать с ними. Теперь раной занялись санитары. Гордон лежал белый как бумага.

— Лучше я вас довезу, — раздался из-за спины женский голос.

Таня обернулась и увидела Шарлотту Коллинз. В ее глазах она не увидела осуждения, только благодарность. Таня кивнула. «Скорая» унеслась. Там для нее все равно не хватило бы места, к тому же Зоя не допустила бы, чтобы она стала свидетельницей его смерти, которую считала вероятным исходом.

Нагоняя в машине Шарлотты «скорую», Таня рассказала, что видела днем вооруженного человека в горах, но Гордон посчитал, что он не представляет опасности.

— Чаще всего они действительно безобидны, но встречаются и психопаты. Несколько лет назад разразилась настоящая трагедия: человек, недавно вышедший из тюрьмы в другом штате, перерезал целую семью, мирно спавшую в спальных мешках. Правда, здесь такое случается редко, мы даже не запираем на ночь двери своих домов.

Слушая Шарлотту, Таня жмурилась от страха и жалела обо одном — что не едет с Гордоном в «скорой». Она до сих пор не могла поверить в происшедшее — так быстро все случилось.

Казалось, дорога до больницы заняла годы. Вторую половину пути Шарлотта и Таня проделали молча. Таня не могла бы поддерживать разговор, Шарлотта сочувствовала ей всем сердцем. Она знала гораздо больше, чем могли догадаться ее гости. Ни одно событие на ранчо не проходило мимо ее внимания. Конечно, она не инструктировала свой персонал сближаться с гостями, напротив, в подобных случаях провинившимся грозили кары, однако время от времени между ковбоями и отдыхающими женщинами все равно завязывались романы. Жизнь есть жизнь, ее не всегда удается регулировать правилами распорядка. Сейчас главное — спасти ему жизнь, с остальным можно разобраться потом.

В приемном отделении уже ждали: к носилкам бросилась дюжина медиков, двое хирургов готовились к операции. Зое предложили присутствовать, но она отказалась, полагая, что принесет больше пользы, если дождется исхода операции вместе с Таней. По пути в больницу Зоя поддерживала в Гордоне жизнь, но теперь была бессильна. Теперь вся надежда на специалистов приемного отделения и хирургов.

— Как он? — хрипло спросила Таня.

— Жив. — В данный момент Зоя не могла сказать ничего другого. Чувствуя, что должна быть честной с подругой, она добавила: — Не знаю, надолго ли.

Шарлотту Зоин ответ заставил укоризненно покачать головой. Обе взяли Таню за руки и приготовились ждать, не мешая ей плакать. Теперь Таню не смущало, что Шарлотта видит ее слезы. Ну и пусть. Сама Таня знала сейчас одно: она любит его!

Через некоторое время приехали полицейские и задали ей несколько вопросов. Таня рассказала все, что знала. Зоя смотрела на нее с жалостью, уже представляя себе, как изобразят ситуацию в газетах: «Таня Томас тискается на ранчо с ковбоями!» Шарлотте пришла в голову та же мысль, и она отозвала полицейских на пару слов. Те покивали и отбыли. Никто не требовал от них скрывать свидетелей и улики, однако звонков в газеты можно было избежать. Полицейские сочувствовали Гордону и хорошо знали Шарлотту. Они пообещали отправить в горы шерифа на поиски преступника и коня, которого он украл.

Женщин навестил Джон Кронер. Кто-то позвонил ему домой как участковому врачу, отвечающему за ранчо. Поговорив с Зоей, он заглянул в операционную, но говорить о чем-либо еще рано. Артерию зашили, но слишком велика потеря крови. Таня обессиленно закрыла глаза. Зоя и Джон прогуливались по коридору.

— У нее неважный вид, — сказал Джон. — Ей тоже досталось? Что ей понадобилось в загоне в полночь?

Зоя улыбнулась: Кронер молод и наивен, но она успела проникнуться к нему симпатией и доверием.

— Она в него влюблена.

Это все объясняло. Джон понимающе кивнул.

Прошел час, прежде чем к ним вышел хирург. Он был так мрачен, что Таня чуть не лишилась чувств от одного его вида. Зоя стиснула ей руку, Таня залилась слезами, не дожидаясь, когда он заговорит. Он смотрел на Таню так, словно отлично сориентировался в ситуации. На самом деле он понятия не имел, кто она такая, и не хотел этого знать. Просто, видя, что с ней творится, понял, к кому обращаться.

— С ним все хорошо, — выпалил он на одном дыхании.

Таня разрыдалась еще сильнее и упала Зое на грудь.

— Все в порядке, Тан, все в порядке. Все обошлось. Хватит...

— Господи, я решила, что он умер...

Все отвернулись, чтобы не мешать ей приходить в себя. Врач объяснил Шарлотте, что пострадали нервы и связки, но Гордон все равно быстро поправится. Хирургического вмешательства больше не потребуется, только наблюдение терапевта и неделя-другая покоя. Раненый потерял много крови, но Таня с Зоей вовремя вмешались и спасли его. Врач решил не делать переливание; если все будет в порядке, без сильной боли и жара, то уже завтра Гордона можно будет забрать на ранчо. Шарлотта кивнула и поблагодарила врача. Тот снова перенес внимание на Таню.

— Хотите на него взглянуть? — Он не удержался от улыбки. — Вы и ваша подруга-врач сотворили чудо: если бы не пережатая артерия, он бы не доехал до больницы живым, не протянул бы и нескольких минут.

Таня кивала, не в силах вымолвить ни слова.

— Он в сознании? — спросила она наконец и, получив утвердительный ответ, заторопилась следом за врачом. Остальные, оставшись в комнате ожидания, воспользовались ее отсутствием, чтобы обменяться впечатлениями.

Врач отдал должное Таниной красоте. Он решил, что ей не больше тридцати. Если бы ему сказали, что это Таня Томас, он бы сильно удивился.

— После наркоза он немного не в себе, но, едва очнувшись, потребовал вас. Ведь вы — Танни?

Она кивнула и накинула предложенный ей халат. Раненого окружала дюжина медсестер и полсотни механизмов и приборов, но он сразу ее заметил, приподнял голову и улыбнулся:

— Привет, детка!

Она наклонилась и поцеловала его.

— Ты до смерти меня напугал!

— Прости... Я старался не дать ему снова кинуться на лошадей, и тогда он кинулся на меня.

— Тебе повезло, что он тебя не прикончил. — Ее все еще трясло от волнения.

— Врач говорит, что это ты меня спасла.

То, как они смотрели друг на друга, говорило о настоящем чувстве. Она снова его поцеловала и прошептала:

— Я люблю тебя.

— И я тебя люблю.

Он закрыл глаза. Она спросила у врача, можно ли ей остаться с ним, и, заручившись согласием, вышла к Зое.

— Вы уверены? — спросила Шарлотта Коллинз. — Я могла бы привезти вас сюда завтра утром.

— Лучше я останусь. — Она умоляюще посмотрела на хозяйку ранчо. — Простите, что все так получилось... Простите за него. Я не хотела бы создавать ему трудности.

Скрывать их отношения теперь невозможно, да и не имеет смысла, и Шарлотта понимающе улыбнулась:

— Знаю. Можете не беспокоиться. Все в порядке. Просто будьте осторожны.

Как и Зоя, она боялась за Таню. В Танино отсутствие Зоя поведала ей, как певицу травит пресса.

— Вы тоже не беспокойтесь, — ответила Таня. — В больнице никто не знает, кто я такая.

Женщины уехали на ранчо, Джон Кронер отправился домой. Таня вернулась к Гордону. Он спал. Для нее поставили раскладную кровать, а в шесть утра его перевели в палату, и она перебралась туда следом за ним. Он уже бодрствовал и утверждал, что чувствует себя отлично, хотя по его виду этого нельзя было сказать.

— Я выздоровел, поехали домой, — твердил он, хотя от потери крови едва мог сидеть.

Таня погрозила ему пальцем:

— Вижу я, какой ты здоровый! Ляг и лежи.

Он усмехнулся. Наконец-то у нее появилась возможность им покомандовать, правда, он и не собирался лишать ее этого удовольствия.

— Думаешь, раз ты спасла меня, то теперь всю жизнь будешь мной помыкать? — Он шутливо насупился, но через мгновение расплылся в улыбке: — Знала бы ты, какой усталой выглядишь!

— Не надо было до смерти меня пугать.

На обратном пути у нее было запланировано еще одно дело. Раньше она собиралась заняться им во время очередной конной прогулки. Теперь она вызвала в больницу Тома с автобусом.

Врач согласился выписать раненого в полдень, убедившись в отсутствии осложнений и лихорадки.

Увидев из кресла на колесах огромный автобус, Гордон присвистнул:

— А как же осторожность? Как я объясню все это Шарлотте? Или мы окончательно махнули на все рукой?

— Вчера вечером, дожидаясь выхода хирурга из операционной, я так сильно сжимала ее руку, что она могла кое о чем догадаться. Вообще-то, — продолжила Таня серьезно, — она проявила благородство. По-моему, все хорошо понимает.

— Надеюсь. Получить удар ножом среди ночи, да еще у тебя под носом, не входило в мои планы.

Теперь он переживал за себя и за Таню. На ее взгляд, он пришел в себя, несмотря на боль в руке. В этой боли он не желал сознаваться, но морщился, когда приходилось шевелить поврежденной конечностью. Врачи снабдили его болеутоляющими средствами, но он утверждал, что самое верное средство — глоток виски.

Таня разместила его в задней части своего автобуса, на кровати, обложила его раненую руку подушками и дала попить. Автобус тронулся.

Через некоторое время, выглянув в окно, он недоуменно приподнял брови:

— Не хотелось бы тебя расстраивать, Тан, но твой водитель избрал, кажется, не самый короткий путь.

— Я думала, что красоты природы пойдут тебе на пользу.

Он не стал признаваться, что сейчас ему полезнее вид родной кровати, и ограничился поцелуем.

— Учти, все это никак не скажется на нашей личной жизни.

Она встретила его браваду смехом.

— Этой ночью личная жизнь не входила в перечень твоих главных проблем в отличие от жизни как таковой.

Оба никак не могли поверить, что так легко отделались.

Место, куда они направлялись, было уже совсем близко. Они побывали здесь неделю назад. Гордон сразу смекнул, где находится.

— Зачем ты меня сюда привезла? — Он даже сел. — Обожаю это местечко! — Неужели Таня стала от переживаний сентиментальна? Он тоже расчувствовался и поцеловал ее.

Она прыснула:

— На это я и надеялась.

— Это почему же?

— Потому что теперь оно принадлежит мне.

— То есть как? Ничего подобного! Это ранчо старого Паркера. Я знаю его много лет. Я сам возил тебя сюда в прошлое воскресенье.

Она сумела его удивить.

— Так то в воскресенье! — Она была в восторге от своей оперативности. Поцеловав его, объяснила: — В понедельник я его купила.

— С ума сошла! — Он был так поражен, что она испугалась: вдруг он всерьез ее осуждает? — Зачем ты это сделала?

Как ему хотелось поверить, что это правда! Но не верилось никак: в воскресенье он показывает ей заброшенное ранчо, а уже в понедельник она его приобретает — невероятно!

— Ты сам мне посоветовал приобрести одно из здешних ранчо.

— А ты послушалась? — Он вытаращил глаза. — Взяла и купила?

— Мне сказали, что это отличное вложение денег. Цена оказалась вполне подходящей. Дай, думаю, попробую! Я решила, что мы поступим так, как ты предлагал: ты будешь разводить здесь коней, а я буду к тебе приезжать. Будешь помогать и Шарлотте Коллинз, и мне вести хозяйство на моем маленьком ранчо. Сначала мы все тут приведем в порядок, а дальше видно будет. Если тебе это надоест и ты сбежишь с другой поп-звездой или бросишь мустангов и переберешься в Лос-Анджелес, я его продам, и дело с концом. Раз все так просто, почему бы не попытаться?

— Детка... — Он притянул ее к себе здоровой рукой. Теперь он знал, что это не сон, а явь. — Ты — чудо!

— Ты мне поможешь?

— Куда же я денусь? — После того что она для него сделала, он ни в чем не мог ей отказать. Она доказала свою преданность так, как только могла, и он знал, что никогда не сможет этого забыть.

— Хочу поскорее прискакать сюда с тобой и все как следует осмотреть.

— Потрясающе! — Он убрал руку, чтобы дать ей отдышаться, и уставился на нее так, словно увидел впервые. — Ты серьезно мне это предлагаешь? — Это был такой щедрый дар, такая бездна возможностей, что ему показалось, что ночью он погиб и перенесся в рай. — Откуда в тебе столько достоинства и доверчивости?

— Наверное, это просто глупость. — Она отхлебнула из его бутылки и опрокинула Гордона на подушки. — А что, я действительно сильно сглупила?

— Нет, мэм. Ваше ранчо будет лучшим во всем Вайоминге. Когда приступаем к ремонту?

— Как только ты снова сможешь летать. — Она указала на его подбитое крыло. — Со следующей недели эти угодья наши.

Разумеется, ранчо стало ее собственностью, но она намеревалась передать его ему — возможно, в качестве свадебного подарка, если они поженятся, но об этом рано говорить. Сперва ей предстояло развестись с Тони, а это продлится до самого Рождества. Зато потом перед ней откроются бескрайние перспективы. Пределом был только горизонт, но и он, как известно, чисто условная линия.

При приближении автобуса персонал ранчо сбежался к домику Гордона и приветствовал его радостными криками, пока Том помогал ему выйти из автобуса. За ними следовала Таня. Ее беспокоила единственная мысль: как бы он не повредил руку. Всем хотелось с ним поговорить, сказать ему, как хорошо, что он остался жив и скоро поправится. Ему натащили книг, сладостей, еды, кассет. Теперь у него есть все необходимое и даже больше. Главное — любимая женщина и ранчо, о котором он мог только мечтать. Оставшись с ней вдвоем в домике, он не сдержал слез.

— Я все еще не могу в это поверить. Никогда в жизни не был так счастлив!

— И я! — подхватила она. — Мне здесь очень нравится, и я хочу быть с тобой.

— Я буду приезжать в Лос-Анджелес всякий раз, когда появится возможность, — заверил он ее.

— Это необязательно. Не надо поступать вопреки своему желанию.

Таня уже усвоила урок: она живет трудной жизнью, и, если он не захочет в ней участвовать, она не станет его неволить.

— А если желание есть? Мой мир ты повидала, даже стала его частицей. Теперь я хочу заглянуть в твой. Мы можем сохранить оба, если не разучимся друг друга понимать.

— Мой мир безжалостный, — печально молвила она. — Чуть зазеваешься — и он тебя жестоко проучит. Там нет ничего святого. Не хочу навлекать на тебя страдания!

Но тут она оказалась бессильна. Уже на следующий день вся эта история стала достоянием прессы и телевидения. В газетах расписывали на первых полосах, как Таня Томас отправилась две недели назад на ранчо, как связалась с местным ковбоем и спустя всего неделю купила ему ранчо. Приводилась даже стоимость покупки — только с миллионным преувеличением.

Далее следовали истории всех ее мужей с бесстыдными передергиваниями и наглыми домыслами. Заголовки были не лучше: «Мимолетный романчик или муженек номер четыре? Скажи честно, Таня». Журналисты прикидывали его годовой заработок, расписывали ее доходы и высмеивали, как только могли.

Даже то, что она исполнила на родео американский гимн, ставилось ей в вину. Тут же публиковались фотографии свалки у ее автобуса и рассказывалось, как его пырнул ножом другой ковбой, — драка, разумеется, объяснялась соперничеством за ее благосклонность. Таня якобы сама едва не погибла, желая разнять своих повздоривших кавалеров.

Читая все это в своей комнате на ранчо, она боролась с тошнотой. Главная беда заключалась в том, что в этих бреднях имелась, как всегда, доля правды, вызывавшая доверие. Что подумает о ней Гордон, когда все это прочтет?

— Не читай эту гадость! — воскликнула Зоя, негодуя на бессовестных писак, и тут же не удержалась от вопроса: — Ты действительно купила ему ранчо? Наверное, это вранье, я так, на всякий случай.

— Не ему, а себе. Он будет мне помогать. Мне хватит ума не втаскивать его в свою жизнь. Ему и здесь хорошо. Лучше я буду его навещать.

— Одобряю, — сказала Зоя. — Не обижайся, что я спросила. Очень тебе сочувствую, Тан.

— Принимаю твои соболезнования, — простонала Таня. — Раньше я гадала, кто проболтался, а теперь понимаю, что источником может стать кто угодно: полицейские, журналисты, медсестры, водители «скорой», парикмахеры, туристы, торговцы недвижимостью, иногда даже друзья. Это безнадежно. Ручейки стекаются в реку, и я получаю удар кинжалом в самое сердце.

Больше всего ее тревожила реакция Гордона. Она подозревала, что он не находит себе места. Не мудрено: все хорошее эти ищейки втаптывали в грязь. Она провела с ним ночь, кормила, ушла, когда уже рассвело. Их связь перестала быть тайной. Вернувшись к себе, она прочла мерзкие статьи в газетенках. Подруги пытались спрятать от нее газеты, но в этом уже не было смысла: рано или поздно она все равно узнала бы о скандале. Лучше сразу взглянуть правде в лицо.

— Не верю ни единому их мерзкому слову! — возмущалась Мэри Стюарт, встретившись с Хартли.

Ему тоже иногда приходилось испытывать нечто подобное, хотя не до такой степени. Его успех нельзя сравнивать с Таниным. Писатели, за исключением немногих счастливых избранников, не относятся к излюбленной дичи журналистов. Зато Таню они травят с подлинно охотничьим азартом. Это любовь, сделавшая роковой шаг и превратившаяся в ненависть.

Утром, отправившись к Гордону, она прихватила с собой проклятый листок. Подруги поехали на последнюю прогулку. Спутником Зои стал Джон Кронер. Таня тоже с удовольствием прокатилась бы напоследок верхом, но для нее важнее было побыть с Гордоном и побеседовать с ним о газетном визге.

Стоило ей войти к нему, как она поняла, что он уже в курсе дела. В его глазах она увидела смущение пополам с обидой. Неужели между ними все кончено? Она долго смотрела на него, не в силах вымолвить ни слова. Он сидел на диване перед включенным телевизором и прихлебывал кофе. В новостях показали его фотографию и рассказали об истории с сумасшедшим, но она этого не знала. Он был поражен, что у людей хватает совести так беспардонно искажать правду. Глядя на нее, он гадал, что испытывает она.

— Как рука? — поинтересовалась Таня.

Он пошевелил рукой, демонстрируя улучшение. Впрочем, сейчас ее волновала не его раненая рука, а отношение к ней после всего, что о них успели наговорить и понаписать.

— Ты переплатила за ранчо, — заявил он деловито, дав ей сесть. Он читал мерзкую статейку.

— Ну как, нравится фигурировать в заголовках новостей? — осведомилась она, ловя его взгляд.

Он не торопился ее обнимать и признаваться в любви — требовалось время переварить случившееся.

— Если уж фигурировать, то за дело. Скажем, за убийство репортера. Я бы сделал это особо зверским способом.

— Привыкай! — посоветовала она.

С ней так поступают далеко не в первый раз, хотя она отдавала писакам должное: на сей раз они превзошли себя, выпачкав их обоих грязью с головы до ног. Его они изобразили жалким ничтожеством, ее — дурой и дешевой шлюхой. Что ж, это для них типично. Человеческая жизнь как объект для издевательств и поношений.

— Они только этим и занимаются, Гордон. Так у них заведено: втоптать в грязь все, что бы ты ни совершил, и тебя заодно. Человек превращается в дешевого болвана, все его поступки представляются в ложном свете, все высказывания перевираются. Я же говорю: ничего святого! Ты мог бы это выносить?

— Нет, — ответил он, не задумываясь и не избегая ее взгляда. У нее перестало биться сердце. — И не хочу, чтобы это выносила ты. Если они так тебя донимают, тебе лучше остаться здесь.

— Они и здесь не оставят нас в покое. Кто, по-твоему, продал нас щелкоперам? Да все вместе: торговец недвижимостью, медсестры, санитары, полицейские, церемониймейстер с родео. Всем хочется погреться в лучах славы, вот они и торгуют мной оптом и в розницу.

— Тогда пускай выплачивают мне твердый процент. Ты принадлежишь мне.

Она заметила в его глазах озорной блеск, но ее настроение от этого не улучшилось.

— Пусть так, но ты обязан воспринимать положение во всей его красе: что бы я ни сделала, к чему бы ни прикоснулась, конец всегда один — вот такой. Если я рожу ребенка, они завопят, что я прибегла к услугам подставной роженицы, потому что сама для этого слишком стара, или кого-нибудь соблазнила. Если мы наймем служанку, они разорутся, что ты с ней спишь, пока я пропадаю в Лос-Анджелесе; если я куплю тебе подарок, они напишут, сколько он стоит, еще до того как я его тебе преподнесу, а тебя представят альфонсом — нечего было принимать подарок! Они будут лупить нас ниже пояса чем попало. Если у нас будут дети, они станут терзать и их. Не важно, где я живу — здесь, там, хоть в Венесуэле, — моя жизнь не изменится. Лучше тебе понять это прямо сейчас, иначе потом ты меня возненавидишь. Даже если сейчас тебе кажется, что ты способен это вынести, заруби себе на носу: стоит тебе воспользоваться услугами стоматолога, химчистки или проститутки — ну, этим-то ты не сможешь злоупотреблять, я тебя мигом придушу...

Он усмехнулся.

— Так вот, любой, с кем тебе придется иметь дело, за очень редким исключением, с радостью тебя продаст и превратит в ничто. Примерно на девяносто третий раз ты меня возненавидишь. Я уже через все это проходила. Знаю, как это бывает. Это разъедает жизнь, как злокачественная опухоль. Из-за этого я потеряла двух мужей, а еще один был такой продажной сволочью, что сам бегал за репортерами и кричал: «А вот Таня Томас, не желаете ли?» — Она имела в виду своего второго мужа, концертного менеджера.

— Скучать не приходится, — процедил он. Она никогда не описывала ему подробностей, но он и сам подозревал, что ее жизнь — не сахар. — Ну, и чего ты теперь ждешь, Танни? Что я от тебя откажусь? Не говори это, не то я в тебе разочаруюсь. Меня не так-то легко запугать. Знаю приблизительно, что собой представляет твоя жизнь! Мне попадаются газетенки, и я понимаю, чем они кормятся и чем кормят публику. Ты правильно заметила: когда напишут про тебя самого, впечатление сильное. Утром, открыв газету, я поймал себя на желании кого-нибудь убить. Но ведь ты не виновата! Ты сама жертва.

— Люди этого не помнят, — грустно возразила она. — А с этих лгунов взятки гладки. Их не побороть. Судиться с ними — и то бесполезно: как бы они ни врали, иск — всего лишь способ повысить их тираж. Вот увидишь, рано или поздно они так тебя замучают, что ты меня возненавидишь.

— Я люблю тебя, — отчетливо произнес он, вставая и устремляя на нее решительный взгляд. — Люблю! Поэтому не хочу, чтобы это с тобой происходило. Конечно, во мне будет кипеть ненависть, когда они будут про меня врать. А врать они будут: я ведь всего-навсего тупой техасский ковбой, и все решат, что я охочусь за твоими денежками, что ты меня подцепила, и так далее. Ну и что? Мы с тобой — живые люди. Вывод один: мне не удастся сидеть безвылазно в Вайоминге, как я собирался. Придется проводить больше времени в Лос-Анджелесе, защищая тебя. Не могу же я позволить, чтобы ты страдала из-за меня, а я сидел у себя на горе и в ус не дул! Какое-то время будем оба мотаться туда-сюда, пока ты не решишь, что устала и что настало время ухаживать со мной на пару за лошадками.

— Я не откажусь от своей карьеры, — предупредила она его, хмурясь. — Несмотря на все это, я люблю делать то, что делаю. Люблю петь.

— Я тоже люблю то, что ты делаешь. Не собираюсь настаивать, чтобы ты все это бросила. Возможно, у нас не получится жить часть времени здесь. Но давай хотя бы попытаемся! Посмотрим, что из этого выйдет. Я хочу быть с тобой — здесь, там, где угодно. Я люблю тебя, Танни. А на то, что про нас будут болтать, мне наплевать.

— Ты серьезно? Даже после этого? — Она помахала газетой.

— Серьезнее некуда. — Он широко улыбнулся, подошел к ней и поцеловал. — Они тут пишут, что ты затащила меня в постель, посулив ранчо. Когда я пропустил эту часть истории?

— Ты ее проспал. — Она улыбнулась. — Я нашептала ее тебе на ухо.

— Ты — потрясающая женщина. Ума не приложу, как ты терпишь всю эту клевету.

— Сама удивляюсь. — Она положила голову ему на плечо, он обнял ее. — Как я их ненавижу!

— Не трать зря силы. Вот что я тебе скажу: тебе надо быть осторожнее. Хватит распевать гимны на родео, таскаться с ранеными ковбоями по больницам, воображая, что там тебя не узнает ни одна собака, покупать просто так ранчо. Впредь будем умнее, идет? Если хочешь, прячься за моей спиной. Мне все равно, что они наговорят. Что про меня можно насочинять? Что ни напишут — все правда. Я приму огонь на себя.

— Я люблю тебя, Гордон! Я так испугалась, что ты теперь не захочешь на меня смотреть! — С той минуты, как ей попалась на глаза газета, она не находила себе места.

— Вот еще! Я сидел тут и размышлял, как бы мне уговорить Шарлотту отпустить меня на весь следующий уик-энд, чтобы я мог преподнести тебе сюрприз — нагрянуть в Лос-Анджелес. Может быть, такой, с подбитым крылом, я ей не пригожусь?

— Ты правда хотел бы приехать? Чудесно!

— Попытаюсь. На следующей неделе нам с ней предстоит серьезный разговор. Когда закончится летний сезон, я бы хотел перейти здесь на неполный рабочий день.

— На забывай, что зимой у меня турне по Европе и Азии. Это будет сущий кошмар.

— Звучит заманчиво! — Он улыбнулся. — Мне уже не терпится.

— И мне. — Глядя на него, Таня думала о том, что теперь, когда Гордон будет заботиться о ней и защищать ее, жизнь полностью преобразится. Ей хотелось тоже быть ему полезной.

— Кстати, куда нас занесет на Рождество?

— Я забыла. То ли в Лондон, то ли в Париж, то ли в Германию. Уж не в Мюнхен ли?

— Как насчет венчания в Мюнхене? — предложил он, нежно целуя ее.

— Мне бы больше хотелось выйти замуж в Вайоминге, — возразила она. — Пусть нашими свидетелями будут горы, под которыми я тебя нашла.

— Ладно, это мы уточним позже. — Он заставил ее подняться и обнял здоровой рукой. — Есть более неотложные вещи. — Он потянул ее в спальню. — Больному пора на боковую.

Таня догадалась, что он хочет убедиться, что между ними действительно не пробежала кошка. Было больно думать, что они последний день вместе.

Они пролежали в постели до вечера, пока остальные катались верхом. Он уснул в ее объятиях, и она долго прижималась к нему, все еще не веря в свое счастье. Два дня назад она едва его не лишилась. Теперь об этом страшно вспоминать.

Хартли провел день в задумчивости: раскачиваясь в седле, он пытался освоиться с мыслью, что может потерять Мэри Стюарт, если она не вернется к нему из Лондона.

— Не терзай себя понапрасну раньше времени, — посоветовала ему Мэри Стюарт, когда он поведал ей о своих страхах.

— Не могу. Вдруг ты не вернешься? Что мне тогда делать? Я только что тебя нашел и мне трудно смириться с возможностью скорой утраты. — Он не говорил ей о своем намерении посвятить их встрече новую книгу. Это ничего не изменило бы, но позволило бы дать выход чувствам. — Ты не можешь мне обещать, что обязательно вернешься. Ведь сама в точности не знаешь, как все обернется.

— Верно. Но в жизни и так много утрат. Зачем пробовать их на зуб еще до того, как они нас настигнут?

— Потому что иначе их вкус слишком горек. Если бы я тебя потерял, то извелся бы от тоски.

При этих словах она не удержалась и поцеловала его.

— Я сделаю все, чтобы вернуться как можно быстрее.

Его ответ так ее удивил, что она остановила лошадь.

— Если можешь спасти свой брак, лучше не возвращайся, — молвил он задумчиво. — Мы с Маргарет тоже однажды чуть не развелись. Прожили около десяти лет, и у меня появилась женщина. Очень глупо с моей стороны, я никогда больше так не поступал. Не знаю, как это получилось. У нас возникли проблемы, стало ясно, что у нее не может быть детей, и она очень тяжело это переживала. Прямо тронулась рассудком! Мы отдалились друг от друга. Думаю, она винила в своем бесплодии не только саму себя, но и меня. Независимо от причины я изменил жене, и она об этом узнала. Из-за этого мы разошлись на полгода, и я продолжал ту связь, что было еще глупее. К тому времени я решил, что влюблен, и это запутало все еще больше. Она была француженка, я поехал к ней в Париж. Потом помчался в Нью-Йорк, чтобы сказать Маргарет, что развожусь с ней. Но приехав, понял: все, что я в ней любил, осталось при ней, как и то, что я в ней не любил, вместе с причинами, по которым я ей изменил. У нее сохранились все ее несовершенства — нервозность, иррациональность, из-за которой с ней было трудно поладить, — а также все то, что я в ней обожал: честность, верность, творческий дух, чудесное чувство юмора, яркий ум, скромность, чувство справедливости. Я любил в ней миллион разных качеств... — Он говорил это со слезами на глазах, Мэри Стюарт тоже не могла побороть слез. — Я вернулся в Нью-Йорк, чтобы проститься с Маргарет, а вместо этого еще сильнее в нее влюбился.

Он замолчал и стал смотреть на горы.

— В Париж, к той женщине, я не вернулся. Когда мы с ней расставались, она чувствовала, что все так будет, и сама мне об этом сказала. Мы придумали условный сигнал. Она сказала, что не вынесет долгих объяснений, да они и ни к чему. Довольно будет двух слов. Если я решусь расстаться с Маргарет, то дам телеграмму: «Bonjour, Arielle». Это было давно, еще до появления факсов. А если мы с Маргарет решим больше не разлучаться, то телеграмма должна быть такой: «Adieu, Arielle». Практичная была особа, во всем любила обстоятельность и четкость. Улетая в Нью-Йорк, я твердил, что ей не о чем беспокоиться. Но стоило мне повстречать мою Далилу — и она остригла мне волосы, как библейскому Самсону, снова завоевав мое сердце, и я не смог ее покинуть. Поэтому отбил телеграмму со вторым паролем. Больше я ее никогда не видел. Именно этого она и хотела. Но забыть так и не смог.

Грустная история тронула Мэри Стюарт до глубины души.

— Если и с нами произойдет так же, — он смотрел ей в глаза, проникая взглядом в самое сердце, — то я хочу, чтобы ты знала: я ни о чем не сожалею и буду любить тебя до самой смерти. Я преодолею боль. Ариэлль вышла замуж за министра и стала известной писательницей, но я уверен, что она меня не забыла. — Он подмигнул. — Маргарет тоже всегда о ней помнила. Я переживал, а она меня простила. Когда это произошло, то казалось, из этого не будет выхода... Сейчас я хочу, чтобы ты знала: я уже прожил с тобой рядом две счастливейшие недели в моей жизни.

Благодаря Мэри Стюарт он окончательно преодолел боль от потери Маргарет. Теперь ему стало гораздо легче.

— В моей жизни это тоже были самые счастливые недели, — сказала она. — Я тоже тебя не забуду. Только не думаю, что останусь с Биллом. — Она верила в то, что говорила.

— Никогда не знаешь, как сложатся отношения двух людей. Посмотрим, что будет, когда ты с ним поговоришь. Если бы я тогда бросил Маргарет, то недосчитался бы шестнадцати лет с ней — чудесных лет. Давай ни от чего не зарекаться. Вот мой главный наказ.

— Я всегда буду тебя любить, — тихо проговорила она.

— И я. Теперь мы оба знаем содержание твоего факса мне. Пусть это будет либо «Adieu, Arielle», либо «Bonjour, Arielle».

— Ты получишь факс со словами «Bonjour, Arielle», — уверенно ответила Мэри Стюарт, трогая каблуками бока лошади, чтобы вернуться к загону, где их дожидался ковбой, заменявший Гордона.

Пока Мэри Стюарт и Хартли наслаждались последней конной прогулкой, Зоя пила кофе в обществе Джона Кронера. За истекшие две недели они успели стать хорошими друзьями. Она уже несколько раз совершала обходы в его больнице, а он полюбил навещать ее на ранчо. И даже пообещал побывать у нее в Сан-Франциско.

— Вскоре я поинтересуюсь вашим мнением еще об одном пациенте, — сказал он. — Только что прописал ему и его любовнику препарат АЗТ. Оба инфицированы, но пока симптомов не заметно.

— Вы действуете правильно. Зачем вам я?

Она ободряюще улыбнулась. У нее не было ни малейшего сомнения, что он понравится Сэму, и она спала и видела, как их познакомит. Сэм звонил ей ежедневно — скорее чтобы просто поболтать, чем для консультаций. Оказалось, ей это нравится.

— Вы оказываете своим пациентам огромную помощь, — похвалила она Джона еще раз, после чего поблагодарила за помощь себе. — Знаете, — призналась она, — я стала по-настоящему сопереживать своим больным, только когда сама влезла в их шкуру. Раньше мне тоже казалось, что я хорошо их понимаю: сочувствовала им, как людям, выслушавшим смертный приговор и ждущим, когда он будет приведен в исполнение. Но оказывается, я ничего не понимала. Только когда это случилось и со мной, я прозрела. — Она прикоснулась к его руке. — Вы не знаете, что это такое, Джон. Не можете этого представить.

— Почему же, могу, — тихо ответил он. — Я тоже инфицирован. Я и есть тот пациент, о котором только что упомянул. Я и *он*. Когда нам станет хуже, мы приедем к вам консультироваться.

Это было произнесено таким невозмутимым тоном, что Зоя остолбенела. Ничего подобного она не ожидала. У Кронера и его возлюбленного СПИД!

— Простите... — пролепетала она.

— Ничего страшного, просто мы с вами уплываем в одной лодке.

Зоя прослезилась и обняла молодого врача.

Вечер выдался спокойный. Хартли и Мэри Стюарт проговорили много часов подряд и все не могли расстаться. Зоя сидела в своей комнате и беседовала по телефону с Сэмом. Таня пропадала у Гордона. У всех речь шла о планах на будущее, об осуществленных мечтах, о событиях на ранчо, о том, как им хочется вернуться сюда снова. Все по праву считали это место волшебным. Таня и Гордон строили планы обустройства приобретенного ею ранчо. На теме клеветы был поставлен крест. Гордон успел переговорить с Шарлоттой и теперь давал Тане слово, что в следующий выходной нагрянет к ней в Лос-Анджелес. Это было только начало, и оба жили предвкушением грядущих радостей. Таня представляла себе, как пройдется с ним по бульвару Сансет, как покажет ему Тихий океан, как познакомит его со своими друзьями, приведет в студию, где репетировала и записывала свои песни, проведет с ним уик-энд в Малибу, будет бродить с ним по пляжу, отведет в «Спаго». У них будет чем заняться — хватило бы времени. Спустя две недели она сама прилетит к нему в Вайоминг.

— Жаль, что не смогу уехать с тобой завтра, — грустно молвил он. — Как подумаю, чему тебе предстоит в одиночку противостоять...

— А мне жаль, что я не могу остаться здесь, — вздохнула она. До чего же у нее не лежала душа разлучаться с ним, с этим волшебным местом, с горами!

— Ничего, ты вернешься, — сказал он и привлек ее к себе.

Она зажмурилась, запечатлевая в памяти все, что стало таким дорогим для нее за эти две недели.

Счастье неповторимо. Они не уединятся больше в его домике, отрезанные от остального мира. Эта простота уже не вернется. Им предстоит поселиться в другом доме, снова стать частью окружающего безумия. Безумие будет предъявлять на них права, при всяком удобном случае отщипывать от них по кусочку. Но сейчас, в этот момент, им ничего не угрожает, и она должна насладиться мгновением покоя. У нее теплилась надежда, что они еще получат покой на ранчо, недавно купленном ею в живописном предгорье.

— Я хотела бы, чтобы там все было так, как тут, — призналась она.

Он засмеялся:

— Только чуть попросторнее. Я еще ни разу не вставал с этой постели так, чтобы не ушибить в тесноте ногу.

Он крупный мужчина, а домик — маленький. Но он хорошо понимал, что она имеет в виду, и многое мог бы предложить. Не один год вынашивал мысль о собственном ранчо и теперь в точности знал, с чего начать.

Они проговорили всю ночь, а на заре, стоило появиться солнцу, наслаждались друг другом в любовной страсти. Потом он обернул ее одеялом, и они вышли на крыльцо встречать рассвет в горах. В Таниной жизни еще не было мгновения прекраснее этого.

— Будет хороший день, — пообещал он. — Жаль, что пройдет уже без тебя.

Ей тоже было трудно смириться с неминуемой разлукой.

Отъезд сопровождался потоками слез. Прощание у автобуса шло под аккомпанемент рыданий. Хартли отказывался выпускать Мэри Стюарт из объятий. Джон Кронер и его друг тоже пришли проститься и обнять Зою и ее подруг. Гордон впервые прилюдно поцеловал Таню.

От души поблагодарив Шарлотту Коллинз, три женщины поднялись в автобус, размазывая по щекам слезы. Мэри Стюарт не отрывала взгляда от Хартли, Таня, опустив окно, в сотый раз умоляла Гордона не приближаться к диким мустангам. Он до изнеможения махал шляпой, пока здоровая рука не уподобилась больной. Зоя гадала, увидит ли она эти места снова, а Мэри Стюарт молча молилась, чтобы после возвращения из Лондона встретиться в Нью-Йорке с Хартли.

Две недели, проведенные на ранчо, породили бесчисленные вопросы, но ответы были даны еще далеко не на все.

Том набирал скорость, а женщины сидели тихо, погрузившись в мысли о людях и мечтах, с которыми расстались, — дай Бог, чтобы только на время. Молчание затянулось надолго. Том планировал к полуночи достичь Сан-Франциско.

Глава 21

Когда автобус остановился у Зоиного дома, подруги спали.

Еще недавно они бодрствовали, хохоча и обсуждая мужчин, встретившихся им на протяжении десятилетий. Почувствовав голод, они накинулись на еду, предложив и Тому заморить червячка. Потом уснули. Для всех трех это был ответственный день. Вопреки традиции Тане пришлось будить Зою. Та крепко спала, а очнувшись, огляделась и широко улыбнулась. Она уже заручилась обещанием подруг, что они заглянут к ней на минутку и полюбуются ее дочкой, хотя бы спящей.

Таня растолкала Мэри Стюарт, и вся троица поднялась по ступенькам. Зоя долго рылась в сумке, потом, найдя ключ, тихо отперла дверь. Они пересекли на цыпочках гостиную и поднялись наверх, к ребенку.

Войдя, Зоя оцепенела: повсюду разбросаны игрушки, на полу — тарелка с едой, рядом валяется бутылка. Потом она увидела их. Сэм спал на диване, прижимая к себе Джейд. Они прождали их несколько часов, но так и не дождались. Инга давно ушла спать, а Сэм долго развлекал Джейд, чтобы она не заснула и встретила маму.

Женщины восторженно переглянулись.

Зоя подошла к спящим и наклонилась, чтобы поцеловать дочурку. Сэм открыл глаза и увидел ее. Все еще не шевелясь, он улыбнулся ей. Она поцеловала и его — сначала в щеку, потом, не стесняясь подруг, в губы.

— Я скучал по тебе, — прошептал он.

Потом встал, поздоровался с Таней и Мэри Стюарт, держа на руках Джейд, которая продолжала мирно спать. За эти две недели Сэм подружился с девочкой. Она души в нем не чаяла и с удовольствием уснула у него на руках, не дождавшись мать.

— Ты не представляешь, как она тебя ждала! — сообщил он Зое.

Та улыбнулась:

— А ты не представляешь, как я к ней торопилась. — Она погладила девочку по лицу.

— Как ты себя чувствуешь? — встревоженно спросил он.

Она улыбнулась, и у него отлегло от сердца. Мэри Стюарт и Таня заторопились. Том высказал желание напиться кофе и к утру домчаться до Лос-Анджелеса. Им предстояло еще шесть часов пути, поэтому сейчас нельзя было задерживаться, как бы им ни хотелось побыть с Зоей и Сэмом. Да и Зое с Сэмом пришло время остаться наедине.

Прощаясь, все четверо прослезились. Сэм махал им одной рукой, другой держал Джейд, Зоя размахивала обеими. Потом, вернувшись с Зоей в дом, он аккуратно положил спящую малютку на диван, ласково обнял ее мать и осыпал поцелуями.

Автобус достиг Лос-Анджелеса, как и предполагалось, в шесть утра. Со времени отъезда из Вайоминга минули без малого сутки. Мэри Стюарт ждал факс от мужа. Он спрашивал, когда она приедет. Она уже заказала номер в лондонском отеле, но не успела его предупредить. Таня получила целый ворох сообщений — от адвокатов, секретаря, агентов. Сейчас, после двух недель в Вайоминге, все это казалось не столь важным. Взошедшее солнце застало Таню и Мэри Стюарт в огромной кухне. Таня радовалась, что вернулась домой, но обе уже скучали по Вайомингу. Слишком многое влекло их туда. Сидя друг против друга за кухонным столом, они увлеченно обсуждали Гордона и Хартли. Путешествие получилось таким замечательным, что сейчас даже не верилось, что оно состоялось.

— Когда ты полетишь в Лондон? — спросила Таня.

— Сегодня и завтра я побуду здесь. Значит — в среду. Если тебе не захочется спровадить меня пораньше.

— Смеешься? Была бы моя воля, я бы тебя вообще не отпустила. Надеюсь, скоро ты снова меня навестишь.

Они договорились с Зоей, что будут держать связь и, возможно, как-нибудь проведут вместе уик-энд — в Кармеле, если ей позволит здоровье, у Тани в Малибу или даже в Сан-Франциско. Перспектива была захватывающей. Они больше не позволят, чтобы их разлучило время, расстояние, беда.

Таня посвятила весь день работе с секретарем: после двух недель отсутствия можно было потонуть в делах. Под конец дня позвонил Гордон. Он уже трудился в загоне и страшно по ней скучал. Успел побывать на ее ранчо и нанять подрядчика для составления плана ремонтных работ. По его словам, они и моргнуть не успеют, как в дом можно будет въезжать. Она пожаловалась, как ужасно возвращаться в реальный мир со всеми его хлопотами. Он посоветовал ей дождаться его приезда.

— Уже жду! — восторженно воскликнула Таня.

— И я.

Закрыв глаза, он стал вспоминать ее — такой, какой видел в своем домике накануне утром.

Теперь главной его заботой стал ремонт на их ранчо. Разговор получился долгим. Он звонил ей из автомата и беспрерывно забрасывал в его чрево четвертаки, но упрямо не позволял ей перезвонить или в будущем звонить самой. Под конец он пообещал снова позвонить завтра и попросил передать привет Мэри Стюарт. Та не имела вестей от Хартли, но и не ждала их. Они договорились не поддерживать связь, пока она не решит свои проблемы в Лондоне. К тому же она не знала, где его искать: в Бостоне или Сиэтле. Зато помнила, что в четверг он вернется домой. О пароле они условились: «Adieu, Arielle» или «Bonjour, Arielle» — в зависимости от судьбы ее брака.

Вечером Таня повезла Мэри Стюарт в «Спаго» и представила ее хозяину, а также гостям. Виктория Принсипал пригласила друзей: Джорджа Хамильтона, Гарри Хемлина, Жаклин Смит, Уоррена Битти и Джорджа Кристи из «Голливуд рипортер». Таню знали все, но это было одно из немногих мест в Голливуде, где звезд не тревожили, невзирая на их величину.

Подруги долго беседовали обо всем на свете. На следующий день Мэри Стюарт проводила Таню на репетицию и отправилась за покупками. Накануне они рано улеглись спать. Гордон снова звонил, Билл прислал факс с обещанием ее встретить. В факсе опять не было ничего личного, и Мэри Стюарт печально покачала головой.

Утром в среду, провожая ее, Таня не удержалась от слез. Мэри Стюарт не хотелось уезжать. Обе с большим удовольствием повернули бы время вспять и устремились в Вайоминг.

— Ничего со мной не случится, — заверила Таня плачущую Мэри Стюарт. — Ты тоже держись! Вспоминай Хартли.

На всем пути до Лондона Мэри Стюарт не думалось ни о чем другом. Она даже написала Хартли письмо. Улыбаясь, думала о том, что кладет начало их переписке. Возможно, он сохранит ее весточку. Он был сентиментален в хорошем смысле этого слова. В письме она призналась, как он ей дорог, как чудесно было в Вайоминге, как пуста была ее жизнь до встречи с ним. Она решила отправить письмо из своего лондонского отеля.

Из отеля за ней прислали машину. Она избрала «Кларидж» — проще остановиться в том же отеле, где и муж, — заказав себе отдельный номер. Мэри Стюарт не знала, известно ли об этом Биллу. Как потом оказалось, ему сообщили эту подробность.

Быстро миновав таможню, она без приключений добралась до отеля, где вокруг нее засуетились, словно она — знатная гостья. Ее предупредили, что мистер Уолкер работает со своим секретарем в номере люкс, снимаемом компанией под офис. Мэри Стюарт не стала ему звонить: ей требовалось время прийти в себя. Она умылась, причесалась. Как всегда, выглядела безупречно — в черном костюме, в котором пересекла Американский континент и Атлантический океан. Подруги сочли бы, что это в порядке вещей.

Только выпив в номере заказанную чашку чая, она позвонила Биллу. Часы уже показывали десять утра. Она и не предполагала, что Билл не находит себе места от волнения. Он знал, что ее самолет приземлился в семь утра, значит, к восьми она покинула аэропорт и к девяти добралась до отеля. Более того, ему известно, что она сидит у себя в номере. Почему же не звонит? Он сходил с ума, но Мэри Стюарт не торопилась. Наступил четверг. Она решила, что проведет в Лондоне один день и в пятницу улетит в Нью-Йорк, если не сумеет отыскать Алису. Ничего себе круг на пути из Вайоминга домой!

Когда она наконец соизволила ему позвонить, он немедленно схватил трубку. Теперь ей оказалось трудно с ним разговаривать. Она назвала ему свой номер, и он сказал, что сейчас же будет. Секретарю наказал его не разыскивать: у него важная встреча.

Распахнув дверь, Мэри Стюарт поймала себя на мысли, что Билл совершенно не изменился: тот же самый человек, которого она так долго любила, прежде чем грянул страшный год. Впрочем, она знала, что внешность обманчива. Он тоже это знал.

— Здравствуй, Билл, — тихо приветствовала она его. Войдя, он чуть было не обнял ее, но, увидев выражение ее глаз, воздержался. — Как поживаешь?

— Не очень хорошо.

Этот ответ удивил ее.

— Что-то случилось?

Жене следовало улавливать такие вещи без расспросов.

— Боюсь, что да. — Он сел в кресло и вытянул перед собой длинные ноги.

— Что именно? — Она решила, что он имеет в виду судебный процесс. Если так, она была готова ему посочувствовать: ведь он посвятил этому столько времени и сил!

— Дело в том, что я... — Он выглядел сейчас совсем молодым, ранимым, достойным жалости. — Я испортил жизнь себе и тебе.

Она была поражена его видом и еще больше — словами. Уж не собирается ли он покаяться? Наверное, завел в Лондоне любовницу... Что ж, так было бы даже проще. Она чувствовала, что у нее не повернется язык просто так объявить ему, что их супружество подошло к концу. Он снова превратился для нее в живого человека — со всеми изъянами, но и с достоинствами, за которые она прежде любила его.

— В каком смысле? — недоуменно спросила она.

— В прямом. Думаю, ты приехала из-за этого. Пусть я совершенно глуп, но мне хватило ума догадаться. Вообще-то я был полным ослом. С мужчинами это случается. Я целый год не замечал тебя, воображая, что если буду долго тебя игнорировать, то все это кончится: уйдешь либо ты, либо мое несчастье, моя вина. Вдруг Тодд вернется? Вдруг все те глупости, которые я тебе наговорил, каким-то чудом забудутся? Ничего подобного, конечно же, не случилось. Все становилось только хуже. С каждым днем я чувствовал себя все отвратительнее, а у тебя вызывал все больше ненависти. Это можно было заранее предсказать: при таком моем поведении ничего другого не приходилось ожидать. Остался всего один человек, для которого это стало громом среди ясного неба: я сам. Разве не глупость? — Говоря это, он выглядел таким мальчишкой, что она поневоле улыбнулась. Иногда он становился трогательно-милым. — Вряд ли это тебя удивляет. Наверное, лишь я один все еще удивляюсь не только собственной глупости, но и своему дурацкому поведению. В итоге ты явилась, чтобы очень вежливо, лично, что я очень ценю, поставить меня в известность о своем решении со мной развестись.

Это был преступник, помогающий палачу наточить нож гильотины и соглашающийся, что заслужил самую суровую кару. Такого нелегко казнить.

— Где же ты был весь этот год? — спросила Мэри Стюарт. С этим вопросом она, собственно, и приехала. — Как посмел спрятаться от меня, превратить в ледяную глыбу? Ты не изволил даже разговаривать, не задавал никаких вопросов. — Это походило на жизнь с роботом. Или с мертвецом. Он им и был.

— Я был несчастлив. — Он был мастером не называть вещи своими именами. Ее уже раздирала жалость, и она заставляла себя вспоминать Хартли. — Как же мы теперь поступим? Ты привезла бумаги на развод? — Он вообразил, что, звоня из Вайоминга, она уже подготовила необходимые документы. Еще тогда его осенило: он понял, к чему идет дело.

— А надо было? Ты этого хочешь?

— Они при тебе? — Судя по его виду, он бы с готовностью все подписал.

Ее убивала легкость, с которой он собрался перечеркнуть двадцать два года совместного существования. У нее сложилось впечатление, что он уже выбросил ее из своей жизни. Это ее разозлило.

— Нет, никаких документов на развод я не заготовила! — сердито ответила она. — Найми адвоката или сам составь бумаги. Не могу же я все делать сама! Я прилетела поговорить, а не подписывать бумаги.

— Вот как?

Он был поражен. Сообщение администрации, что жена забронировала себе отдельный номер, стало лишним подтверждением его догадки. Он уже собирался попросить постелить в его номере вторую постель и был раздавлен, когда узнал о ее планах. Это подействовало лучше всяких слов.

— Ты очень зла на меня, Стью. — Глядя на нее, он жалел, что ничего уже нельзя изменить. — Я не осуждаю. Я был к тебе несправедлив. И даже не в силах объяснить толком свое поведение, хотя надо бы. Могу всего лишь молить о прощении. Смерть Тодда повергла меня в смятение. Я чувствовал себя виноватым, потому что не видел, кого еще винить. Чувство собственной вины было невыносимым, и я сделал вид, что сваливаю все на тебя. Но это было неискренне: на самом деле я не сомневался, что это произошло из-за меня.

— Каким же образом? — Она была поражена его словами. — Виноватых вообще нет. Это было кошмаром для всех, в том числе и для Алисы. Никто из нас этого не заслужил. Убираясь в его комнате, я даже злилась на него. Странно, но после этого мне полегчало.

— Ты убрала его комнату? Зачем? — Она преподнесла ему новый сюрприз.

— Потому что пришло время. Я все из нее вынесла и упаковала его вещи. Одежду раздала людям, которым она пригодится. Наверное, раньше я воображала, что, если оставить его комнату нетронутой, он рано или поздно туда вернется. В конце концов до меня дошло, что этому не бывать.

— До меня это дошло только здесь, в Лондоне.

На этом ее сюрпризы не иссякли.

— Я хочу продать квартиру. Вернее, — поправилась она, — ты можешь поступить с ней, как захочешь, но я больше не буду там жить. Там меня хватает за горло тоска. Если там оставаться, никто из нас не выздоровеет. — Все боялись поспешных решений и потратили на раздумья целый год. Теперь решения вызрели. — Если хочешь, можешь жить там и дальше, а я не могу.

Вернувшись в Нью-Йорк, она подыщет другую квартиру или переедет к Хартли. Окончательного решения она еще не приняла, но знала, что он удовлетворит любое ее желание.

— Дело не в квартире, — сказал Билл, опомнившись. — Ты хочешь жить со мной дальше? Вот главный вопрос. — Он заранее знал, каким будет ее ответ, но все же, услыхав его, чуть не вывалился из кресла, — так сильно ее слова резанули его по сердцу.

— Нет, не хочу, — спокойно ответила она. — Так, как мы прожили последний год, — не хочу. Как раньше, я бы не возражала. Но это в прошлом.

— А если нет? Если бы мы смогли все исправить? Ты бы согласилась?

— Так не бывает, — ответила она грустно. Посмотрев на него, она увидела в его глазах слезы и почувствовала укол сострадания. Сама она пролила за год столько слез, что выплакала норму всей жизни. Для нее все кончено. — Поверь, я скорблю.

— И я.

Он снова превратился в живого человека. Увы, ожил слишком поздно. В любом случае она приехала не выяснять отношения, а только навестить его. Если бы она согласилась к нему вернуться, он, возможно, снова повел бы себя с ней бездушно, перестал разговаривать... Она не хотела испытывать судьбу.

— Прости, что я оказался таким безмозглым дураком, — выдавил он. У него дрожали губы, глаза были полны слез. — Просто я не знал, как быть с навалившимся на нас горем.

— Я тоже не знала. — Непонятно, откуда взяться слезам, но они опять дрожали у нее на ресницах. — Мне был нужен ты. У меня больше никого не было. — Она всхлипнула.

— И у меня не было. Ужаснее всего то, что я потерял даже себя самого. Погиб вместе с Тоддом и потащил за собой в могилу наш брак.

— Вот именно! — не удержалась Мэри Стюарт. Она для того и явилась в Лондон, чтобы бросить ему в лицо это обвинение, хотела, чтобы он знал причину ее ухода. В конце концов он имел на это право.

Но Билл сидел перед ней, не стесняясь слез. У него был такой обиженный, жалкий вид, что у нее появилось желание его обнять. Но она сдержалась.

— Хотелось бы мне вернуться назад и прожить этот год иначе, но это невозможно, Стью. Все, что мне остается, — это твердить тебе, как мне жаль. Ты заслуживаешь гораздо большего и всегда заслуживала. Я абсолютный идиот!

— Ну и что ты мне прикажешь делать с идиотом? — Она поймала себя на том, что нервно расхаживает по номеру. Теперь и она выглядела растерянной. — Что толку признаваться мне теперь в прежнем идиотизме? Лучше скажи, почему ты вовремя не опомнился?

— Я не знал, как это сделать. Только здесь и пришел в себя. Стоило мне прилететь в Лондон — и я понял, что натворил. Я был так одинок, что не мог связно рассуждать. Хотел, чтобы ты была рядом со мной, хотел тебя вызвать, но мной владело смущение, а ты развлекалась себе на каком-то чертовом ранчо. Вдруг ты влюбилась там в ковбоя? Отсюда не разглядишь.

У него был такой растерянный вид, что ей захотелось схватить его за шиворот и как следует встряхнуть.

— Ну и болван! — убежденно произнесла она. Ей бы обругать его так несколько месяцев назад, и теперь она жалела, что потеряла столько времени.

— Прости. Я не хотел тебя обидеть. Если бы это произошло, и поделом. Я заслужил.

— Хороший пинок под зад — вот чего ты заслуживаешь, Уильям Уолкер! Говоришь, что мучился здесь от одиночества? Ну и дурень! Засел здесь на месяцы, а меня бросил киснуть в Нью-Йорке! Зачем мне оставаться твоей женой?

— Ты права, незачем, — смиренно пробормотал он.

— Отлично! Рада, что мы хоть в чем-то достигли согласия. Давай разведемся.

Наконец-то Мэри Стюарт произнесла решающее слово. Все как будто кончено. Но почему он смотрит на нее, качая головой? Она опять растерялась.

— Не хочу, — проговорил он, как ребенок, отказывающийся от посещения дантиста. — Не хочу с тобой разводиться! — повторил он на этот раз твердо.

— Почему? — осведомилась она, приходя в отчаяние.

— Потому что я тебя люблю. — Говоря это, он смотрел ей прямо в глаза.

Она отвела взгляд и стала смотреть в окно.

— Боюсь, теперь поздно, — грустно отозвалась Мэри Стюарт. Ей уже не поверить в его любовь. Ведь Билл весь год доказывал ей обратное, не обращая на нее внимания, бросая одну, всячески избегая. А потом вообще избавился — отправился на два месяца в Лондон. Когда они потеряли сына, он не смог ее утешить — лишил всего, что обязан был ей давать как муж.

— Никогда не поздно исправлять ошибки. — Он убеждал ее взглядом, она упрямо качала головой. — Ты хочешь сказать, что никогда меня не простишь? Это на тебя не похоже. Ты всегда умела прощать.

— Видимо, я переборщила со всепрощением, — ответила она. — Не знаю, почему, но кажется, время ушло. Мне очень жаль. — Она встала и отвернулась от него.

За окном раскинулось море лондонских крыш. Она стремилась закончить спор. Больше ей сказать нечего. Мэри Стюарт сделала то, что собиралась. Оставалось отправить факс: «Bonjour, Arielle». Ей хотелось, чтобы Хартли получил его в пятницу, как только вернется домой.

Задумавшись, она не заметила, как Билл подошел к ней сзади. Его объятия были такими неожиданными, что она сильно вздрогнула.

— Прошу тебя, не надо, — попросила Мэри Стюарт, не оборачиваясь.

— Мне хочется, — прошептал он несчастным голосом. — Позволь напоследок тебя обнять...

— Не могу, — тихо ответила она и обернулась.

Билл крепко обвил ее руками и не отпускал.

Их лица разделяли считанные дюймы. Она хотела сказать, что больше его не любит, но не хватило духу. Сейчас это было бы неправдой. Когда-нибудь это станет так, но должно пройти время. Она слишком долго любила, чтобы любовь могла улетучиться в одно мгновение. Но он нанес ей чересчур сильную обиду, чтобы у нее осталось желание любить его.

Но сейчас единственная загвоздка в том, что любовь к нему ее еще не покинула.

— Я тебя люблю, — признался Билл, глядя ей прямо в глаза.

Она зажмурилась. Он не собирался ее отпускать, а она не хотела его видеть.

— Не желаю этого слышать. — Говоря это, она не шевелилась.

— Но это правда! И всегда было правдой. Люблю! Боже, даже если ты от меня уйдешь, учти, что я никогда не перестану тебя любить. Тебя и Тодда...

Он опять заплакал, хотя уже хотел казаться мужественным. Не отдавая себе отчета, что делает, она уронила голову ему на плечо. Видимо, вспомнила, какая боль ее пронзила, когда их настигла страшная беда. Билл не смог тогда ее исцелить. Он сам был ранен насмерть и не сумел ей помочь. А сейчас они *вместе* оплакивали сына.

— Я так тебя люблю! — прошептал Билл и поцеловал ее.

Она хотела было отстраниться, вырваться. Но лишилась сил. Вместо этого она уже отвечала на его поцелуи, хоть и ненавидела себя за слабость. Как она может ему уступить! Хуже всего то, что она тоже поймала себя на желании целовать его.

— Не надо! — наконец выдавила она, когда он, задохнувшись, оторвался от ее губ.

Оказалось, что поцелуи сгладили обиду, хотя и не приглушили боль. Он снова стал ее целовать, она отвечала ему еще более охотно. Оказалось, что ей не хочется, чтобы он переставал. Она предпочла бы, чтобы это длилось вечно.

— Куда это годится? — пролепетала она. — Я же прилетела разводиться...

— Знаю, — ответил он и снова завладел ее губами...

Он уже ласкал ее тело, она целовала его, как безумная. Оба не смогли бы ответить, откуда взялась такая тяга друг к другу. Этого не случалось с ними уже год, и вот сейчас вдруг обоими овладело желание. Они не успели опомниться, как очутились в постели. Никогда она так его не желала, никогда не испытывала подобного острого возбуждения. Его тоже охватила страсть неведомой прежде силы. Одежда полетела на пол...

Они пришли в себя, только когда окончательно лишились сил. То была страсть, копившаяся целый год. Глядя на него, она усмехнулась, потом закатилась от смеха. Он тоже заулыбался.

— Ужас! — простонала она, отсмеявшись. — Я же прилетела разводиться, а ты...

— Знаю, — сказал он. — Сам не пойму, что на меня нашло. Может, еще разок?..

Они так и сделали. Затем беседовали, любили друг друга снова и снова, он оплакивал в ее объятиях сына, потом любовь вспыхивала с новой силой. Он забыл про секретаря, которая не имела ни малейшего понятия, что стряслось с шефом: сказал, что спешит на важную встречу, и как сквозь землю провалился. Ей оставалось твердить всем звонящим про эту непонятную встречу.

Часы показывали шесть. Они все еще лежали, нагие и совершенно обессиленные. Билл предложил заказать еду в номер. Ей хотелось одного — быть с ним. Она уснула в его объятиях.

Утром, когда Мэри Стюарт проснулась, муж, глядя на нее, молил небо, чтобы это не оказалось сном. Жизнь часто преподносила ему неожиданности, но сейчас он твердо усвоил, что не хочет ее потерять.

Завтрак они уничтожали с волчьим аппетитом: они изголодались по еде, как и друг по другу.

Билл спросил, чем она думает сегодня заняться. Можно подумать, что они в отпуске!

— Разве тебя не ждет работа? — удивилась она, запивая омлет кофе.

— Я беру отгул. Если ты улетишь в Нью-Йорк, буду с тобой до самого отлета. — Он печально опустил глаза. — Я отвезу тебя в аэропорт.

Но после завтрака они вновь долго не могли насытиться друг другом. Мэри Стюарт опоздала на самолет. Она бы еще успела, если бы тотчас соскочила с кровати, поспешно оделась и села в такси. Но дело все в том, что ей не хотелось торопиться. У нее появилось желание остаться: на день, на неделю, на все время, что он здесь пробудет. Если понадобится, то вообще навсегда. Она сообщила ему о своем желании, принимая вместе с ним ванну.

— Значит, останешься? — неуверенно переспросил он.

Мэри Стюарт утвердительно кивнула, заслужив тем самым поцелуй мужа.

— Между прочим, у меня с собой ковбойские сапоги, джинсы и пара приличных платьев. — Она улыбнулась ему.

Он выглядел счастливее, чем когда-либо в жизни.

— Весь Лондон сойдет от тебя с ума. Зачем нам отдельные номера?

— Незачем, — подтвердила она. — Но я все равно хочу продать квартиру.

Настало время выздороветь, расстаться с прошлым, терзавшим их сердца, снова обрести друг друга и, надеясь на удачу, все начать сначала. Он был благодарен жене за то, что она не дала ему окончательно пропасть, и поклялся, что кошмар прошедшего года никогда не повторится. Мэри Стюарт, внимательно выслушав его и хорошенько поразмыслив, решила поверить мужу. Она надеялась, что больше они не будут самоистязать себя, в их сердцах останется лишь светлая память о сыне.

Он предложил ей прогуляться, просто чтобы побыть с ней рядом, поговорить, вспомнить, как здорово шагать с ней бок о бок. Но сперва он заглянул в свой офис, подписал кое-какие бумаги, чего от него потребовала по телефону секретарь. Мэри Стюарт пообещала подождать его в вестибюле.

Мэри Стюарт медленно одевалась, думая о том, что произошло. Одевшись, она дрожащей рукой чиркнула записку. Затем надела коричневое платье, не обратив внимания на прическу... Она выглядела совсем молоденькой и вопреки обыкновению немного растрепанной.

Сейчас Мэри Стюарт думала о мужчине, с которым скакала среди диких цветов по холмам Вайоминга...

Она спустилась вниз и поговорила с администратором. Тот пообещал отправить ее факс, хоть и напомнил, что это можно сделать и из офиса ее супруга. Она объяснила, что предпочитает не подниматься, назвала номер факса и подала дрожащей рукой записку из двух слов.

— Сейчас же отправлю, мадам.

Мэри Стюарт стояла, опустив голову и глубоко задумавшись. Ей было больно — за себя и за него. Что ж, Хартли все предвидел заранее, не то что она. Записка гласила: «Adieu, Arielle». Письмо, написанное в самолете, так и не было отправлено. Зачем? Ведь она обещала обойтись двумя словами и ничего не объяснять.

— Готова? — спросил Билл, спустившись.

Увидев, как она печальна, муж встревожился. А заметив, что Мэри Стюарт плакала, вообще запаниковал. Они провели в ее номере почти два дня и, казалось бы, все утрясли, и вот опять... Он прямо в вестибюле обнял ее за плечи.

— Все в порядке, Стью. Клянусь, все будет хорошо... Я люблю тебя.

Но сейчас она думала не о нем. Мэри Стюарт мысленно прощалась с другом. Выйдя на солнце, она взяла мужа за руку. Привратник, провожая глазами трогательную пару, улыбнулся. Чудесное зрелище — счастливая пара! Жаль, что редкое. Как легко им идти по жизни! А может, им просто везет?

ЛУЧШИЕ КНИГИ ДЛЯ ВСЕХ И ДЛЯ КАЖДОГО

✦ **Любителям крутого детектива** – романы Фридриха Незнанского, Эдуарда Тополя, Владимира Шитова, Виктора Пронина, суперсериалы Андрея Воронина "Комбат", "Слепой", "Му-му", "Атаман", а также классики детективного жанра – А.Кристи и Дж.Х.Чейз.

✦ **Сенсационные документально-художественные произведения** Виктора Суворова; приоткрывающие завесу тайн кремлевских обитателей книги Валентины Красковой и Ларисы Васильевой, а также уникальная серия "Всемирная история в лицах".

✦ **Для увлекающихся таинственным и необъяснимым** – серии "Линия судьбы", "Уроки колдовства", "Энциклопедия загадочного и неведомого", "Энциклопедия тайн и сенсаций", "Великие пророки", "Необъяснимые явления".

✦ **Поклонникам любовного романа** – произведения "королев" жанра: Дж.Макнот, Д.Линдсей, Б.Смолл, Дж.Коллинз, С.Браун, Б.Картленд, Дж.Остен, сестер Бронте, Д.Стил - в сериях "Шарм", "Очарование", "Страсть", "Интрига", "Обольщение", "Рандеву".

✦ **Полные собрания бестселлеров** Стивена Кинга и Сидни Шелдона.

✦ **Почитателям фантастики** – циклы романов Р.Асприна, Р.Джордана, А.Сапковского, Т.Гудкайнда, Г.Кука, К.Сташефа, а также самое полное собрание произведений братьев Стругацких.

✦ **Любителям приключенческого жанра** – "Новая библиотека приключений и фантастики", где читатель встретится с героями произведений А.К. Дойла, А.Дюма, Г.Манна, Г.Сенкевича, Р.Желязны и Р.Шекли.

✦ **Популярнейшие многотомные детские энциклопедии:** "Всё обо всем", "Я познаю мир", "Всё обо всех".

✦ **Уникальные издания** "Современная энциклопедия для девочек", "Современная энциклопедия для мальчиков".

✦ **Лучшие серии для самых маленьких** – "Моя первая библиотека", "Русские народные сказки", "Фигурные книжки-игрушки", а также незаменимые "Азбука" и "Букварь".

✦ **Замечательные книги известных детских авторов:** Э.Успенского, А.Волкова, Н.Носова, Л.Толстого, С.Маршака, К.Чуковского, А.Барто, А.Линдгрен.

✦ **Школьникам и студентам** – книги и серии "Справочник школьника", "Школа классики", "Справочник абитуриента", "333 лучших школьных сочинения", "Все произведения школьной программы в кратком изложении".

✦ Богатый выбор учебников, словарей, справочников по решению задач, пособий для подготовки к экзаменам. А также разнообразная энциклопедическая и прикладная литература на любой вкус.

Все эти и многие другие издания вы можете приобрести по почте, заказав

БЕСПЛАТНЫЙ КАТАЛОГ

По адресу: 107140, Москва, а/я 140. "Книги по почте".

Москвичей и гостей столицы приглашаем посетить московские фирменные магазины издательства "АСТ" по адресам:

Каретный ряд, д.5/10. Тел. 299-6584.
Татарская, д.14. Тел. 959-2095.
Б.Факельный пер., д.3. Тел. 911-2107.
Арбат, д.12. Тел. 291-6101.
Звездный бульвар, д.21. Тел. 974-1805
Луганская, д.7 Тел. 322-2822
2-я Владимирская, д.52. Тел. 306-1898.

ИЗДАТЕЛЬСТВО АСТ ПРЕДЛАГАЕТ

ЛУЧШИЕ
КНИЖНЫЕ
СЕРИИ

СЕРИЯ "ОТКРОВЕНИЕ"

Лучшая серия любовно-исторических романов!
Лучшие произведения лучших авторов: Джудит Макнот, Ширли Басби, Аманда Квик, Кэтлин Вудивисс.
Лучшие произведения лучших авторов!
"Уитни, любимая" Джудит Макнот, "Сюрприз" Аманды Квик, "Вечные влюбленные" Ширли Басби, "Волк и голубка" Кэтлин Вудивисс и многое другое...

Книги издательства АСТ можно заказать по адресу: 107140, Москва, а/я 140 АСТ – "Книги по почте".

Издательство высылает бесплатный каталог.

ИЗДАТЕЛЬСТВО АСТ ПРЕДЛАГАЕТ

ЛУЧШИЕ КНИЖНЫЕ СЕРИИ

ПОПУЛЯРНЕЙШАЯ СЕРИЯ ЛЮБОВНЫХ ИСТОРИЧЕСКИХ РОМАНОВ "ШАРМ"

Нежные и преданные женщины, отважные и благородные мужчины, возвышенные чувства и горячая земная страсть любовных сцен, захватывающие, полные приключений, похищений, опасных интриг и головокружительных погонь сюжеты, уводящие читательниц в самые далекие времена и самые экзотические страны, - все это не оставит равнодушной ни одну настоящую женщину.

Книги издательства АСТ можно заказать по адресу: 107140, Москва, а/я 140 АСТ – "Книги по почте".

Издательство высылает бесплатный каталог.

Уважаемые читатели!
Даниэла Стил готова ответить на Ваши вопросы. Присылайте их по адресу:
129085, Москва, Звездный бульвар, 21
Издательство АСТ, отдел рекламы.

Литературно-художественное издание

Стил Даниэла

Ранчо

Редактор О.Г. Аристова
Художественный редактор О.Н. Адаскина
Компьютерный дизайн: Е.Н. Волченко
Технический редактор Т.Н. Шарикова

Подписано в печать 23.11.98.
Формат 84x108 1/32. Гарнитура Академия.
Усл. печ. л. 24,36. Тираж 20 000 экз.
Заказ № 6246.

Налоговая льгота – общероссийский классификатор продукции ОК-00-93, том 2; 953000 – книги, брошюры

Гигиенический сертификат
№ 77.ЦС.01.952.П.01659.Т.98. от 01.09.98 г.

ООО "Фирма "Издательство АСТ"
Лицензия 06 ИР 000048 № 03039 от 15.01.98.
366720, РФ, Республика Ингушетия,
г.Назрань, ул.Московская, 13а
Наши электронные адреса:
WWW.AST.RU
E-mail: AST@POSTMAN.RU

Отпечатано с готовых диапозитивов
в типографии издательства "Самарский Дом печати"
443086, г. Самара, пр. К. Маркса, 201.